PANORAMA DE LA LITTÉRATURE NOIRE D'EXPRESSION FRANÇAISE

OUVRAGES DU MÊME AUTEUR

Les Sanctions, 1937 (Domat).
Bataille pour la faiblesse, 1946 (Gallimard).
Soyons neutres, 1950 (ICA-Sibert).
Les Juifs et les nations, 1956 (Éd. de Minuit).
Histoire du Liban, 1963 (Éd. de Minuit).
Pierre Mendès France, 1967 (Éd. du Centurion).
Tocqueville, 1971 (Éd. Seghers, coll. « Maîtres modernes »), couronné par l'Institut.

Jacques Nantet

PANORAMA DE LA LITTÉRATURE NOIRE D'EXPRESSION FRANÇAISE

LES GRANDES ÉTUDES LITTÉRAIRES

Fayard

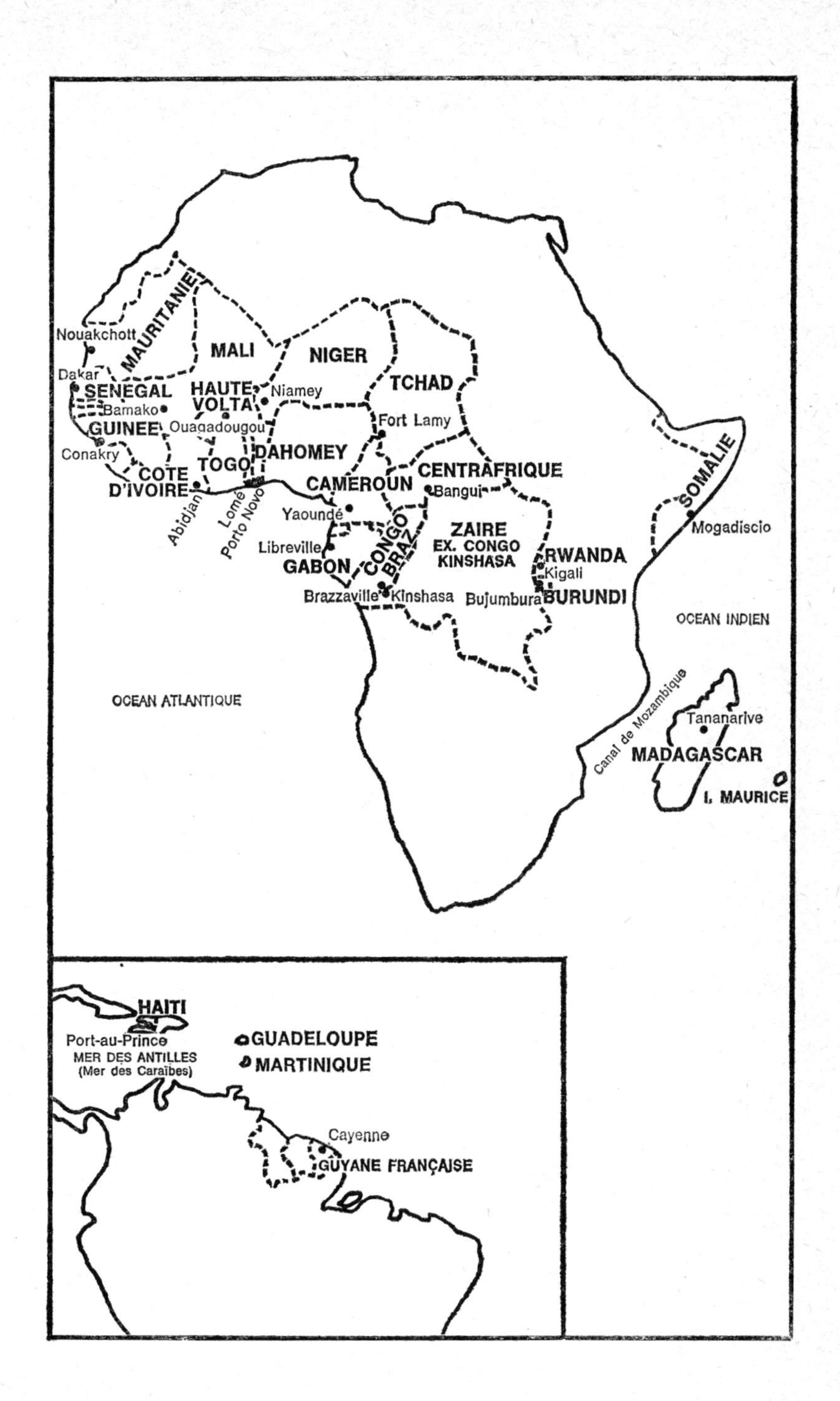
MAURITANIE
Nouakchott
MALI
NIGER
TCHAD
Dakar
SENEGAL
HAUTE VOLTA
Niamey
Bamako
GUINEE
Ouagadougou
Fort Lamy
Conakry
DAHOMEY
TOGO
COTE D'IVOIRE
CENTRAFRIQUE
CAMEROUN
Bangui
Abidjan
Lomé
Porto Novo
Yaoundé
ZAIRE
EX. CONGO KINSHASA
Libreville
CONGO BRAZ
GABON
RWANDA
Kigali
Brazzaville
Kinshasa
Bujumbura
BURUNDI
SOMALIE
Mogadiscio
OCEAN INDIEN
OCEAN ATLANTIQUE
Canal de Mozambique
Tananarive
MADAGASCAR
I. MAURICE
HAITI
Port-au-Prince
MER DES ANTILLES
(Mer des Caraïbes)
GUADELOUPE
MARTINIQUE
Cayenne
GUYANE FRANÇAISE

01155

I.

La révélation d'un monde nouveau

1) *Considérations préliminaires*

Sans fixer de dates précises à ce stade introductif, il est bien évident que la prodigieuse renaissance politique, culturelle, et plus précisément littéraire, du monde noir, s'est amorcée au cours de la première moitié du XIXe siècle, et que deux événements historiques concomitants l'ont rendue au début possible : l'inquiétude ressentie par le monde moderne occidental quant à ses droits et à sa prééminence définitive; la prise de conscience de ses richesses propres par un monde noir encore traditionnel. A vrai dire, cette conjugaison s'est faite à la suite d'une rencontre, non plus épisodique à l'occasion de la traite et des comptoirs commerciaux, mais régulière et continue. L'expansion coloniale a réveillé l'Afrique tout en renforçant les scrupules des Blancs. 1830 installe la France en Afrique; 1848 abolit l'esclavage.

A partir de là, chez les Noirs tout est en mouvement. Un de nos auteurs, Cheik Hamidou Kane, du Sénégal, écrit dans le sens le plus fort que le Noir est « tiré de sa solitude [1] ». Il reste cependant impuissant car, avant d'entrer efficacement en lutte contre ce qu'on appellera un « génocide des âmes », avant de pouvoir, comme le souhaiterait René Belance (Haïti), « soulever le couvercle dont la pesanteur devient une hantise [2] », il faudra au contraire, et d'abord, selon une démarche que Jean-Paul Sartre compare à la descente d'Orphée aux enfers, aller au plus profond de cette âme noire pour en extraire ce qu'elle recèle « de plus nostalgique et de plus merveilleusement noir [3] ». Alors seulement on sentira derrière les mots « le battement entêté du pouls d'un être bien vivant [4] » (Paulin Joachim, du Dahomey).

Les Noirs commenceront en effet à se dégager de l'emprise des Blancs au fur et à mesure qu'ils récupéreront dans la foulée de leur révolte leur histoire et leur spécificité. La projection d'une Afrique de rêve, qui devient le point de mire, comme la voit l'Ivoirien Bernard Dadié, avec « son or... ses diamants... ses bois précieux... ses lagunes... ses éléphants débonnaires... son soleil toujours sur la brèche [5] »; la spécificité des « vieilles civilisations nègres... civilisations courtoises [6] », comme les décrit le grand poète martiniquais Aimé Césaire : voilà des définitions encore imprécises, qu'on va dorénavant s'attacher à compléter. Ce sera le rôle, notamment, d'Aimé Césaire et de Léopold Sédar Senghor, frais débarqué de son Sénégal, quand ils se rencontrent jeunes étudiants à Paris et fondent, successivement, les revues *Légitime défense*, en 1932, et en 1934, *L'Étudiant noir*. Le mouvement qui en résulte contribue fortement aux vocations des écrivains que Léopold Sédar Senghor présentera en 1947 dans son *Anthologie de la nouvelle poésie nègre et malgache de langue française* [7]. La même année le relais est pris avec la fondation de la revue et de l'association *Présence africaine*, puis, en 1956, quand le Sénégalais Alioune Diop, qui les anime l'une et l'autre, organise à la Sorbonne un premier congrès mondial des écrivains et artistes noirs. Nous arrivons ainsi à grandes enjambées au Festival des arts nègres de 1963, à Dakar, et enfin au Premier festival culturel panafricain d'Alger qui, en 1969, confronte Noirs et Arabo-Berbères.

La négrité — culture et civilisation noires — est maintenant bien mise en évidence et elle apparaît nettement une des expressions de l'univers. Expression singulière pour s'être, en somme, lentement adaptée au continent africain. Le sentiment religieux y est simple conséquence logique de principes philosophiques généralement admis, et non pas, à l'image de l'Europe chrétienne ou de l'arabicité musulmane, évasion, consolation ou aspiration vers le divin. La prose reste toute proche de la poésie, d'où l'importance accordée, à la fois, au ton — assez impératif —, et au rythme qui l'emporte sur le sentiment dramatique. La notion du beau (Harris Memel-Foté, de la Côte-d'Ivoire, l'explique [8]) ne se sépare pas de celle du bon, et le beau est toujours relatif. Deux auteurs commentent très bien pour nous l'ensemble de ces lignes directrices qui, aux yeux de l'Africain noir, mettent sur la voie des vérités essentielles : « Oui, nous pouvons affirmer que nos ancêtres la détenaient, cette grande vérité, écrit Bernard Dadié, et c'est cela qui leur donnait leur grande assurance face à tous les événements. Des sages, tout comme ceux de Rome; des sages non statufiés, non homologués, non classifiés; des sages anonymes, nés sans date, morts sans date, faisant de la sorte la nique au Temps qui ne peut mourir, ni rajeunir, le Temps qui ne se compte pas; Temps captif, condamné à poursuivre un cycle sans fin, entraînant l'homme dans son circuit, son périple [9]. » D'autre part, Djibo Habi, du Niger, fait ressortir la puissance magique du verbe : « Toute transformation s'effectue par le verbe. Le pouvoir de l'homme, par le moyen du verbe, sur les forces de la nature est grand : pluie, foudre, animaux, montagnes, arbres. On voit ici que l'origine de l'idée métaphysique est le langage qui, doublant la réalité, place un monde nouveau à côté du monde réel. Ainsi les choses n'existent pas isolées : l'homme et l'univers s'identifient pour aboutir à une cohérence intime. L'humanisme africain est fortement imprégné de cette conception. Les mots appartiennent à la même catégorie d'êtres et entretiennent entre eux un commerce constant qui leur permet notamment de se communiquer cette force vitale [10]. »

Une culture et une civilisation bien spécifiques, dont nous voyons de surcroît très rapidement qu'elles sont directement branchées sur l'art. On le remarque à l'importance extraordinaire (en Afrique même, en tout cas) du masque. Le Camerounais Jean-Baptiste Obama met cela en évidence : « Qu'on le veuille ou non, la notion de culture africaine fut imposée au monde à travers les objets d'art et les masques négro-africains [11]. » Et son compatriote, le R.P. Engelbert Mveng, montre à quel point l'importance accordée au masque est légitime : « Il y a des masques partout : masque d'initiation, de danse, de guerre, de rites religieux, de funérailles, des guérisseurs et des jeteurs de sort... Le masque est certainement l'un des signes les plus puissants de l'art africain. Il récapitule l'art tout entier. Il est à la fois homme, animal et végétal. Il est fonction de l'homme jouant, luttant, transformant la nature [12]. » Ainsi approchons-nous, toujours d'ailleurs grâce au R.P. Mveng, d'une définition de l'art négro-africain; et en dépit du fait que notre objet est ici essentiellement littéraire, cette définition va être pour nous un outil indispensable : « L'art négro-africain est d'abord une activité créatrice dans laquelle l'homme se transforme en transformant le monde, par une opération qui unifie le destin de l'homme et le destin du monde à travers des gestes, des signes, la parole et des techniques minutieusement élaborées et transmises par la tradition. Voilà l'art négro-africain en tant qu'activité. Cette activité crée des signes. Ces signes portent un message : ils sont un langage. L'art nègre est donc le langage de l'homme noir qui a pour vocabulaire l'univers des choses recréé par le génie humain. La *symbolique* a pour mission de transformer le monde en un langage qui dit à l'homme, parmi la foule des choses, le nom des adversaires et des alliés de son destin. La *rythmique* soumet cette transformation à des lois rationnelles qui recréent le monde au gré du génie négro-africain. Ce n'est pas tout. L'art négro-africain est porteur d'un message, et cela constitue aussi sa spécificité. Quel est le contenu de ce message? L'art nègre raconte à l'homme sa propre destinée. Il est la page écrite du drame qui tisse notre existence. Il chante l'épopée de la *Vie* aux prises avec la *Mort*, de la *Liberté* dressée contre le *Déterminisme* [13]. »

Et puis, le principal de toute la vie s'exprime en Afrique noire par la musique, le chant, la danse, qui sont eux-mêmes inséparables de la littérature. D'abord par le lien du théâtre, dont on a dit à juste titre qu'il a toujours existé là-bas, camouflé parfois sous le nom générique et trompeur (mais combien révélateur) de tam-tam. Voilà comment Bakary Traoré décrit le processus qui nous emporte, tel qu'il l'a vécu au Sénégal : « Il arrive que les conteurs se réunissent à plusieurs pour mimer un conte. A Saint-Louis, il nous a été donné souvent l'occasion d'assister à des représentations de ce genre. La population entière d'un quartier est conviée à une place publique, aménagée à l'occasion par une clôture de fortune. Les spectateurs assis à même le sol forment un cercle autour d'un protagoniste. La nature humaine, l'homme ou l'animal s'anime dans la bouche de ce conteur merveilleux. Ce dernier prend différentes intonations, chante ou danse au besoin, soutenu par le rythme du tam-tam, les battements de mains des femmes, les éclats de rire, les approbations de la foule, et tout cela dénote une participation effective. Il sait rendre la physionomie et le comportement de ses personnages, la stupidité, la naïveté, la coquetterie d'une jeune fille, le ton sentencieux d'un vieillard, l'humilité ou l'orgueil. Ses gestes sont suggestifs, empreints de sobriété. Un mouvement des bras ou des jambes, une expression du visage, cela suffit pour souligner un portrait, achever l'esquisse d'une caricature. L'élément cérémonial et théâtral y est manifeste [14]. »

Cet amalgame constituant l'élément central qui nous concerne au point de vue littéraire, un mot encore afin de situer les autres disciplines, du moins telles qu'un Européen les conçoit. Martial Sodogandji fait au Dahomey un effort louable et efficace pour révéler le sens de l'architecture africaine au sud du Sahara : « Dans notre architecture traditionnelle, il y a le point, la ligne, qui jouent un rôle déterminant. Les figures employées couramment sont le cercle, le rectangle, le carré, le triangle. Il y a aussi le système radial, le rythme ondulatoire et la radiation amplificative. Les combinaisons de lignes dans notre architecture négro-africaine traduisent des figures qui chantent le destin de l'homme devenu créateur, au sein du grand drame qui prépare la victoire de la vie. Le cercle signifie la totalité [15]. » Tout près de l'architecture, la peinture, à la vérité un peu parente pauvre, en dépit du grand talent manifesté, entre autres au festival d'Alger, par toute une jeune école de peintres africains au premier rang desquels il faut, sans aucun doute, placer le Sénégalais Iba Ndiaye.

Ainsi apparaissent déjà quelques-uns des problèmes auxquels l'auteur d'un panorama de la littérature noire d'expression française se trouve confronté. D'abord les problèmes propres à la culture. En dépit du R.P. Mveng, et même si une littérature écrite a longtemps existé en Afrique à côté de la littérature orale, il n'en reste pas moins, à vue humaine, que nous avons affaire à une littérature basée sur des traditions orales. Un personnage fort important est d'ailleurs, dans ce cadre, chargé de les transmettre : c'est le griot — conteur, baladin, troubadour — auprès duquel le ressourcement se fait souvent, encore aujourd'hui. Cela est généralement admis. Le Dahoméen Bruno Tohgodo, partisan de la thèse selon laquelle le continent africain est le berceau du genre humain, reconnaît que « l'écriture, dont le rôle est capital dans l'évolution des peuples... a le plus manqué à l'Afrique noire ». Et Bruno Tohgodo met immédiatement en exergue l'autre difficulté fondamentale : « L'existence d'une multitude de langues, ou mieux de dialectes qui (à quelques exceptions près, comme le haoussa, le bariba) couvrent des aires géographiques restreintes [16]. » On compterait en Afrique noire cent vingt-six langues vernaculaires, locales, et un nombre considérable de dialectes. Aussi bien en Afrique qu'à Madagascar et aux Antilles — où les conditions, sans être les mêmes, sont comparables — le réveil littéraire dont nous parlons va donc s'effectuer en écho à la situation créée par la colonisation : dans la langue anglaise ou dans la langue française, ou encore portugaise et espagnole. Et puis, culture, indépendance nationale allant de pair, les responsabilités des États noirs augmentant régulièrement d'année en année, ce qui avait été imposé par l'histoire et s'était sur place enraciné devient de plus en plus indispensable : la possession, par de larges couches des populations, d'une langue de grande diffusion internationale.

Voilà pourquoi d'un bout à l'autre du monde noir la même question se pose aujourd'hui : comment l'écrivain passera-t-il de sa langue maternelle, non écrite, à l'écriture dans une autre langue, par exemple le français? Rappelons les structures de l'Afrique. Quelle que soit l'origine des Noirs (eux-mêmes, à l'aube des temps, envahisseurs; ou bien, comme le pense Jean Suret-Canal, depuis toujours autochtones), à la base se trouve le clan, issu de l'ancêtre commun. Au-dessus, la tribu, qui forme avec d'autres tribus une ethnie, localisée dans un des États noirs indépendants ou souvent partagée entre eux. En gros, au nord dominent l'islam et le christianisme; plus au sud, l'animisme l'emporte. C'est dans ce milieu que la francophonie, comme va l'appeler Léopold Sédar Senghor, s'affirme, le chef d'État associant l'indépendance nationale — en l'occurrence du Sénégal, mais sans doute pense-t-il aussi au reste du continent — à l'expression française : « Qu'est-ce que la francophonie ? Ce n'est pas, comme d'aucuns le croient, une " machine de guerre montée par l'impérialisme français ". Nous n'y aurions pas souscrit, nous Sénégalais, qui avons été parmi les premières nations africaines à proclamer et pratiquer, nous ne disons pas le " neutralisme positif ", mais le non-alignement coopératif. Voilà exactement vingt ans, qu'en 1946, je proclamais en France notre volonté d'indépendance, au besoin " par la force ", mais, en même temps, notre volonté d'entrer dans une communauté de langue française... *pour nous, la francophonie est culture. C'est un mode de pensée et d'action : une certaine manière de poser les problèmes et d'en chercher les solutions*... La francophonie ne sera pas, ne sera plus enfermée dans les limites de l'hexagone. Car nous ne sommes plus des " colonies "; des filles mineures qui réclament une part de l'héritage. Nous sommes devenus des États indépendants, des personnes majeures, qui exigent leur part de responsabilité... L'essentiel est que la France accepte de *décoloniser* culturellement et qu'ensemble nous travaillions à la *Défense et l'expansion de la langue française* comme nous avons travaillé à son illustration [17]. »

En fait, les pays d'expression française sont d'une superficie d'à peu près la moitié de ceux d'expression anglaise, toujours pour l'Afrique noire, la proportion étant exactement inverse aux Antilles. Mais l'Afrique francophone est deux fois plus habitée que l'Afrique anglophone, et par tête d'habitants il y a plus d'écrivains du côté français. Quant aux disciplines — nous verrons comme il est délicat d'employer ce terme — les anglophones produisent plus de récits, d'autobiographies, et les francophones plus de poèmes. Le roman se partage moitié-moitié. Encore faut-il distinguer les Négro-Africains des Arabo-Berbères du nord, pour reprendre la terminologie de Senghor. Cela s'est fait notamment — et paradoxalement — à l'occasion du Festival culturel panafricain d'Alger, en 1969, dont l'initiative avait pourtant été prise par l'Organisation de l'unité africaine. Dans le domaine de la musique, les instruments à percussion des Noirs se sont nettement affirmés en face des instruments à cordes des Arabes. L'unité africaine est pourtant sensible, par exemple à Tassili. Et il y a aussi des régions au passé litigieux : Cheik Anta Diop, l'intéressant essayiste sénégalais, revendique avec des arguments impressionnants l'Égypte antique pour les nègres [18]. Alors, à seule fin de se définir, cette prodigieuse poussée noire que nous décrivons cherche un nom. Négritude, disent Aimé Césaire et Léopold Sédar Senghor; et l'écrivain camerounais Jean Ikélé Matiba présente assez bien leur thèse : « La négritude... qui connaît de plus en plus une immense fortune, ne fut ni une doctrine philosophique, ni un mouvement littéraire, mais un concept vague grâce auquel ses créateurs voulaient exorciser le démon caché derrière le nom de " nègre " et chacun, selon son tempérament, son génie, essaya ainsi de réhabiliter le Noir. Damas, dans ses *Pigments*, entend retourner vers une Afrique disparue, désire " ses poupées noires ", voudrait redevenir sauvage. Césaire chante sa négritude qui " n'est pas de pierre " et ...nous fait découvrir le rôle du Noir dans la production, le Noir comme moyen d'enrichissement. Senghor va plus loin : il transcende la situation coloniale — simple épisode historique — et essaie de se découvrir africain, négro-africain. La solidarité des hommes, des races, l'amitié, la découverte, la découverte de soi-même, il les présente de façon admirable dans *Méditerranée*. Cette mer qui relie les continents, l'Orient et l'Occident, le berceau des grandes civilisations, qui a vécu les plus grandes époques de l'humanité : Alexandrie et Carthage, Athènes et Rome, l'aide à découvrir Diallo, c'est-à-dire l'Afrique : " Je t'appellerai Diallo, ami / Tu m'appelas Senghor " [19]. » Mais d'autres, tel le grand poète malgache Jacques Rabemananjara, semblent plus réticents et considèrent le concept de négritude comme déjà un peu dépassé : « A cette époque-là qui était une époque militante, il fallait ramasser cette espèce de négritude et la brandir aux yeux de ceux qui ne voulaient pas admettre qu'elle était une entité humaine comme les autres. Il fallait la présenter de façon normale [20]. » Nous verrons, au long de cet ouvrage, le débat se poursuivre.

Au niveau de la méthode, des difficultés supplémentaires se présentent. Elles tiennent, principalement, à l'arbitraire des disciplines auxquelles les esprits occidentaux sont accoutumés. D'abord parce que rien n'a pu échapper à « l'impératif religieux qui commande toute institution et toute création dans l'Afrique traditionnelle ». C'est bien vrai du théâtre qui a « ses origines dans les cérémonies religieuses et cosmiques [21] », tout autant, par exemple, que de la médecine « initialement mystique », et peu à peu « devenue mythique [22] ». Mais nous savons déjà que ce sentiment religieux est essentiellement règle de vie. Il n'est donc pas surprenant que ces disciplines littéraires, que nous essayons d'appliquer, présentent un caractère pratique, utilitaire, et, on le dira bientôt, social ou didactique. Alors, où commencer et où s'arrêter? Basile-Juléat Fouda, du Cameroun, nous ramène très bien à cette question : « Ces traditions ancestrales doivent gouverner l'existence, leur but est donc réaliste. La visée primordiale est d'assurer une égalisation des chances qui permette à tous et à chacun de vivre, en honnête homme négro-africain, l'aventure humaine. Les traditions négro-africaines orientent l'histoire, c'est-à-dire cette expérience viscérale que fait l'homme de sa destinée terrestre en connivence permanente avec l'Au-delà invisible et surnaturel. Pour réaliser cette égalisation démocratique des chances existentielles au cours des générations successives, les Négro-Africains ont inventé leur littérature, qui est ainsi une littérature des traditions ancestrales. La littérature nègre est un recours esthétique. Car la littérature n'a pas donné le jour aux traditions; elle a pour but unique de les exprimer artistiquement. Elle est leur vêtement de dentelle, pour qu'elles s'extériorisent au-delà de l'acte agi et vécu à bout portant. La mère, ce sont les traditions : et la littérature est la fille [23]. » Prenons des exemples dans le domaine musical. Le même tambour, utilisé pour transmettre des messages sur de longues distances et par relais, deviendra un instrument de musique dont les Africains jouent en virtuoses. Cette musique n'est d'ailleurs pas, nous le savons déjà, autonome, écoutable en soi; bien plus, nous explique le Camerounais Francis Bebey, « elle sort difficilement du cadre linguistique dans lequel elle est comprise et appréciée. Instrumentale, elle a encore avec le langage parlé des liens si étroits qu'elle en devient, par là même, difficile à comprendre et à apprécier d'un auditeur n'appartenant pas à la communauté, au groupe ethnique du musicien. Dans bien des communautés — chez les Bantous en général — la phrase parlée, avec ses intonations, est l'élément essentiel qui dicte sa musique à la ligne mélodique. Cela se comprend : les mots, servant à exprimer la pensée, doivent s'attacher à le faire fidèlement, sans équivoque, que ce soit dans le langage parlé ou dans le chant [24]. »

La première conséquence de tout cela est que nous

renonçons définitivement à distinguer une littérature, un art populaire, de ce que nous avons accoutumé d'appeler, *largo sensu*, art et littérature. La seconde conséquence est que, très arbitrairement en effet, nous irons (presque toujours) de ce qui tend à être philosophie, théologie ou histoire, à ce qui est poésie, récit, théâtre, suivant en cela le cours le plus fluide, somme toute, et débouchant seulement en dernier lieu sur le roman, dont les structures paraissent les plus occidentalisées, les plus éloignées de la négrité proprement dite. Enfin, dans l'intention de respecter bien clairement l'apport de chaque nation — qui est souvent le résultat d'efforts gouvernementaux concertés — nous procéderons systématiquement d'État à État, africain, malgache ou antillais. Mais, comme les frontières de ces États séparent parfois ce que l'histoire — et donc les traditions culturelles ethniques fondamentales — unit, nous cheminerons au plus près des foyers culturels traditionnels, issus des anciens grands empires africains, de manière que la diversité s'explique en même temps que la continuité. De surcroît, tenant compte de la pénétration de l'expression française, nous traverserons l'Afrique d'ouest en est pour atteindre la République malgache, l'île Maurice, avant de gagner la Guyane et les Antilles. Au long de cette route, les groupes prestigieux que constituent le Macina et l'ancien empire du Mali, les royaumes mossi, le Dahomey et l'empire des Fons, le monde bantou du Nord puis du Congo, seront examinés tour à tour.

2) La Mauritanie

La Mauritanie contribue de façon permanente, à l'ouest du continent africain, à faire ressortir le particularisme de la négrité. Le territoire, d'une superficie d'un million de kilomètres carrés, aux neuf-dixièmes désertique, compte en effet un million cinq cent mille habitants, tous musulmans, dont l'éventail ethnique va des Arabes maures — qui donnent leur nom au pays — à une importante population noire (25 pour 100) faite de Peuls, de Sarakollés, de Nemadis et surtout de Toucouleurs. L'éminent essayiste, sociologue et économiste, Mohamed Ali Cherif, commente volontiers cette situation, tout en montrant jusqu'à quel point la littérature noire d'expression française — les œuvres de l'écrivain Gaye pourraient en donner un exemple — est ici dans une assez large mesure à la fois islamisée et arabisée. Cette ambiguïté est, d'ailleurs, très bien analysée par un autre écrivain, Mokhtar ould Hamidou, dans deux livres fondamentaux pour qui veut connaître cette région : *Précis sur la Mauritanie* [25] et *Histoire de la Mauritanie* [26]. Mokhtar ould Hamidou fait ressortir que la conjoncture marque en même temps une frontière et est significative d'une certaine continuité, laquelle va, de surcroît, se prolonger plus au sud, vers le Sénégal.

2.

Macina, ancien empire du Mali et ses extensions

1) Le Sénégal

Cette continuité est d'abord sensible dans les ethnies. Sur les 3 200 000 habitants du Sénégal se trouvent 450 000 Toucouleurs (au nord-est, d'ailleurs), 250 000 Peuls répartis un peu partout et même environ 50 000 Maures. A eux s'ajoutent 200 000 Mandingues ou Malinkés, parmi lesquels des Sarakollés, cousins de ceux de Mauritanie. Le gros du pays est cependant fait de 1 150 000 Wolofs (la plupart musulmans et localisés au nord-ouest), 600 000 Sérères (également musulmans), sans parler des 200 000 Diolas et Floups, au sud, en Casamance, des Lebous et des Nones tout le long de la côte. En tout, du point de vue religieux, 5 pour 100 de chrétiens, 16 pour 100 d'animistes et 79 pour 100 de musulmans.

La continuité s'affirme donc, aussi, au niveau religieux. Pourtant l'islam a, au Sénégal, sa tonalité particulière. Consolidée vers le milieu du XIXe siècle par El Hadj Omar, qui cherche à réagir contre certains excès, cette religion fait ici, de surcroît, une grande place au mouridisme, considérée par les uns comme hérétique, par les autres comme un effort exceptionnel d'adaptation à la spiritualité noire. Ahmadou Bamba, fondateur de la confrérie, l'introduit, et l'implante au Sénégal au début du

XXe siècle. La principale mosquée des mourides est située à Toula, à proximité de la plaine du Baol, et la secte, placée sous l'autorité d'un grand calife — chacun mettant tout en commun — est extrêmement puissante. A ce propos, il faut lire les travaux très éclairants du cheik Tidiane Sy, à la fois sur l'intention générale de ce mouvement sunnite, teinté de mysticisme souffi, et sur les conditions sociologiques qui en résultent, pour une partie de la population, au Sénégal : « En faisant du renoncement total aux choses de ce monde l'une des bases de sa morale, Ahmadou Bamba soutient une foi inébranlable en l'issue du combat intérieur que mène le mystique. Seul, en effet, le désintéressement total *(zuhd)* peut conduire le mouride à la contemplation. " Sois, dit-il au mouride, comme le petit âne qui ne mangera pas la charge qu'il porte "car " le vrai bonheur consiste dans l'oubli de l'existence. " Que l'adepte dégage donc son âme de toutes préoccupations matérielles car ce n'est qu'à cette condition qu'il pourra être en union avec Dieu et recevoir ainsi sa faveur lumineuse... La femme mouride, surtout celle du marabout, a conservé l'usage du voile que remplace ici le pagne wolof. Elle sort, la tête toujours entourée de ce pagne, et c'est avec peine qu'on peut distinguer ses traits. Ce souci de puritanisme est encore plus prononcé chez les filles d'Ahmadou Bamba qui ont adopté la robe longue, avec de longues manches, ce qui leur permet de cacher même les bras. On ne découvre pas, toutefois, la même attitude chez les filles des marabouts. Celles-ci semblent plus libérées, plus enclines à montrer leur jeunesse et la beauté de leurs traits. Elles ne se livrent à aucune occupation ménagère, ce qui leur vaut, très souvent, les critiques nombreuses des gens de l'extérieur habitués à voir la femme africaine travailler, quelle que soit sa position sociale [27]. »

On voit déjà que tout cela est inextricablement lié à

l'histoire même du Sénégal. Le cœur du pays, c'est le Siné, avec son roi (ou bour), ses nobles (ou guelwars), ses artisans (ou nyenis) et ses captifs; mais à partir de là va s'étendre l'empire Songay, dont la grande époque correspond, précisément, à l'action religieuse rénovatrice d'El Hadj Omar. Le meilleur historien de ces affaires, qui rattache le plus efficacement les peuples du Cayor, du Baol, au Macina et à l'empire du Mali, est Amadou Cissé Dia. Il faut lire de lui *Les Derniers jours de Lat Dior — La Mort du Damel* [28]. Un passage laisse prévoir, précisément, l'avenir de tous ces peuples ensemble : « Peuples du Cayor, peuples du Baol, oh! vous Linguères! Princes! Lamanes! Diarafs! Farbas! et vous, oh! Tiedos mes amis, et vous oh! griots, allons combattre le Toubab! Allons donc mourir, pour qu'un jour notre pays, l'immortel Cayor, confondu avec les royaumes du Baol, du Djoloff, du N'Diambour, du Oualo, du Fouata, du Siné et du Saloum, jusqu'au lointain Niani Ouli, pour qu'un jour nos peuples, unis dans une même famille, connaissent enfin la véritable paix, la paix dans l'honneur retrouvé! »

Afin de compléter ce tableau du Sénégal, encore faudrait-il consulter, en même temps pour le passé [29] et pour l'histoire contemporaine [30] le bon spécialiste Abdoulaye Lye. Les dispositions économiques communautaires, qui prévalent encore dans le pays, sauf le long de la côte, sont sérieusement étudiées par Abdoulaye Wade [31] et Mamadou Dia [32]. A propos de la côte, il faut d'ailleurs retenir les travaux de Camille Camara sur Saint-Louis, si important au XIXe siècle : « Il importe... d'insister sur le caractère aquatique de Saint-Louis, car maîtresse de la ville, l'eau en modèle la morphologie; la petite taille des immeubles, leurs murs constamment humides et les rues boueuses dépourvues de pente nécessaire à l'écoulement des eaux usées sont quelques-uns des désagréments ressortissant à une topographie basse et molle [33]. » La politique, la sociologie actuelles sont traitées par Majhemout Diop [34], Fofana [35], Massata N'Diaye [36], le jeune sociologue, ethnologue, linguiste Pathé Diagne, et Sankalé en ce qui concerne particulièrement la situation de la femme : « La progression continue de la polygamie avec l'élévation du niveau social des chefs de ménage s'explique par le fait que la polygamie est acceptée par la presque totalité des couches sociales — la population chrétienne n'étant pas considérée — mais ne devient fréquente que dans les catégories qui ont les moyens économiques les plus importants. L'examen du taux de polygamie, comme du nombre de ménages ouverts aux étrangers, montre que tout semble se passer comme si parmi les populations africaines urbaines ces traditions s'atténuaient au niveau des couches les plus modestes qui sont souvent, en fait, les plus liées aux coutumes, mais qui étaient reprises, actualisées par les catégories supérieures qui sont, a priori, les plus acculturées, les plus transformées par la vie moderne. Cette constatation prouve que les traditions sont tenaces et réapparaissent dès que des conditions favorables le permettent, celles-ci étant essentiellement d'ordre économique [37]. »

Ces ouvrages prouvent que l'histoire du Sénégal est intervenue pour affermir et affirmer, en dépit des liens manifestes, un monde différent au sud de la Mauritanie. C'est dans ce milieu — où on compte treize langues vernaculaires dont seulement trois d'importance — que la francophonie a fait ses premières armes en terre d'Afrique noire proprement dite. En 1853, l'abbé Boilat, un métis de Saint-Louis, publie ses *Esquisses sénégalaises* [38]. Un autre métis de la même ville — alors prédominante au Sénégal —, Paul Holla, donne en 1855 une *Sénégalie française*. Puis, toujours dans le cycle historique, paraît en 1913 une *Bataille de Guilé* d'Amadou Dugné Clédor. Un berger peul, Baraké Diallo, appartient, lui aussi, à la préhistoire de l'expression française en Afrique noire avec un récit très édifiant intitulé *Force-Beauté*, à la gloire des tirailleurs sénégalais. Gaston-Joseph publie, à peu près à la même époque, une sorte d'autobiographie : *Kouffi, roman vrai d'un Noir*, qui raconte la vie d'un « boy », placé auprès de Blancs. Enfin, Ousmane Socé Diop, né à Rufisque, près de Dakar, en 1911, et ancien élève de l'école William-Ponty — d'où vont sortir tant de talents pour le Sénégal et même pour toute l'Afrique occidentale —, produit une œuvre véritable et se trouve être, de la sorte, dans ces régions, le fondateur de l'expression française littéraire. Vétérinaire de son métier, il est pourtant intimement mêlé aux premiers combats culturels [39] que mènent Léopold Sédar Senghor et Aimé Césaire, et on lui doit, notamment, *Karim* (un commerçant de Saint-Louis, partagé entre la vie moderne et les traditions), *Mirages de Paris* [40] (le même thème, vu de France), *Contes et légendes d'Afrique* [41] (recueillis par l'auteur auprès de griots pendant ses tournées professionnelles) et enfin *Rythmes de Khalam*.

En fondant *Bingo*, seul mensuel d'Afrique noire à grand tirage, Ousmane Socé Diop contribue grandement à développer l'expression française. Elle attendait cependant d'un grand homme son épanouissement. Léopold Sédar Senghor le lui a donné. Celui-ci est né en 1906 à Joal dans une famille sérère, nombreuse et importante. Son père, négociant prospère, reçoit souvent la visite du roi. L'enfant apprend un peu de wolof et le français à l'école voisine de N'Gasobil, avant de poursuivre de brillantes études à Dakar, puis à Paris au lycée Louis-le-Grand. Il devient français en 1933 au moment d'être reçu à l'agrégation de grammaire et d'enseigner, notamment à Tours. Cette carrière de professeur s'accompagne de travaux linguistiques sur le wolof et le sérère, d'un mémoire sur Baudelaire, d'études sur Proust, Péguy, Supervielle et d'une *Anthologie des poètes du XVIe siècle* [42]. Mobilisé, résistant, Senghor débute, par ailleurs, dans une nouvelle carrière en se faisant élire après la Libération député du Sénégal à la Constituante. Cette voie le mènera un jour à la présidence de la précaire Assemblée fédérale du Mali, qui réunit, d'avril 1959 à août 1960, l'actuel Mali et le Sénégal, et enfin en septembre 1960, à la présidence de la République du Sénégal.

Telle est la personnalité qui va — sinon inventer l'expression : on dit qu'elle serait d'Aimé Césaire — contribuer le plus, et cela dès les années 1932-1934, à lancer et à définir l'idée et la notion de négritude. La négritude, écrit Léopold Sédar Senghor quand il résume sa pensée, est « l'ensemble des valeurs culturelles du monde noir ». Elle est « le patrimoine culturel, les valeurs, et surtout l'esprit de la civilisation négro-africaine ». Et Senghor affirme : « Il faut que nous restions, nous autres, au sud du Sahara, des *nègres*. Je précise : des négro-africains, c'est-à-dire que nous nous abreuvions, chaque jour, aux sources jaillissantes du rythme et de l'image-symbole, de l'amour et de la foi [43]. » Ainsi l'auteur entre-t-il déjà dans quelques détails. Le complément s'en trouvera — au moins en partie — tout au long de *Liberté I* [44], recueil d'études, d'articles et de déclarations. D'abord quelle est l'éthique de l'Afrique noire ? « L'éthique, en Afrique noire, est *sagesse active*. Elle consiste, pour l'homme vivant, à reconnaître l'unité du monde et à travailler pour son ordination. Son devoir est donc de renforcer, bien sûr, sa vie personnelle, mais aussi de réaliser l'*être* chez les autres hommes. Ce qui explique la place qu'occupe la religion dans la société, qui est, véritablement, le lien des vivants et des morts et qui, à travers ceux-ci, unit Dieu au grain de sable. » Et puis, constatation fondamentale, Senghor décrit la culture qui en découle : « Comme on la confond avec la " civilisation ", il est essentiel de distinguer les deux notions. Une civilisation est, d'une part, un ensemble de valeurs morales et techniques; d'autre part, la manière de s'en servir. Ainsi la force vitale en philosophie, la palabre en politique, la stylisation du sculpteur, la syncope du musicien, voilà autant de traits de la civilisation négro-africaine. La culture pourrait être définie comme la civilisation en action, ou mieux, l'esprit de la civilisation. En effet, elle est le résultat d'un double effort d'intégration de l'Homme à la nature et de la nature à l'Homme. » Enfin, nous arrivons à une approche de la littérature selon la négritude : « Le poème nègre le roman nègre, voire le discours nègre n'est pas monologue, mais dialogue, pas leçon, mais tension, pas distance, je dis présence et caresse. D'où la *com-préhension* par l'image rythmée. L'œuvre nègre est musique : lasso, nœud d'images, qui, comme dans la symphonie, unit les thèmes complémentaires, les corps complémentaires dans une danse rythmée : une danse d'amour. »

Ainsi apparaît — à travers ces écrits et combien de déclarations, de discours — ce qu'est, pour Senghor, la négritude. Au cours d'une conférence sur Teilhard de Chardin, auprès duquel il s'attarde volontiers, le grand écrivain sénégalais insiste sur « le rythme cosmique qui, au lieu de stériliser en divisant, fécondait en unissant ». Finalement, la négritude apparaît, notamment dans *L'Afrique noire* [45], comme la civilisation d'un paysan qui se « caractérise par sa faculté d'être ému ». Ce qui l'émeut n'est pas « l'aspect extérieur de l'objet ». C'est sa réalité, mieux sa surréalité (l'eau, non parce qu'elle lave, mais parce qu'elle purifie). A cela s'ajoute la monotonie du ton (incantation), l'importance du style qui l'emporte sur le thème, et l'humour. En 1969, Léopold Sédar Senghor dit, devant un groupe d'étudiants à Dakar : « Sans la négritude, sans les valeurs qu'apporte le monde noir, le monde contemporain serait fade et sans sel, il ne serait pas, car il n'aurait ni la musique moderne ni l'art moderne. »

Remarquons tout de suite que, dans sa façon de vivre et de ressentir la négritude, Léopold Sédar Senghor se distingue nettement, entre autres, d'Aimé Césaire. Contrairement à ce dernier, un moment surréaliste tout autant qu'adepte de la négritude, Senghor, qui foule à ses pieds le vaste continent africain et se laisse porter d'un mouvement plus naturel, s'il fait place dans son système à la surréalité, limite nettement l'importance du surréalisme lui-même : « Nous acceptons le surréalisme comme un moyen, non comme une fin, comme un allié et non comme un maître. Nous voulons bien nous inspirer du surréalisme, mais uniquement parce que l'écriture surréaliste retrouverait la parole négro-africaine [46]. » Senghor, serein dans sa négritude, peut se permettre par ailleurs d'être plus accueillant aux valeurs culturelles extérieures. Il recommande formellement cette attitude : « Il faut que, donnant, nous sachions recevoir. Il faut que nous progressions, nous, nègres, dans la voie de la méthode, je dirais même : du concept [47]. » Le colonialisme, fait historique bien entendu vivement répudié, a pourtant mis en contact des cultures. Alors, Léopold Sédar Senghor n'hésite pas à se référer à ce qui a été ainsi découvert : la latinité (« nous voulons employer les valeurs latines à féconder nos terres barbares [48] », réserve d'écrivains parmi lesquels il apprécie particulièrement Hugo, Camus, Saint-John Perse, Éluard. Senghor se réclame d'une pensée humaniste, et il remerciera, lors de sa réception sous la coupole, le 17 octobre 1969, l'Académie des Sciences morales et politiques « d'inviter l'Afrique au banquet de l'universel ». Puisque la géographie veut que cette négritude — en Afrique — confronte plus directement que celle de Césaire — aux Antilles — le monde arabe, on va donc se définir nettement de ce côté-là, notamment dans

La communauté impériale française [49], *Les plus beaux écrits de l'Union française et du Maghreb* [50], *Aspects internes des problèmes algériens* [51], tous écrits de Senghor qui vont dans le même sens que ses *Fondements de l'africanité, ou négritude et arabicité* [52]. Il y marque vivement les différences stylistiques, et, du point de vue linguistique, l'apport particulier des langues agglutinantes négro-africaines face à l'arabe gnomique. Dans un passage de *Liberté I*, Senghor va même plus loin et procède à une véritable mise en garde contre « ce séduisant intellectualisme arabe qui se délecte aux jeux de l'esprit et aboutit à l'abstraction, c'est-à-dire à la mort de la sensualité : de l'art nègre. Plus terrible encore ce matérialisme, fils de l'intellect, qui prépare, à l'homme de la rue, des jouissances terrestres en paradis. Un islamisme abstrait et formaliste, un islamisme dégénéré est donc un danger pour nous. Les nègres musulmans doivent travailler à lui restituer son levain mystique et humaniste en l'accordant à notre âme. Ce qu'a commencé de faire l'islam ouest-africain ». A ce propos, nous nous souvenons des livres de Cheik Anta Diop. Il ne faut pas négliger, pour autant, l'effort accompli au Sénégal — sous l'égide de M. Amadou Mokhar Mbow, ministre de la Culture, et de M. Jean-François Brierre, directeur des Arts et Lettres — par bien des hommes de réflexion dans des secteurs connexes. Ce sont les importants travaux de Gabriel d'Arbousier [53], de Mamadou Dia [54], d'Alioune Diop [55], de Majhemout Diop [56], d'Abdoulaye Lye [57], de Massata N'Diaye [58] et de Jean-Pierre N'Diaye [59], dont nous aurons l'occasion de reparler. Signalons enfin l'essai de Jérôme Carlos sur *Une Poésie de développement* [60].

Il est temps d'en venir, chez Léopold Sédar Senghor, au poète. Évoquons d'abord les textes où se manifeste clairement l'influence de la poétesse populaire Marone N'Diaye, fréquentée pendant l'enfance ou la prime adolescence, poèmes dans lesquels les impressions sonores l'emportent sur les impressions visuelles, la symphonie sur le drame, avec pour thèmes les mythes, les festivités, les coutumes, en somme les principaux signes du pays noir. Tel est le cas de *Chants d'ombres* [61], où l'on remarque « Prières aux masques », « Le totem », pour lesquels l'auteur recommande un accompagnement musical sur koras et balafongs; « Par-delà Éros », tiré de la tradition sérère; le long poème intitulé « Le retour de l'enfant prodigue » et enfin la fameuse « Femme noire » : « Femme nue, femme noire / Vêtue de ta couleur qui est vie, de ta forme qui est beauté! / J'ai grandi à ton ombre; la douceur de tes mains bandait mes yeux. / Et voilà qu'au cœur de l'Été et de Midi, je te découvre / Terre promise, du haut d'un haut col calciné / Et ta beauté me foudroie en plein cœur, comme l'éclair d'un aigle. » Dans *Hostie noire* [62], publié un peu postérieurement, relevons, sous le titre général « Camp 1940 » un magnifique « Chant de printemps », daté d'avril 1944 : « Ah! cette rosée de lumière aux ailes frémissantes de tes narines! / Et ta bouche est comme un bourgeon qui se gonfle au soleil / Et comme une rose couleur de vin vieux qui va s'épanouir au chant de tes lèvres. / Écoute le message, mon amie sombre au talon rose. / J'entends ton cœur d'ambre qui ferme dans le silence et le printemps. »

Éthiopique [63], de 1948, tire son titre de la malheureuse guerre d'Éthiopie. A l'occasion d'une post-face intitulée « Comme les lamantins vont boire à la source », Senghor expose à nouveau ses idées sur la « musique intérieure » qui anime les poètes nègres, et il développe le point de vue que les images sont pour eux multivalentes, chaque image vivant de sa propre vie et rayonnant de ses facettes. Le recueil présente d'abord huit poèmes, tels « L'homme et la bête », « Chaka » (texte dramatique à plusieurs voix) et « Congo » dont voici un extrait : « Oho! Congo oho! Pour rythmer ton nom grand sur les eaux sur les fleuves sur toute mémoire / Que j'émeuve la voix des kôras Koyaté! L'encre du scribe est sans mémoire. / Oho! Congo couchée dans ton lit de forêts, reine sur l'Afrique domptée / Que les phallus des monts portent haut ton pavillon. » Des « Épîtres à la princesse », on retient particulièrement « Ambassadeur du peuple noir », « Comme rosée du soir », qui devront être soulignés de tam-tams funèbres, de khalams et de balafongs. « D'autres chants » regroupent enfin quelques textes, débutant par cette invocation : « Absente absente, ô doublement absente sur la sécheresse glacée / Sur l'éphémère glacis du papier, sur l'or blanc des sables où seul pousse l'élyme. / Absents absents et tes yeux sagittaires traversant les horizons de mica. »

Nocturnes [64], qui regroupe des poèmes plus récents, marque sans doute chez Senghor, par une sorte de pèlerinage aux sources, une rigueur plus grande de sa négrité. Avec quelle vigueur ne l'affirme-t-il pas dès les « Chants pour Signares », sous-titre qui rassemble des poèmes assez brefs. Par exemple celui-ci : « Tu as gardé longtemps entre tes mains le visage noir du guerrier / Comme si l'éclairait déjà quelque crépuscule fatal. / De la colline, j'ai vu le soleil se coucher dans les baies de tes yeux. / Quand reverrai-je mon pays, l'horizon pur de ton visage? / Quand m'assiérai-je de nouveau à la table de ton sein sombre? / Et c'est dans la pénombre le nid des doux propos. » Et puis cet autre court texte que l'auteur souhaite entendre accompagné de khalams : « Et nous baignerons, mon amie, dans une présence africaine. / Des meubles de Guinée et du Congo, graves et polis, sombres et sereins. / Des masques primordiaux et purs aux murs, distants mais si présents! Des tabourets d'honneur pour les hôtes héréditaires, pour les Princes du Pays-Haut. / Des parfums fauves, d'épaisses nattes de silence. » Ensuite, dans la série des « Élégies » typiquement africaines (élégie de Minuit, des circoncis), ressort cette élégie des eaux, dont nous retrouverons bien souvent le thème : « Été toi toi encore Été, Été du Royaume d'Enfance / Éden des matins trempés d'aube et splendeurs des midis, comme le vol de l'aigle étale. / Été de silence aujourd'hui, si lourd de courroux sous le regard du Dieu jaloux / Te voilà sur notre destin, durement inscrit au cadran du Siècle. » Mais, comme l'écrivait Léopold Sédar Senghor dans *Hostie noire* : « Seigneur, parmi les nations blanches / place la France / à la droite du Père. » Cette dialectique de la négritude, comme le grand poète la conçoit, est particulièrement sensible, nous paraît-il, dans les *Chants pour Naëtt* [65]. Là se sent — à une époque plus ancienne, remarquons-le — ce métissage culturel (mais non de civilisation, insistons-y) qu'admet Senghor au titre d'une utile confrontation. Elle se justifierait au nom d'un temps qui a précédé l'histoire. Le Senghor qui préfère Corneille à Racine rassemble au sein de ce recueil d'assez brefs poèmes, titrés ou non. On y parle beaucoup de la princesse de Belborg. On y parle d'amour courtois : « Je veux dire ton nom Naëtt! Je veux te psalmodier Naëtt! / Naëtt, son nom a la douceur de la cannelle c'est le parfum où dort le bois de citronniers. / Naëtt, son nom a la blancheur sucrée des caféiers en fleurs / C'est la savane qui flamboie sous l'amour mâle de Midi. / Nom de rosée plus frais que l'ombre et le tamarinier / Plus frais que l'éphémère crépuscule quand se tait la chaleur du jour. » On y parle de désir : « Renvoyons l'harmonie tumultueuse des hanches, / La frénésie des seins bondissant et bramant / A travers les forêts parfumées, / Renvoyons les longs jours titubants, ivres de vin. » Et même s'ébauche une réflexion métaphysique où perce probablement l'inspiration chrétienne : « Voilà qu'émerge de la nuit pure l'autel vertical et son front de granit. / Puis la ligne bleu-vert de ses sourcils comme l'ombre frais d'un kori. / Au pèlerin dont les yeux sont lavés par le jeûne et les cendres et les veilles / Apparaît au Soleil-Levant sur le suprême pic la tête du Lion rouge / En sa majesté surréelle. O Tueur! O Terrible! et je cède et défaille. »

Le jeune Lamine Niang est probablement, parmi les poètes sénégalais, le plus proche de Léopold Sédar Senghor, qui a préfacé son premier recueil, *Négristique* [66]. Face à la négritude, l'expression représente, explique Senghor, l'apport philosophique propre à Niang — de surcroît linguiste, spécialiste du wolof, langue de l'ethnie à laquelle il appartient — et cette philosophie revient à identifier nature, négritude et Afrique. Nous sommes donc en présence d'un concept un peu plus limité — au moins géographiquement — que celui de Senghor lui-même, et Lamine Niang explique d'ailleurs dans un texte théorique que « chaque société se déploie dans sa culture, que nos besoins et le temps, avec ses vecteurs, transforment à leur gré. Se transformer, s'adapter et en s'adaptant garder son empreinte, son originalité, telles doivent être les caractéristiques propres à toute culture qui refuse l'assimilation [67]. » Telle est la pensée qui anime *Négristique*, recueil regroupant en trois grandes parties une trentaine de poèmes. Citons « Feu de brousse », « L'irréel » et particulièrement « L'agonie », inspiré à l'auteur par la disparition de son frère : « Le soleil de teinte rose / ce soir décline. / De l'horizon opposé / nous viennent les franges grises / que transporte / le vent de l'agonie. » Il faudrait retenir encore « Delta de songes », « Et cependant », ou le long poème « Civilisation ». Voici un extrait de l'« Épître à un prince des poètes », au titre par lui-même significatif : « L'humidité nocturne où se meut mon âme / a touché les cordes sonores de ma guitare / muette d'espoirs incertains. » Le poème « Hommage » est dédié à Birago Diop, le célèbre conteur sénégalais dont nous reparlerons : « Il est descendu du ciel / un fruit mûr de ma race. / Les tombes anciennes / sollicitent les cieux, / Leurs messages ceints dans les ailes des phalènes / se muent en suaire / sur le crépuscule qui décline. » Enfin, après « Les fleurs », choisissons quelques vers tirés du poème « Va » : « La promesse s'achève à peine, / tel un fluide / qui coule / mon espoir / ma foi / fluides comme toi / te suivent. / La tristesse, en vagues perpétuelles / et lentes / émeut mon cœur. / Toute ma sagesse / dans ta robe légère / malgré mes forces / te suit. »

Le poète David Diop nous ramène un peu en arrière. Né en 1927 à Bordeaux de père sénégalais et de mère camerounaise, bientôt grand malade et prématurément disparu en 1960 dans une catastrophe aérienne, il laisse derrière lui un seul recueil, mais de chefs-d'œuvre : *Coups de pilon* [68]. Chez David Diop la sensibilité blessée, l'orgueil farouche, se mêlent à la générosité, à l'ouverture sur autrui. L'auteur est sobre, vigoureux, plein d'humour, fort éloigné de tout romantisme, et Léopold Sédar Senghor définira sa conception de la négritude comme attachée moins au thème qu'au style, à « la chaleur émotionnelle qui donne vie aux mots, qui transforme la parole en verbe [69] ». De cette œuvre inachevée, tirons un bref passage d'un poème de jeunesse, « Celui qui a tout perdu » : « Le soleil brillait dans ma case / Et mes femmes étaient belles et souples / Comme les palmiers sous la brise des soirs. / Mes enfants glissaient sur le grand fleuve. » Lamine Diakhaté, né en 1929, et qui lui aussi a attiré l'attention de Senghor — surtout par son recueil de poèmes, *La Joie d'un continent* [70] — prend, en quelque sorte, la relève du malheureux David Diop. *La joie d'un continent* a été suivi de quelques autres recueils, et tout récemment du *Temps de mémoire* [71]. Nous retiendrons cependant ici *Primordiale du sixième jour* [72], que l'on peut considérer comme représentatif du grand talent poétique de Diakhaté. Cet ouvrage est divisé en trois parties.

La première — et la plus longue — s'intitule précisément « Primordiale du sixième jour », et elle rassemble une gerbe d'intentions : « Mon désir ! des troupeaux de nuages / au tomber du crépuscule / pour faucher les étoiles / Mon désir ! Le tintement mystérieux des cloches / de la Résurrection ! / La terre sera un champ pacifique d'espoir / les yeux à la merci des larmes. / Mon désir ! un long poème écrit / dans le sang ancien de mon Afrique / le balancement sera de rythme / le souffle, généreux / le cadre, limpide : / ce sera éclatant comme la crête du sang. » Après la seconde partie (« Léopoldville »), vient « La proclamation ». Là se trouvent définis au mieux, à la fois, le peuple du Sénégal et sa civilisation spécifique. Car Lamine Diakhaté, très particulariste, donne d'abord la parole à ce qu'il appelle la voix ancienne : « Le soleil est au zénith / Sa clarté double sur la terre /Les prairies vertes, vertes à éblouir les yeux / C'était au temps d'avant notre naissance. » La voix nouvelle lui fait écho, et sur la foi du passé apporte sa réponse pleine d'espoir : « De dessous mers / un Peuple aux muscles d'espoir / Mon Peuple / Son front tablette de devin / et les patriarches dans leur tunique de pourpre / leur bouche quartier de lune / lèvres de volonté / mains pacifiques / Ils ont bâti les empires du soleil. »

Il n'est pas mauvais de jeter ici dans la balance la contestation d'un jeune : Oumar Willane. La négritude — si tant est qu'on s'y réfère — se trouve tout à coup engagée avec le *Pasteur King, tambour-major de la paix* [73], puis, avec *Ce monde nu* [74], en une « apologie de l'humanité à travers le réel et l'irréel ». L'auteur, qui veut « supprimer tout obstacle entre pensée et expression », relie la culture notamment à l'économie. Mais le talent est loin d'être absent de « Griffes sur griffes », du « Rouge au noir pavé », non plus que de « Notre palais » : « Le Palais, couleur d'or, / dans le vert, embaumé, / nullement ne s'endort. / Autant il est aimé. / L'Océan si bleu il surplombe / pour apprécier juste. / Bien plus qu'un grand nid de colombes, / c'est un lieu fort auguste. / ... Parce que fille très belle, / elle est tant et tellement convoitée. / Mais tous ceux qui, mal, recèlent, / cette âme, ne peuvent point habiter. » Lisons encore « Nombre sur nombres », « Arène d'été », qui nous mènent à « Nuit, belle nuit » : « Le ciel t'a voulue / de velours noir vêtue. / ... Nuit belle nuit, / tu as pleuré sur mon chagrin / qui n'était pourtant pas le tien. / Nuit belle nuit, / toute embaumée que tu es / sur ma couche tu m'as fait me dresser. » L'expression française au Sénégal trouve pourtant dans Malick Fall un témoin plus représentatif de ses tendances générales. Selon Senghor, celui-ci renoue par le verbe la fraternité de l'Afrique en une poésie à hauteur d'homme. On remarque dans *Reliefs* [75] que le poète, tout en cherchant à rendre ses aspirations et ses impressions les plus africaines, se tient à l'écart d'un exotisme de pacotille. D'un premier chapitre intitulé « Soi-même », souvenons-nous de « Source tarie », et citons « L'appel » : « J'ai des hâtes sauvages / de crier pour rien / de dilater mes pores / Aux parfums de la forêt / A l'haleine du sous-bois / De patauger parmi les nénuphars / J'ai hâte. » Un deuxième chapitre (« Touches ») nous séduit avec « La tête vide », « Essence », « Pouvoir », avant de nous retenir par ces « Épousailles » où les fiancés se présentent : « Voici cette pirogue et cette autre / Corbeilles de poissons / Sagaies / Filets / Cette case là-bas / Cette chèvre / Voici le masque d'Amitaye / J'ai gagné des combats / Terrassé des champions / Badiane est mon nom / Voici ce mortier et cet autre / Gourdes de vin mûr / Marmite / Calebasses / Cette natte là-bas / Ces pagnes / Voici le fétiche du palmier / J'ai repiqué / Récolté / Vanné tout le riz du canton / Diadhiou est mon nom / Voici mari et femme / Amitaye est témoin. »

Malick Fall est aussi très africain en ce qu'il se situe, particulièrement avec *La Plaie* [76], à la limite de la poésie et du récit. C'est l'histoire d'un vagabond sympathique, inadapté à la société. Réduit à la mendicité, arrêté, Magamou continue à rêver d'une vie de liberté : « Combien d'heures s'étaient écoulées depuis qu'il ferma les poings, les bras en croix, le front appuyé sur un avant-bras? La nuit ne devait pas être avancée car des tam-tams lointains battaient encore, des babouches raclaient le talus derrière l'hôpital, des complaintes de mendiants s'envolaient du quartier des pêcheurs. Deux ou trois chants de coqs étourdis par-ci, quelques soupirs par-là; cela ne devait pas abuser les noctambules. Du reste, l'air avait conservé des bouffées de chaleur qui, normalement, ne résistaient pas à la fraîcheur de minuit. Donc Magamou ne dormit pas longtemps. » Plus typique encore est Birago Diop, important poète aimé de Senghor, et en même temps un de ces conteurs sénégalais qui ont tant contribué au passage de la littérature orale à la littérature écrite. Né en 1906 à Ouakam, dans la presqu'île du Cap-Vert (à proximité de Dakar), d'un père wolof exerçant le métier de maçon, Diop — qui est de religion animiste — devient bientôt élève du lycée Faidherbe à Saint-Louis avant d'aller poursuivre, en 1928, des études de vétérinaire en France. Il s'y marie avec une Toulousaine, et ne rentrera exercer son métier au Sénégal, en Mauritanie et en Côte-d'Ivoire, que vers 1934. Mais entre-temps il a beaucoup lu, notamment Vigny, Baudelaire, Musset, Verlaine, Laforgue et Valéry, il a rencontré à Paris Senghor et a collaboré à *L'Étudiant noir* (on y trouve un article de lui intitulé « Kotjé Barma ou les toupets apophtegmes »). Enfin, ce vétérinaire sera un moment, après l'indépendance, ambassadeur du Sénégal à Tunis. Telle est la personnalité du beau poète de *Réminiscences*. Dès 1925, il s'inspire de la manière des Kassaks pour écrire des « poèmes ésotériques de circoncis », et entreprend ce qui deviendra le recueil *Leurres et lueurs* [77], à paraître seulement beaucoup plus tard. La facture en est assez classique, on pourrait dire inspirée de Verlaine et de Hérédia. Voici, d'ailleurs, un exemple extrait de « Souffles » : « Écoute plus souvent / les choses que les êtres. / La voix du feu s'entend, / entends la voix de l'eau, / écoute dans le vent / le buisson en sanglots. / C'est le souffle des ancêtres. »

Le conteur se révèle lorsque Birago Diop rencontre, au cours de ses tournées à cheval comme vétérinaire à travers la plaine soudanaise, le griot Ahmadou Koumba N'gom dont il se dira, trop modestement, le simple traducteur. En fait, *Les Contes d'Ahmadou Koumba* [78], *Les Nouveaux contes d'Ahmadou Koumba* [79], puis *Contes et lavanes* [80] (ou devinettes) sont de véritables créations littéraires. Il faudrait d'ailleurs distinguer les contes proprement dits — animés de héros-génies, d'hommes merveilleux — et les fables qui se déroulent dans le monde réel et illustrent une morale pratique. Les lavanes mettent souvent en scène des animaux. Quelques types se retrouvent ici et là : Bour le roi (un peu fantasque), Narre le Maure (un courtisan), Teug le forgeron (à la fois ouvrier et devin). Les femmes sont nerveuses, vives, à l'image de Khary la taquine. Les animaux aussi ont leur caractère : Bouki l'hyène est fourbe, Leuck le lièvre malin. Et une morale se dégage. Une bonne action doit-elle être récompensée? Oui, pense l'enfant après avoir rapporté le caïman à la rivière, lui sauvant ainsi la vie. Non, affirme le caïman, ranimé, qui veut manger l'enfant; et Leuck le lièvre tire la conclusion en protégeant ce dernier. Ailleurs, un vieillard est à l'article de la mort. Il a trois fils : « Près du foyer qui mourait, incapable désormais de rendre leur chaleur à ses membres que tant de jours avaient réchauffés et que tant d'aubes avaient refroidis, le vieux Samba s'éteignait au terme d'une existence d'homme de bien. Devant sa couche, sa dernière couche avant le sein de la terre, la terre nourricière, mère des hommes, qu'aucun de ses gestes, qu'aucune de ses paroles n'avait offensée, n'avait irritée, se tenaient Momar, Moussa et Birame, ses fils. » Il leur présente trois outres. Faut-il préférer celle qui contient du sable, de l'or, ou une corde ? La réponse est que la corde sera la plus utile, qui servira à attacher les troupeaux. Encore une histoire, cette fois tirée des *Nouveaux contes d'Amadou Koumba*. Une femme, Débo, passe devant chez Noumouké, le forgeron magicien : « Débo était donc dans Korodougou sur son bœuf porteur. Elle allait au marché vendre son lait caillé et trouver un morceau de sel, de la poudre de baobab pour le couscous quand, passant devant la forge du vieux Noumouké, elle entendit les marteaux, les pinces, l'enclume et le jeune homme — toujours jeune — chanter et les outres du soufflets questionner : Tout tombe ! / Et ça tombe ! / Où ? / Où ? / Où ? / Tout tombe ! / Vers la tombe ! / Elle tira sur la corde qui tira sur l'anneau qui tira sur le mufle du bœuf porteur. Elle descendit de sa monture et tendit la corde à sa petite servante. Elle avança la tête dans la forge. » Elle demande au magicien de rajeunir son mari. Mais, — nous le savons — le mieux est parfois l'ennemi du bien, et le sorcier, au lieu de rajeunir le mari, le brûle. Voici enfin, dans *Contes et lavanes*, Leuck le lièvre de nouveau en action : « Leuck le lièvre avait quitté à regret son gîte où il faisait encore bien meilleur qu'au-dehors et il trouvait que le soleil avait mis beaucoup de temps à sortir lui de sa demeure et surtout à ne renvoyer sur la savane comme messagers que des rayons froids qui brillaient certes mais n'arrivaient pas à réchauffer suffisamment la sente dénuée sans doute mais encore trop mouillée à son gré qu'il suivait sautillant et bondissant trempé jusqu'au sous-poil par la rosée que les herbes avaient déversée sur son dos et sur ses longues oreilles dès le seuil de sa porte. » Il va réussir à faire croire à l'hyène... qu'elle a pondu un œuf, et la détourne ainsi de projets menaçants à son égard.

Selon Léopold Sédar Senghor, nombreux sont les contes ou fables de Birago Diop — où nous voyons se succéder parallélisme, antithèse, variations, retours — qui pourraient être joués par des acteurs; et il est de fait que l'un d'entre eux, *L'Os*, a été mis en scène à Dakar. Birago Diop est d'ailleurs l'auteur d'une véritable pièce — au sens européen —, pièce historique intitulée *Sarzan*. L'art théâtral s'articule de la sorte directement, en Afrique noire, sur le récit. Il existe chez les Toucouleurs et les Wolofs de véritables troupes de griots qui se livrent, sur commande, à l'éloge académique d'une famille ou d'une personnalité. Parfois aussi le spectacle consiste en joutes oratoires. Quant au théâtre noir d'expression française, il est probablement né au Sénégal, à l'école William-Ponty vers 1933, lorsque les élèves y représentèrent les premières pièces composées par des Africains. Or, c'est précisément un ancien élève de William-Ponty, le Wolof Sidi Ahmad Cheik Ndao, qui est aujourd'hui dans ce pays l'auteur dramatique le plus en vue. Lauréat en 1962 du prix des poètes sénégalais pour son recueil *Mogarienne* [81], Ndao a déjà produit quatre pièces : *Le Fils d'Almany*, *La Case de l'homme*, *La Décision*, et enfin *L'Exil d'Albouri* [82]. Cette dernière pièce représentée d'abord à Dakar en 1968 par la troupe Daniel Sorano, au théâtre de Maurice-Sonar Senghor, a été reprise avec un grand succès au T.N.A. d'Alger, en 1969. Elle se déroule au XIXe siècle dans le florissant royaume djoloff de l'Empire mali (qui incluait l'actuel Sénégal), thème et principaux personnages étant historiques. Un différend s'élève à la cour entre le roi Albouri — soutenu par la reine-mère Seynabou Diop — et son frère Samba Laobé Penda, sur la conduite à tenir devant la menace que constituent des troupes spahis, armées par le colonisateur et prêtes à envahir le pays. Albouri suggère un repli stratégique à Ségou, chez un prince allié, tandis que le frère du roi veut tenter de résister sur place. Finalement le roi — suivi de sa mère, de sa femme, de cavaliers et de nombreux gens du peuple — quitte la capitale. Nous les retrouvons au second acte au bord d'une rivière. On apprend alors que le royaume a dû se soumettre; et tous les compagnons du roi décident de prendre avec lui la route de l'exil. La pièce, épique et réaliste à la fois, est fort belle, assez cornélienne dans son inspiration, et bien construite. Elle pose le problème de savoir si le roi Albouri, en choisissant la retraite dans un royaume voisin, obéit déjà — par-delà les préjugés dynastiques — à un sentiment de solidarité africaine. Voici Albouri, au moment le plus pathétique, qui se tourne vers sa femme : « Tu n'es pas une de ces femmes que l'on m'a amenées un bon matin par signe d'alliance. Je ne t'ai pas épousée pour faire plaisir à la reine-mère ou pour convoiter d'autres royaumes. Moi-même je suis allé à Mboul. La première fois que je t'ai aperçue, ce n'était pas chez ta mère; tu vois, j'ai une meilleure mémoire. Mes cavaliers et moi revenions d'une expédition. Pour ne pas effaroucher ce groupe de jeunes filles vues à un puits près de Mboul, je n'avais pas révélé mon identité. Tu étais avec tes servantes, attendant à l'ombre d'un arbre qu'elles aient fini de remplir leurs calebasses. De loin, je t'ai regardée, tellement regardée... Alors j'ai pris pour prétexte une visite de courtoisie au Cayor pour mieux te connaître. »

Le roman n'appartient pas à la tradition noire; mais les thèmes que traite tel ou tel romancier d'Afrique peuvent être, eux-mêmes, fort traditionnels. Ainsi en était-il pour Abdoulaye Sadji, disparu en 1961, et particulièrement avec sa *Belle histoire de Leuck le lièvre* [83]. *Modou*

Fatim [84] conte l'aventure d'un paysan — Sadji étant très proche de ses origines terriennes — qui, pendant la saison sèche, vient à Dakar chercher de l'embauche : « Son premier souci fut d'acheter des épingles à nourrice. On lui avait dit, bien avant qu'il eût quitté son village, que Dakar était un pays infesté de voleurs et de gangsters qui réussissent des coups miraculeux. Aussi Moudou Fatim acheta-t-il une demi-douzaine d'épingles à nourrice avec lesquelles il agrafa consciencieusement la poche dans laquelle se trouvaient les cinq billets de cinq mille francs. Désormais, pour les lui enlever, il faudrait l'assassiner, lui Moudou Fatim, et découper toute la poche avec des ciseaux. » Le voilà qui fait le métier de charretier, se trouve une seconde épouse, provoquant ainsi la colère de la première dès son arrivée en ville. Le naïf regard que Modou Fatim, homme de la brousse, pose sur Dakar rend merveilleusement présent le Sénégal dans ses divers aspects. *Nini, mulâtresse du Sénégal* [85] se passe à Saint-Louis, au sein du milieu si caractéristique de Nini, descendante de ces riches, élégantes, oisives et pieuses *signares* (de l'espagnol *signores*), mariées « à la mode du pays » à des colons blancs célibataires. L'atmosphère un peu calfeutrée, précieuse, qui règne dans ces belles et grandes maisons antiques — un peu délabrées aujourd'hui — est très bien rendue, ainsi que l'entourage : « Bientôt, elles arrivent dans le quartier indigène. Là les noirs règnent en maîtres. Ils emplissent les balcons, les cours des maisons, entrent dans les boutiques, s'interpellent. De petits bambins noirs se promènent dans la rue, ventre en l'air. Des jeunes filles au teint de cuivre, belles sous la perruque de laine bleue — nouvelle mode — se promènent en boubous de soie, un bâton blanc entre les dents. Quelques-unes d'entre elles sont de vraies mulâtresses, non conformistes, qui ont reçu une éducation wolofe et qui vivent à l'indigène. » *Maïmouna* [86] revient

— mais avec plus d'efficacité et de pénétration psychologique — à la confrontation, chère à Sadji, du milieu rural et du milieu urbain. L'héroïne, née au fond d'un petit village du Cayor, était une charmante enfant, comme on peut le constater : « A l'âge innocent, quand les petites filles noires ne portent qu'une touffe de cheveux au sommet de leur crâne rasé, Maïmouna était radieuse : un teint clair d'ambre, des yeux de gazelle, une bouche trop petite peut-être, trop allongée, mais d'un modelé déjà net et sensuel. Sa poitrine encore nue se bombait d'une harmonieuse façon et laissait prévoir d'opulents charmes futurs. Elle avait une taille souple, gracile, mais sans raideur ni noblesse affectée. La finesse racée de ses poignets n'avait d'égale que la délicatesse de ses chevilles où semblait courir un perpétuel frémissement. » Maïmouna va être, elle aussi, tentée par la grande cité, Dakar, où un voyou la séduit et l'abandonne. Nous la retrouverons, après bien des mésaventures, de retour à son village et marchande de légumes auprès de sa mère. Dans un genre assez différent, Sadji a encore laissé une excellente nouvelle, *Tounka* [87]. Selon une modalité très africaine — où l'historique et le fantastique se mêlent — elle rappelle sans doute une des nombreuses migrations de clans qui se produisaient, aux temps anciens, à l'intérieur du Sénégal : « De ce nouveau peuple installé au bord de la mer et qui plus tard prit le nom bien significatif de " Lébou ", un type colossal surgit, un homme légendaire qui n'avait rien de commun avec son ancêtre du pays des sables. Il descendait en droite ligne du patriarche Tyongane, l'un des initiés qui conduisirent le peuple sans nom sur le rivage de la mer. Il en était séparé par cinq générations qui semblaient avoir haussé sa taille, renforcé ses traits, décuplé la force de ses muscles. Il s'appelait N'Galka, un nom étrange, inconnu au pays des sables. » N'Galka, cet homme venu de la brousse, épouse une princesse de la mer, une naïade, et en a un fils. La mer se vengera en le tuant.

La vie aventureuse de Sembene Ousmane — né en 1923 dans une famille de pêcheurs wolofs à Ziguinchor, province de Casamance — donne le ton à l'œuvre déjà abondante de ce romancier vigoureux. Autodidacte, mobilisé pendant les quatre ans de guerre, il a fait dix métiers, dont ceux de pêcheur, de docker à Marseille (d'où *Le Docker noir* [88]), de céramiste et enfin de cinéaste — on connaît de lui plusieurs films de grande valeur, tels *Borrom Sarret*, *Niaye*, *La noire de...*, et *Le mandat*, tiré d'un de ses romans. Les personnages du romancier sont des révoltés, des partisans, parfois des héros, mais ils restent toujours, comme Sembene Ousmane lui-même, fort respectueux de la tradition islamique. *O pays, mon beau peuple!* [89], écrit alors qu'Ousmane était encore docker, est plein de nostalgie. Un travailleur noir, Oumar Faye, revient de France après huit ans d'absence, accompagné d'une femme blanche. Quel accueil va-t-il recevoir de son père? « Le retour de son fils et de sa bru ne devant avoir lieu que le lendemain, il prit le temps de réfléchir. Il était l'iman de la mosquée et on le vénérait non seulement à cause de ce titre, mais également pour son âge. Il guidait cinq fois dans la journée les disciples de la religion. Tout, pour lui, était dit dans le Coran et c'est dans le livre sacré qu'il puisait ses jugements et ses conseils. Il passait pour sévère, dur même, mais il était aimé de tous et souvent le tribunal faisait appel à sa sagesse. » *Les bouts de bois de Dieu* [90] évoque les pénibles conditions dans lesquelles fut installé, en 1947 et 1948, le chemin de fer au Sénégal. Révolte des ouvriers, sabotages sont décrits dans cette vaste fresque patriotique et révolutionnaire, où, encore une fois, ressort la sagesse de l'islam : « Tout à l'heure, poursuivit Fa Keïta, j'ai entendu Konaté et Tiémoko qui parlaient de tuer le " gendarme ".

Mais s'il faut le tuer, il faudra aussi tuer les Noirs qui lui obéissaient et les Blancs à qui il obéissait et où cela finira-t-il? Si l'on tue un homme comme celui-ci, il y en a un autre pour prendre sa place. Ce n'est pas là ce qui est important. Mais faire qu'un homme n'ose pas vous gifler parce que de votre bouche sort la vérité, faire que vous ne puissiez plus être arrêté parce que vous demandez à vivre, faire que tout cela cesse ici ou ailleurs, voilà quelle doit être votre occupation, voilà ce que vous devez expliquer aux autres afin que vous n'ayez plus à plier devant quelqu'un, mais aussi que personne n'ait à plier devant vous. » *Voltaïque* [91], qui vient ensuite dans l'ordre chronologique de la rédaction et de la publication, est un recueil de douze nouvelles. Il tire son titre d'une légende, selon laquelle les cicatrices que portent encore aujourd'hui certains noirs africains auraient pour origine une précaution prise au temps de la traite, les négriers refusant alors d'acheter les noirs ainsi marqués. Un des contes, « Devant l'histoire », saisit au vif des couples, des familles, qui, dans une petite ville, entrent au cinéma. Rien n'est plus amusant — car Sembene Ousmane a beaucoup d'humour — qu' « Un amour de la rue sablonneuse » : « Dans la rue Sablonneuse, demeurait la demoiselle Kiné, fille de premier lit de la deuxième épouse d'El-Hadj-Mar. De tous les coins de la ville on parlait de sa beauté. Lorsqu'elle revenait du marché, sa calebasse sur la tête légèrement inclinée, le cou gracile, un soupçon ployé, la ligne de l'épaule dégagée de l'encolure large de son boubou en mousseline, la peau veloutée, lisse, la structure parfaite de sa démarche, les habitants — surtout les hommes — la taquinaient, elle souriait et ses dents, de petites dents serrées et blanches, bien plantées, apparaissaient. » *L'Harmattan* [92] est d'une tonalité plus grave, qui tente de dresser un panorama en plusieurs tomes. Le premier est sorti avec le sous-titre de *Referen-*

dum, et se rapporte aux événements qui ont immédiatement précédé l'indépendance du Sénégal. Ici un chasseur est aux aguets : « Digbé était le plus réputé des chasseurs de la contrée. Il ne vivait que de la chasse, ne se fiant qu'à sa force et à son courage. Ses nerfs et ses muscles étaient des lames jamais rengainées. Il leva son regard vers le lointain horizon. La journée, aux trois quarts, s'était écoulée. Il se leva. Il était de haute stature, portant la tête droite. Son petit pagne ceignait sa taille cambrée; il y avait, dans toute sa tournure, un mélange de souplesse et de force retenue. Ses jambes étaient faites pour de grandes foulées. Son regard vif et méfiant, comme celui d'un vieux buffle guetteur du troupeau; il avait le carquois en bandoulière, l'arc à la main. » En attendant le second tome (il portera le sous-titre significatif de *Compagne d'idéaux*), Ousmane nous donne *Vehi-Ciosane* [93] (en français : Blanche genèse). Cette étrange histoire se passe dans le niaye, sorte de savane en bordure de la mer : « Le niaye est au singulier en wolof. Les colonialistes l'écrivaient au pluriel. Il n'est ni savane, ni delta, ni steppe, ni brousse, ni forêt : une zone très singulière qui borde l'océan Atlantique dans sa sphère occidentale, et qui s'étend de Yoff à Ndar, et au-delà... d'où surgissaient des hameaux, des agglomérations aussi éphémères que les gouttes d'eau recueillies sur des cils. Dès Pikine, ce fameux champ de bataille que ressuscitent de temps en temps les griots, surgit le niaye, vaste étendue sans fin avec ses molles collines revêtues selon les saisons de toute une gamme de végétation : herbes courtes d'un vert bouteille nées d'une saison : le navet (saison des pluies); baobabs nains massifs aux fruits d'un goût savoureux : le lalo, feuilles de baobab séchées, pilées, tamisées qui, assaisonnées au couscous, donnent à cet aliment sa saveur, le rendent léger au palais; oasis de cocotiers; palmiers poussant à-la-va-où-je-veux, élancés, aux longues palmes mal nattées, folles; rôniers solitaires d'une rigueur ascétique, rudes de maintien, défilant la voûte de leur long fût, coiffés de feuilles en éventail, se mesurant à l'horizon du jour naissant, comme à celui du jour finissant; vergers d'acajoutiers touffus, aux branches tombantes en forme de case de pulard, peuplés de cruelles fourmis; nérés, cades, autres arbres aux noms inconnus de moi, étalaient — selon la saison — leurs branchages aux ombres généreuses, où, fatigués, venaient se reposer les oiseaux minuscules du niaye... » Un inceste a été commis. Quel scandale au sein d'une famille noble! La fille dont le père a abusé s'enfuit : « Le lendemain, après tous les préparatifs, le bébé sur les bras, elle reprit sa route. L'idée d'abandonner Véhi-Ciosane la gagnait. A mesure qu'elle avançait, tenace, persistait la senteur iodée des algues; l'embrun en voile s'étirait le long de l'horizon. Du sommet de la quatrième dune, elle vit la nappe d'un vert foncé qui, au centre, telle une plaque de tôle argentée, miroitait. Elle descendit le versant. Elle avançait sur l'eau; les pieds nus, marchant sur la plage, elle sentait la tiédeur de l'eau qui lui procurait une douce sensation; les petites vagues, vallonnantes, riantes avec leurs dentelures mousseuses se succédaient. L'eau lui couvrait maintenant les chevilles. Khar Madiagua Diob regardait de tous les côtés; pas âme qui vive alentour. Elle resta indécise. Crainte? Remords? Lâcheté? Amour de soi-même? Elle se mordillait la lèvre, hésitante. Le bébé sur ses bras vagissait. Elle le laissa pleurer. Les pleurs s'entendaient, couvraient l'étendue de la mer. Dans sa tête, tels des grelots à l'aube, se répercutaient les cris du nourrisson. » Le sujet traité est — plus encore qu'on ne peut l'imaginer en Europe — extrêmement hardi, et le mérite est grand de Sembene Ousmane de l'aborder aussi franchement et honnêtement. Avec son dernier livre, *Le Mandat* [94], notre auteur revient sur le thème, lancinant en Afrique, des rapports entre la brousse et la ville. Ousmane va plus loin que ses collègues dans l'analyse du monde rural traditionnel, où les valeurs sont strictement hiérarchisées sur la base de la foi religieuse. Ibrahima Dieng, perdu au sein de la grande ville où il est venu, lui si pauvre, toucher un mandat important, n'a plus aucune notion des valeurs. Il dilapide son argent en achats dispendieux et inutiles de babioles, poupées et autres frivolités, et de surcroît se fait voler ce qui lui reste par un de ses neveux, devenu agent d'affaires : « Mbaye était de la génération " Nouvelle Afrique " comme on dit dans certains milieux : le prototype, mariant à la logique cartésienne le cachet arabisant et l'élan atrophié du Négro-africain. C'était un homme d'affaires — courtier en tout genre — réclamant un tant pour cent sur chaque commission, selon la valeur de l'affaire. On disait de lui qu'il n'y avait aucun nœud qu'il ne pouvait défaire. Possédant une villa à l'angle du secteur sud, il avait également deux femmes : l'une chrétienne, l'autre musulmane et une 403. Il tenait le haut du sable... La villa de Mbaye " créchait " au milieu des bidonvilles et des vieilles baraques. Dans le salon encombré de fauteuils, de chaises, de pots de fleurs artificielles, le ton bleu dominait. Thérèse la chrétienne en instance de départ pour le travail reçut Dieng et l'installa dans le salon; elle avait une robe fleurie et la perruque à la B.B. — " Mbaye fait sa sieste ", lui dit-elle en français d'une voix fluette. Voyant Dieng qui transpirait, elle fit fonctionner le ventilateur. Dieng promena un regard envieux sur l'ameublement et pensa : " Voilà un homme arrivé. Abdou sera comme lui à son retour de Paris. " Plus de dix minutes s'écoulèrent quand Mbaye nouant sa cravate entre dans le salon : " Comment... Tu devais me réveiller pour me dire qu'il y avait quelqu'un ", dit Mbaye à l'adresse de Thérèse qui s'impatientait, lançant des coups d'œil vers la porte... Le café bu, il arrêta le ventilateur. La première épouse se présenta : elle était en tenue africaine. Les présentations finies, elle prit son mari en aparté. »

Parmi les jeunes romanciers sénégalais, le plus proche de Sembene Ousmane est probablement N.G.M. Faye, dont le premier livre, intitulé *Le Débrouillard* [95], rappelle assez la vie d'Ousmane lui-même. Un jeune Dakarois, pauvre, pieux et honnête, après mille aventures devient un célèbre champion de boxe. Cependant, en plein succès, il n'oublie pas sa mère : « Tu sais aussi que Dieu ne donne jamais son aide de la main à la main. Oui, Dieu aide chacun plus ou moins. Mais il le fait par l'intermédiaire d'une de ses nombreuses créatures qui sont sur terre. Donc c'est par celui qui m'a emmené un soir ensoleillé de novembre 1954 à la salle de boxe pour me battre. Maman, l'enfant traqué par la peur et torturé de corps et de cœur que j'étais, ce n'est plus que du passé. Dieu m'a amené à la boxe. Maman tu brilles pour moi comme une lumière. Et crois-moi, seule la mort pourra l'éteindre. En quittant mon Dakar natal, en te quittant, je n'étais qu'un petit maçon et n'espérais que par la boxe. » Tout est ainsi raconté, en un style naïf et direct, du rêve que, sans doute, l'auteur partageait enfant avec bien des petits Sénégalais. La grande vertu de Faye est l'authenticité, et il faut souhaiter qu'il la conserve dans le livre plus important qu'on attend de lui. Cheik Hamidou Kane, que nous abordons maintenant, ne peut guère être considéré comme un professionnel de l'écriture. Ce haut fonctionnaire, né en 1928 à Matam dans une famille peule et qui, après de brillantes études en philosophie et en droit, puis à l'École normale de la France d'Outre-Mer, a fait carrière de gouverneur — notamment de 1960 à 1963 dans la région de Thiès — est cependant, par une seule œuvre, de tous les romanciers sénégalais celui à aller le plus au fond d'un problème essentiel : que devient la foi — en l'occurrence islamique — face au monde moderne? *L'Aventure ambiguë* [96] a été rédigé en 1952, et il est à peine croyable qu'un manuscrit d'une telle qualité ait été publié seulement douze ans plus tard. L'auteur — il a appris le français vers dix ans — sait allier l'élégance de la phrase, sa forme classique, au style répétitif propre à l'africanité. Et cette ambiguïté, qui fait le fond de l'œuvre, est rendue par une habile interprétation-confrontation de pur style mutakallimoun, c'est-à-dire selon la méthode coranique d'étude des textes saints à la lumière de la raison. Le héros, Samba Diallo, est confié tout jeune (cela se passe en 1938) par son père à un vieil et illustre maître d'école coranique. Celui-ci développe le caractère naturellement mystique de l'enfant, qui est envahi par Dieu au point d'inquiéter ses parents. Puis nous suivons la démarche intellectuelle et morale de Samba à l' « école blanche ». Il est peu à peu saisi par le doute, l'ambiguïté, et perd la foi. Mais il y revient sur le tard, et meurt tué par un « fou de Dieu » au moment précis où il allait retrouver la paix dans la prière. Voici le site où va se dérouler la dramatique scène finale : « A l'horizon, le soleil couchant avait teint le ciel de pourpre sanglante. Pas un souffle n'agitait les arbres immobiles. On n'entendait que la grande voix du fleuve, répercutée par ses berges vertigineuses. Samba Diallo tourna son regard vers cette voix et vit, au loin, la falaise d'argile. Il se souvint qu'en son enfance, il avait longtemps cru que cette immense crevasse partageait l'univers en deux parties que soudait le fleuve. Le fou, qui était loin devant, revint sur ses pas, le prit par le bras et l'entraîna. Soudain, il comprit où le fou le conduisait. Son cœur se mit à battre. C'était bien le petit chemin où ses pieds nus s'écorchaient jadis aux épines. C'était bien la même termitière désertée de ses habitants. Au détour, ce serait... ce serait la Vieille Rella et la Cité des Morts. Samba Diallo s'arrêta. Le fou voulut le tirer, et, n'y réussissant pas, le lâcha et courut tout seul. Lentement, Samba Diallo suivit. Le fou dépassa le mausolée rénové de le Vieille Rella, courut à travers les tombes et, brusquement, s'accroupit auprès de l'une d'elles. Samba Diallo s'immobilisa. Il vit que le fou priait. »

Et ainsi se termine pour nous ce premier tour d'horizon à l'intérieur des frontières d'un État africain. L'éclat particulier de l'expression française au Sénégal va nous aider à mieux comprendre la littérature des autres pays de l'ancien Macina, et d'abord du Mali.

2) Le Mali

Ce pays est plus vaste et plus peuplé que le Sénégal, puisqu'il a un million deux cent mille kilomètres carrés et compte quatre millions et demi d'habitants. On y retrouve des Toucouleurs, des Peuls, des Malinkés et des Sarakollés; à la frontière des Bambaras, des Dogons, des Sonrhaïs marquent, après la continuité, la différence. La langue des Peuls, le poular (ici rédigé en caractères arabes) et le bambara sont parlés un peu partout; et Bamako, la capitale, fait le lien avec Tombouctou (centre historique) et le nord où sont localisés des Touaregs.

Si on se retourne vers le passé, quelle histoire prestigieuse! Elle remonte à une petite province mandingue placée sous la domination de la dynastie des Keita, elle-même vassale du royaume de Sosso. Mais au XIIIe siècle le très illustre Soundiata se révolte contre Soumangourou, son suzerain, le bat et fonde l'empire du Mali, des bouches du Niger aux plages sénégalaises. Dès le XIe siècle, la région avait été convertie à l'islam, et Mansa Moussa, un des plus fameux successeurs de

Soundiata, fait le pèlerinage de La Mecque. On décrit sa cour, ses officiers, son harem, ses eunuques, et l'armée, considérable pour l'époque, des cent mille hommes dont il dispose. L'empire fait payer un lourd tribut aux provinces païennes conquises, et il est puissant et prospère par le commerce. Tombouctou en est le centre, où affluent, notamment, l'or et l'ivoire. L'apogée de la ville se situe vers les XIVe et XVe siècles, et alors Tombouctou est aussi un grand centre culturel. Léon l'Africain écrit : « A Tombouctou, il y a de nombreux juges, docteurs et clercs qui reçoivent de bons salaires du roi. Il y a un grand respect pour les gens instruits. Il y a une grande demande de manuscrits, qu'on importe de Barbarie. On tire plus de profit du commerce des livres que de tout autre genre de commerce. » Cependant, en 1670, la domination des Peuls du Macina est compromise, et les jeunes royaumes bambaras du Tekkour et du Bornou deviennent, pour la contrée, le nouveau centre d'attraction. Tout ceci est longuement étudié et exposé par l'excellent historien malien, Ibrahima Mamadou Ouane, né en 1908. On connaît de lui *Les Dogons du Soudan* (1938), *Lettre d'un Africain* (1955), *Le Collier de coquillages* [97], *L'Islam et la civilisation française* [98], *La Pratique du droit musulman* [99] et surtout *L'Énigme du Macina* [100], qui présente ainsi les origines du pays : « Les Peuls sont des peuples de pasteurs et de conquérants, apôtres de l'islam; ils arrivèrent de l'Est poussant devant eux leurs troupeaux de bœufs à bosse, les zébus, plantant leurs tentes ou paillotes partout où l'herbe pousse. Leurs colonnes s'allongeant toujours, arrêtés par la forêt vierge, puis par l'océan, ils refluèrent vers l'Est où ils avaient égrené leurs frères. »

Afin de bien connaître le passé du Mali, encore faut-il lire le récent ouvrage d'André Traoré, *Récits historiques* [101], qui reprend le tout d'une manière plus traditionnelle, sur le ton familier du conteur. Les personnages passent au premier plan, fabuleux ou touchants, comme dans cette description du « Lion du Manding », l'enfant Soundiata Keita, le futur grand roi : « Au royaume du Mali étaient nés trois princes et trois princesses. L'aîné des princes s'appelait Dankaran et le cadet Soundiata, c'est-à-dire : le Lion, fils de Soun, car sa mère se nommait Sogolon ou Soun. Tout petit, Soundiata était malingre et chétif; ses jambes ne pouvaient le porter et il devait se traîner à quatre pattes. Il avait toujours faim et il allait, paraît-il, jusqu'à dérober de la nourriture. Aussi finit-il par se fortifier et, vers l'âge de dix ans, il se révéla un des guerriers les plus vigoureux du royaume, fameux à la chasse et toujours vainqueur dans les luttes entre jeunes gens. » Le plus contestataire, le plus violent des écrivains maliens, Yambo Ouologem, peut être rattaché à cette école historique-là, en quelque sorte romancée. Cet intellectuel d'une trentaine d'années, licencié ès lettres et en philosophie, sociologue, prix Renaudot 1968 pour son *Devoir de violence*[102], conte en effet l'histoire de son pays de façon épique — à la manière des litanies religieuses islamiques. Pourtant Ouologem est fort peu tendre, aussi bien à l'égard des notables locaux (Saïf ben Isaac El Heït, potentat du Nakem-Zinko) que des conquérants arabes. La spiritualité islamique est tournée en dérision, et l'érotisme, la cruauté, la vénalité, la tyrannie, partout mis au premier plan : « Seul vestige de ces rêves avortés — à la queue gît le venin!..., — le serf, dont les jours, faits de dures corvées, ressemblent beaucoup à la captivité du forçat. Lever dès cinq heures du matin : pour préparer le bain du maître qui va à la mosquée; courir ouvrir la porte, cependant que les captives, de leurs pas silencieux, s'affairent pour le petit déjeuner : couscous, sauce de mouton, lait, sucre, beignets. Tout est calme — pénombre — et cependant il faut aller quérir au bord du fleuve Yamé l'eau de la journée. Balayer la cour : trois femmes à la tâche cependant que cinq autres écrasent le mil, faisant une bouillie au lait pour les cultivateurs des terres du maître. Prendre le linge, sali l'avant-veille; se hâter de le faire porter au fleuve par les lavandières, en leur distribuant à chacune le savon. Préparer ensuite le bain des vingt-sept femmes du seigneur et maître; dépêcher leurs servantes particulières à entendre, obéir; courir, exécuter; les aider à se laver. Décider les maîtresses de maison sur le choix de la robe, de la camisole, du pagne ou du foulard, ou de la grande tunique, qu'elles souffrent de porter une deuxième fois, sans en changer chaque jour. Filer coton ou laine; ranger pelotes et quenouilles; porter le fil au tisserand; revenir; faire à ces dames un compte rendu à peine écouté; courir pour une commission, en être à mi-chemin rappelé pour une besogne moins urgente. Aller quérir de larges feuilles de bananier ou de kolatier afin d'en envelopper les pieds et les mains des vingt-sept seigneuries, qui se les teignaient au henné, indispensable rouge à ongles... Puis s'effacer. Car tout ce monde aristocrate prenait son petit déjeuner, sans parler et même sans boire, selon la coutume du pays. A l'écart, les captifs attendent. Puis desservent. Font la vaisselle. Gobent à la hâte leur nourriture. Terminé. » Les colons européens — même les ethnologues, dont la sympathie est qualifiée par l'auteur de « négrophilie de pacotille » — sont vivement attaqués ou moqués. Ainsi en est-il, vers la fin de cette vaste fresque baroque — qui trace l'histoire du pays de 1202 jusqu'au XXe siècle —, d'un naïf ethnologue allemand, venu en visite avec sa femme et ses filles. Il note avec bonne volonté ce qu'on lui raconte dans l'entourage du roi sur les mœurs idylliques des Noirs, tandis que se déroule la scène suivante entre sa dernière fille, la blonde Sonia, et le propre fils du roi : « " Oh! vous verrez, c'est très grand. Hier encore, à l'affût, j'y filmais des hippopotames! " Elle ouvrit vivement la portière, grimpa sur le siège arrière, bousculant quelques objets. Sa voix douce appela de l'intérieur de l'auto : " Venez donc. " Madoubo promena un regard circulaire et ne vit pas Sankolo s'aplatir parmi les roseaux. Il entra, posant résolument ses mains sur le corsage de la femme, dont les lèvres s'entrouvrirent sous les siennes. " Une seconde. Ma jupe. " Lorsqu'il la lâcha, elle ne fit que se pencher pour saisir le bas de sa jupe, et la fit passer par-dessus sa tête. Le jupon de Sonia évoquait le rhim, mais le col du rhim n'a pas les colliers qui ornent le sien. Elle se figea sur place, le dévisageait, tout à la fois fière et effrayée. Son soutien-gorge et ses frou-frous du tissu le plus fin, aussi lisse que la soie, apparaissaient en bandes suaves au-dessus du corps. » Yambo Ouologem a donné depuis une *Lettre à la France nègre* (1969), qui va encore plus loin dans la revendication sociale et raciale.

D'un tout autre ton sont les travaux historiques d'Amadou Hampaté Ba, dont on retient le remarquable *Empire peul du Macina* [103]. L'auteur, lui-même Peul et né à Bandiagara, est particulièrement bien placé pour retracer les luttes religieuses qui, pendant la première partie du XIXe siècle, ont opposé l'État islamique du Macina à certaines ethnies animistes, particulièrement celles des Bambaras, les plus actifs résistants à l'islam : « Le chef de Dia, un Taraoré, avait épousé une proche parente d'Amadou Karsa. Celle-ci devint vite la femme préférée et connut tous les secrets des Diawaras. En tant que grand sacrificateur, son mari attrapait régulièrement et une fois par an un mal tenu secret; il demeurait invisible pendant une semaine. Amadou Karsa apprit par sa parente que le chef Diawara restait couché six jours à la porte d'une pièce où une jarre fétiche était déposée. Le septième jour, il se lavait avec l'eau puisée dans cette jarre et paraissait en public pour haranguer la foule. » L'histoire et la religion sont, ici, inextricablement mêlées, comme elles le sont chez

Hamadou Hampaté Ba qui, s'il est un historien, est aussi un philosophe et un théologien héritier du mystique Tierno Bokar, adepte du célèbre chérif Hamallah, un des réformateurs de l'islam. Ainsi est mise en lumière la personnalité complexe de notre auteur, de surcroît un moment ambassadeur du Mali auprès de la Côte-d'Ivoire. Le philosophe et le théologien s'affirment avec *Kaïdara-Récit initiatique peul* [104]. Amadou Hampaté Ba l'a recueilli de la bouche même des griots de son pays. Au cours d'une introduction, il explique que la tradition peule distingue deux genres littéraires : le *laalol*, courte fable qui met en scène des animaux et prend souvent un tour humoristique, et le *janti*, qui est très long et relate les aventures mystiques ou didactiques de personnages humains ou divins. *Kaïdara*, dont toutes les péripéties représentent des allégories initiatiques, se rattache à ce dernier genre. Les griots peuvent à leur gré — et Amadou Hampaté Ba a usé de cette latitude tout au long de sa version française, véritable chef-d'œuvre littéraire — passer de la prose aux vers, raccourcir ou rallonger, interpoler des questions, des devinettes, des digressions botaniques, zoologiques ou religieuses, à partir d'un modèle dont certains éléments sont cependant immuables. Par exemple, il ne faut pas qu'un iota soit changé au fond — progression, étapes, symboles — et des sortes de refrains, chargés d'une valeur magique, sont intangibles. Les griots (presque toujours des hommes), ont accoutumé de répartir un *janti* en plusieurs séances, selon l'attention du public, et ils s'accompagnent d'une sorte de luth, le *hoddu*. Afin de bien comprendre les images, les symboles et derrière chaque symbole l'idée parfois complexe, encore faut-il savoir que les nombres, considérés comme produits de la parole et du signe, ont toujours une signification ésotérique. A la base du panthéon peul se tient Gueno — dieu souterrain dont le symbole est l'or, conçu comme connaissance;

dieu suprême, éternel, tout-puissant, créateur, qui peut d'ailleurs à chaque instant se transformer en terrible destructeur. A la fois puissance du bien ou du mal, Gueno est entouré de génies, ses émanations, espèces de « gouttières » à l'aide desquelles les humains entrent en contact avec lui. Parmi ces génies — du feu, de l'air, de l'onde —, Kaïdara a sa charge spécifique : il est l'initiateur. Notre récit commence quand trois humains, Hammadi, Hamtoudo et Dembourou décident de descendre vers le monde occulte, auquel appartiennent les morts et les génies, pour joindre Kaïdara et recevoir ses révélations. Un auditeur attentif et averti apprendra beaucoup : « Conte conté, à raconter... — Seras-tu véridique ? — Pour les bambins qui s'amusent au clair de lune, la nuit, mon conte est une histoire fantastique. / Quand les nuits de la saison froide s'étirent et s'allongent, / à l'heure tardive où les fileuses sont lasses, / mon récit est un conte agréable à écouter. / Pour les mentons-velus et les talons-rugueux, / c'est une histoire véridique qui instruit, / Ainsi je suis futile, utile, instructif. / — Déroule-la qu'elle vienne... / Ce fut au mystérieux, au lointain pays de Kaïdara / que nul homme ne peut situer exactement. » Sur leur chemin, les hardis voyageurs se déguisent afin de passer le plus inaperçus possible : « Nous sortons d'une goutte minuscule / tombée en pluie-merveille / dans un creux fertile, voilà et caché. / Nous sommes destinés à pourrir décomposés. / Nous sommes destinés à sentir mauvais. / Nous suivons le cycle du retour. / Nous sommes des créatures créées. / Nous sommes des créés créateurs. / Nous n'avons pas faibli sur la route. / La paix est notre souhait. / Nous dirigeons nos pas vers le royaume de Kaïdara. » Enfin, après avoir surmonté onze épreuves, les voici parvenus devant Kaïdara — assis sur un socle mobile, qui tourne sans arrêt —, effrayant avec ses sept têtes, douze bras et trente pieds. C'est la première initiation, et le génie remet à Hammadi et à ses compagnons neuf bœufs chargés d'or. Encore faut-il éviter les embûches sur le chemin du retour. Elles symbolisent la double signification de l'or, qui incite à la vaine ambition et n'est sagesse que si on n'en abuse pas : « La houpe de plumes fines que l'outarde mâle / porte aux joues symbolise les parures éphémères / qui ne durent guère plus longtemps / que les rougeoiements dorés que le soleil, au coucher / abandonne sur le ciel, avant le crépuscule. / Hammadi, le monde est pareil à un oiseau / pourvu d'un pied unique, doté d'une aile unique. / Tout homme qui le voit croit pouvoir le capter. / Mais l'oiseau bizarre s'engage sous ses pieds et passe / en lui disant par défi : reviens! cette fois tu m'auras! » Seul Hamadi, qui résiste à ces tentations, survit et regagne la terre des hommes. Détenteur de grands secrets, il devient roi. Mais il ne se laisse pas griser par ses succès, cherche à acquérir toujours plus de sagesse, et pour le récompenser Kaïdara, déguisé en mendiant, vient se mêler aux êtres vivants. Hammadi perce ce dernier mystère, reconnaît le génie, et enfin détient la connaissance totale : « Kaïdara, certes c'est moi ! me voici! / Je suis le lointain parce que je suis sans forme / et tout le monde n'a pas le don de me deviner, / de recevoir mon enseignement et d'en profiter. / Je suis Kaïdara le bien proche parce qu'il n'existe / ni obstacle ni distance entre les autres et moi. / ... La lueur d'une belle aurore fendit la nuit / et illumina le levant quand Kaïdara étendit / ses ailes enluminées d'or. / Il s'éleva dans le ciel, s'envola, déchirant les airs... / laissant Hammadi pantelant, étendu sur le sol, / tout comblé de joie, de science et de sagesse. »

Telle est la belle histoire que nous conte Amadou Hampaté Ba. On trouverait dans les travaux de Moussa Travélé, par exemple *Quelques aspects de la magie africaine*[105], d'autres aperçus de la littérature mystique au Mali.

Par ailleurs, comme le remarque Léopold Sédar Senghor, l'influence arabe a beaucoup contribué au développement culturel du pays. Un chroniqueur du XVe siècle, le Noir arabisant Mahmoud Kati, laisse derrière lui des traces que nous retrouvons même dans l'expression française aujourd'hui. C'est sans doute vrai de Fily Dabo Sissoko, de l'ethnie malinké, homme politique certes, mais retenu ici d'abord en tant que grand poète malien. Nous sommes alertés dès *Sagesse noire* [106], où l'auteur nous donne le premier mot de passe : « Si tu aperçois un guerrier percé de flèches / aide-le à retirer celle qu'il tient à la main. » Puis, presque dix ans plus tard, voici la suite du message avec *La Savane rouge* [107]. Relisons de ce recueil « Le soleil noir » : « Le soleil noir qu'amènent les orages de fin de saison, frappe au cœur les gros arbres, à travers les halliers. / Sans répit, il les accable de traits, qui lacèrent leur écorce, couverte de plaques grises, d'où s'exsude une sève brune, lente à sécher, que viennent, avec délices, siroter des cigales, happées elles-mêmes, au passage, par un varan en course. / Au même moment, les graminées jaunissent. » C'est bien le Mali qui est là. Sa philosophie affirme que la mort a précédé la vie : « Le vieux jardinier a raison : / la vie est une danse. / La danse du cosmos, enseignent les Dogons, crée la vie. / Pour nous, elle commence par un jet, / dans une crise de pâmoison. Ce jet vient de Dieu. » Cette philosophie se précise à lire *Poèmes d'Afrique noire* [108]. Nous en trouvons l'expression dans « Tourments » : « Sur ce plateau chaotique, pauvre et tourmenté où souffle, en tout temps, un vent tout frais; où les clairs ruisseaux, les cascades, la luxuriance et les bowé rappellent le Fouta-Djallon; — tout invite au combat, fruit de sévères méditations. » Nous retrouvons cette même expression dans « Comme une fleur » : « Comme une fleur de gombo non éclose se mirant au soleil; comme d'une fleur de nénuphar aux pétales chatoyant de flamme et d'or, d'où s'envolent des naïades, l'amour éclôt d'un regard! » Mais l'espoir renaît avec le poème « Le ciel étoilé » : « La brise, chargée d'effluves, rase le sol et passe, charriant des gnomes, complices de mille choses. / L'outarde, au fond des halliers, trompette son chant d'amour; tandis que le caméléon, dans le feuillage, roule son appel. / Discrètement, je m'évade de la case, pour nouer un dialogue avec les étoiles. » *Poèmes d'Afrique noire* est une brillante description du pays, que le poète place sous l'égide de Salomon, Mahomet, Adam, Oumarou : « A Baro-Bara, j'ai, de loin, aperçu un superbe tali. Son tronc, tout droit, lisse, couleur de safran, monte d'un jet, pour s'épanouir en parasol. / Un torrent bruit à côté, sur des cailloux blancs. Un couple de calaos s'envole d'un arbre voisin. »

Fili Dabo Sissoko est cependant, comme presque toujours en Afrique noire, en même temps qu'un poète un conteur [109]. Le voici qui présente abruptement l'Afrique : « L'Afrique, continent massif, titanesque, isolé du reste du monde, a toujours été la terre des mystères, des légendes symboliques ou épiques, des contrastes les plus accusés, les plus violents. D'un côté, au désert figé ou mouvant, avec ses horizons illimités et son mirage décevant, s'oppose la savane avec ses falaises, ses amas d'eau, ses fleuves monstres infestés de crocodiles et d'hippopotames. Ici " les chevaliers du désert ", là, " les paysans noirs [110] ". » Du prosateur, nous citerons essentiellement ses charmants *Crayons et portraits* [111], qui, d'une autre manière, mais tout aussi véridique, évoquent le pays. Tel est le village de Bondéri : « Bondéri est un très vieux village fortifié. Il commande, à la fois, l'entrée du Niatiaga, du Niagala et du Tambaoura, provinces limitrophes, à l'ouest et au nord-ouest du Niambia, le pays de mes ancêtres et le mien. Il est situé dans une vallée très large, difficile à défendre. Mais à côté, vers l'ouest, à la base des contreforts qui montent graduellement vers le Tambaoura, il existe un site sacré : Dambayo. C'est un goufre, inaccessible, autrement que sur un bord où l'eau glisse sur des laves pétrifiées, aux vives couleurs. D'énormes blocs, — des apports — çà et là, brisent le courant. » Et enfin, dernière touche apportée par Fili Dabo Sissoko, les chèvres : « Nous aimons bien nos chèvres. Chacune d'elles répond à son nom, tout en nous regardant souvent de travers d'un air goguenard. Il en est qui savent bien déjouer notre vigilance pour aller, dans les champs de gombos commettre des dégâts. Elles recevront à l'entrée de la case, au dos ou sur la gueule, à coups de verges, la correction qu'elles ont méritée. Elles se plaignent. Les autres, indifférentes, passent à côté. »

Les griots et leurs récits constituent déjà, en eux-mêmes, des spectacles. Les Bambaras, qui pratiquent encore aujourd'hui des dialogues entrecoupés de chants et de danses — par exemple avec *Zantegueba* —, sont en quelque sorte à l'origine du théâtre proprement dit au Mali. L'auteur dramatique le plus notoire est Seydou Badian, né à Bamako en 1928, médecin de son état. *La Mort de Chaka* [112] a fait sa réputation littéraire, dès 1961. Cette pièce en cinq tableaux se déroule chez les Zoulous, et mêle le fantastique à l'historique. Chaka, fils d'un chef, a été éloigné du palais par les coépouses de son père. Recueilli et pris en amitié par un autre chef, il se distingue en force et en courage. Le « Seigneur des eaux profondes », un gigantesque serpent, puis un autre être prodigieux, rencontré au fond de la forêt, lui révèlent de nombreux sortilèges. Mais le père de Chaka vient à mourir, et de sa tombe l'appelle à prendre sa succession. Peu à peu Chaka s'affirme, devenant un maître redoutable, à la morale sévère, spartiate. Il s'adresse à un de ses commensaux, et à travers lui au peuple : « Il faut savoir choisir; la mollesse, les plaisirs ou la grandeur. Les tribus que vous avez battues, les peuples que vous avez écrasés vivaient cette vie à laquelle tu aspires. Ces hommes étaient vautrés dans la jouissance, dans la mollesse, et c'est pour cela qu'ils ont été battus. »

Chaka, de plus en plus cruel au fur et à mesure de ses victoires, mourra assassiné par un de ses demi-frères. La pièce est, selon les critères européens, de facture très classique, progressant continûment selon le destin de Chaka, les intrigues du palais et les projets de guerre.
Avec *Sous l'orage* [113], écrit semble-t-il dès 1954 mais publié seulement beaucoup plus tard, Seydou Badian passe au roman. L'histoire se déroule au Mali, avant l'indépendance, dans une ville (probablement Bamako) au bord du Niger, puis dans un petit village à proximité. La condition des femmes est au centre du débat : Benga a promis sa fille à Famagan, un vieux marchand riche qui a déjà deux épouses, mais la belle Kany est amoureuse du charmant Samou. On les sépare. La tradition et l'autorité paternelle vont-elles prévaloir, ou bien l'amour? Un sage, Kerfa, commente : les vieux ne peuvent pas tout abandonner d'un coup; il faut savoir attendre. Et cette vérité, qu'on voulait nous rappeler, l'emporte. Finalement, les amants se retrouvent : « Samou était devant sa porte. Il discutait avec un camarade, un journal à la main. Kany arriva en courant et à une cinquantaine de mètres lui cria : " Samou, Samou! " Samou jeta le journal et courut à Kany. Samou! Samou! Kany! Kany! Ils restèrent immobiles et silencieux. Puis Samou l'entraîna chez lui; et là encore ce fut le silence. Jamais Kany ne parut si timide; maintenant s'était envolé tout ce qu'elle s'imaginait dire à Samou. Ils restaient pensifs tous les deux, rêvant peut-être à ce demain qu'ils bâtiraient ensemble. »

A la vérité, si on laisse de côté un texte autobiographique de Mamadou Gologo intitulé *Le Rescapé de l'Ethylos* [114], le seul roman notable au Mali est *Sous l'orage*.

3) *La Guinée*

Conakry, port important de l'océan Atlantique et capitale de la Guinée, nous ramène vers la côte occidentale de l'Afrique. Ce secteur du rivage est l'habitat de nombreuses ethnies : les Bassaris, les Comaguis, les Guérzés, les Soussous, les Tomas; mais à l'intérieur des terres, au nord et à l'est, dominent les Peuls et surtout les Malinkés, qui rattachent l'histoire de la Guinée au Macina et à l'Empire du Mali. L'excellent historien guinéen Djibril Tamsir Niane le fait fortement ressortir au cours de toute une série d'études. Ainsi lisons-nous dans *Mélanges* [115] un passage de Niane qui justifie l'aire d'extension mandingue et commente très bien les étapes les plus marquantes de l'histoire des Malinkés : « La communauté mandingue est celle de tous ceux qui disent " Nko " pour exprimer " Je dis " (à remarquer la force de la première personne du singulier comme pour marquer l'appartenance à ladite communauté). Cette langue claire (entendez intelligible) *kangbé*, claire et belle comme cette savane aux hautes herbes souples qui se distingue d'une part de la forêt ou *tou-koro* et de l'autre du *sahel* à la végétation rare. Le Manding est ainsi situé entre le sud forestier Ouro-dougou, pays de la cola et le nord Saheli ou Kogo-dougou, pays du sel. Voilà les limites traditionnelles du " Nko ". La " nation " mandingue a aussi son histoire, une histoire orale, enseignée selon une pédagogie propre; cette histoire, mythique et légendaire, si nous la regardons d'un point de vue moderne, est axée autour d'un épisode fameux qui a marqué la vie du peuple mandingue; cet événement, ce drame qui bouleversa le Manding et cristallisa les consciences, c'est l'assujettissement du Manding par Soumaoro Kanté (XIIIe siècle). La lutte de libération victorieuse conduite par Soundiata

Keita, l'enfant miraculé, constitue l'épopée mandingue. La conscience historique du peuple mandingue a pris forme dès lors et Soundiata devint pour les " Nko " ce qu'est Charlemagne pour la France. » L'auteur revient dans son *Histoire de l'Afrique occidentale* [116] sur certains épisodes particuliers, par exemple l'empire d'Ali-Ber (dit Ali le Grand), qui au XVe siècle s'étendit effectivement au Sénégal, au Mali et à la Guinée. Comme bien d'autres historiens, Djibril Tamsir Niane se fait volontiers l'écho d'un griot de village. Le récit prend alors un tour plus familier et littéraire à la fois, et dans *Soundiata ou l'épopée mandingue* [117] c'est en effet le fameux griot du village de Djeliba Koro qui parle : « Je suis griot. C'est moi Djeli Mamoudou Kouyaté, fils de Bintou Kouyaté et de Djeli Kedian Kouyaté, maître dans l'art de parler. Depuis des temps immémoriaux les Kouyaté sont au service des princes Keita du Manding : nous sommes les sacs à paroles, nous sommes les sacs qui renferment des secrets plusieurs fois séculaires. L'art de parler n'a pas de secret pour nous; sans nous les noms des rois tomberaient dans l'oubli, nous sommes la mémoire des hommes; par la parole nous donnons vie aux faits et gestes des rois devant les jeunes générations. » Djeli Mamoudou Kouyaté évoque ensuite longuement le royaume mandingue, qui a regroupé les diverses tribus malinkés, en dépit d'innombrables disputes, notamment entre les fils des divers lits du roi Sogolou. Pourtant, le royaume a tenu bon grâce à Maghan-Soundiata, que le griot salue : « Toi, Maghan, tu es le Manding; comme toi il a eu une enfance longue et difficile : seize rois t'ont précédé sur le trône de Niani, seize rois ont régné avec des fortunes diverses, mais de chefs de village les Keita sont devenus chefs de tribu, puis rois; seize générations ont affermi le pouvoir; tu tiens au Manding comme le fromager tient au sol, par des racines puissantes et profondes. Pour affronter la tempête, il faut à l'arbre des racines longues, des branches noueuses, Maghan-Soundiata, l'arbre n'a-t-il pas grandi! »

Encore faut-il évoquer ici les études effectuées en Guinée sur l'animisme, le culte de Zié dans la religion kono, et celles de Camara Lamine, savant théologien de l'islam, sur le mokhtassar (rituel du lavage) ou *L'Ablution* [118]. Ces travaux, très techniques, sont rédigés en français et présentent une information religieuse fort intéressante. Chez les chrétiens, Mgr Raymond-Marie Tchidimbo se situe au même niveau, avec une réflexion plus générale. Né en 1920 à Conakry, spiritain, il est devenu archevêque tout en poursuivant, parallèlement, des recherches personnelles. *L'Homme noir dans l'Église* [119], dont voici la conclusion, en est le fruit : « Un parcours rapide de vingt siècles de christianisme nous a permis de constater que l'Église catholique n'était ni la création, ni la propriété de l'Occident; elle s'offre à toutes les âmes de bonne volonté qui désirent la regarder, la connaître, l'aimer. La race noire, elle aussi, campée en Afrique du Sud, au Congo, sur les bords du Niger ou en Amérique, conserve en stricte justice le droit de compléter cette mère très aimante, au même titre que toutes les autres ethnies. » Ainsi approchons-nous du problème crucial de la négritude, et des relations de la Guinée avec le monde extérieur. Toute une série de travaux théoriques en traite, notamment ceux de Sékou Touré (*Expérience guinéenne et unité africaine* [120], *Guinée* [121]), de Boubacar Diabaté (*Porte ouverte sur la communauté franco-africaine* [122]) et de Beavogui (*Déclaration à l'ONU-16e assemblée* [123]); mais on peut dire que, s'agissant de la négritude, de nettes récitences se font jour. Pourquoi le Noir serait-il seul spécifique, dit-on, alors que toute culture est spécifique dans sa forme tout en comportant une part d'universel dans son contenu?

A ces questions, comment les littérateurs répondent-ils? Le Malinké Keita Fodeba, né à Siguiri en 1921, s'est beaucoup occupé de théâtre (il a longtemps dirigé la troupe « Théâtre africain »), mais il est essentiellement un poète et un conteur. Le poète de *Poèmes africains* [124], d'inspiration mandingue, dont nous retenons « Moisson à Fareba » (dans un village au bord du Niger) et les très belles « Aubes africaines » : « C'était l'aube. Le petit hameau qui avait dansé toute la moitié de la nuit au son des tam-tams, s'éveillait peu à peu. Les bergers en loques et jouant de la flûte conduisaient les troupeaux dans la vallée. Les jeunes filles, armées de canaris, se suivaient à la queue-leu-leu sur le sentier tortueux de la fontaine. Dans la cour du marabout, un groupe d'enfants chantonnait en chœur des versets du Coran. » Puis « Chansons de Djoliba » (Niger, en malinké), thème africain par excellence, car l'eau est reine : « Coule donc Djoliba, vénérable Niger, passe ton chemin et poursuis à travers le monde noir ta généreuse mission. Tant que tes flots limpides rouleront dans ce pays, les greniers ne seront jamais vides, et chaque soir, les chants fébriles s'élèveront au-dessus des villages pour égayer le peuple malinké. Tant que tu vivras et feras vivre nos vastes rizières, tant que tu fertiliseras nos champs et feras fleurir nos plaines, nos anciens couchés sous l'arbre à palabres te béniront toujours. » Avec *Le Maître d'école* [125], Keita Fodeba est plus proche du conteur. Que d'esprit et de talent! *Minuit*, présenté sous la même couverture, se passe dans une case mandingue. Jeunes garçons et jeunes filles causent librement autour d'un feu de bois. Un griot, assis dans un coin, joue de la guitare. Et on commente : « Ami! Fais geindre les cordes de la guitare pour que revive le touchant souvenir de Balaké et de sa belle. Qu'au royaume des ombres, ils sentent notre compassion. Ils reposent toujours dans la grande plaine herbeuse qui aujourd'hui a porté leur nom. »

Un des mérites de Keita Fodeba est de mettre en évidence l'importance primordiale de la danse pour l'expression poétique : « Que l'Afrique de demain se garde de perdre le secret de ses danses et de ses chants! Qu'elle sache encore danser, ce qui pour elle signifie qu'elle sache vivre, mille ans durant sa vie n'ayant été qu'une seule et même danse aux innombrables figures, véritable danse de vie qui constitue aujourd'hui son message! Ce message, l'Africain des villes se doit de ne pas le négliger, de n'en point abandonner le sens aux hasards et aux vicissitudes de l'histoire. J'ignore dans quelle mesure la danse peut jouer un rôle déterminant dans les autres sociétés. Mais je sais qu'avec tout le contexte moral et social qui s'y attache, elle a été le lien qui permit aux sociétés africaines de maintenir leur cohésion. Je sais aussi que seul le tam-tam possède assez de force et de magie dans la voix pour parler aux Africains leur langage originel [126]. » Ce fut manifeste au Premier festival culturel panafricain d'Alger, en 1969, où les Guinéens ont donné d'admirables spectacles de danses, de chants, de poésies, comme par exemple *Le Monde de l'eau*. Les thèmes folkloriques inspirent aussi le charmant conteur et poète — à la manière de Fodeba — qu'est Émile Cissé. Il faut lire *Faralako* [127] où prose et vers alternent à seule fin de raconter ce qui se passe dans le petit village de Faralako entre l'étudiant (Ni), sa mère (Na), le méchant beau-père (Modou), le sage grand-père (Tiani) et la charmante Makalé. Un moment, la fête bat son plein : « " Venez, habitants de Faralako! Venez avec la lune sur la place du marché! Aujourd'hui, l'on dansera! Aujourd'hui, l'on mangera jusqu'à satiété! Aujourd'hui, l'on boira jusqu'à l'aube. Aujourd'hui, après le salam, notre chef rendra la justice et donnera ses audiences à l'ombre du grand fromager. " Comme sous l'effet d'une impulsion magique les cœurs bondissent de leur torpeur. La vie ressuscite et reprend peu à peu son rythme quotidien.

Les hommes s'appliquent à leurs ablutions avant de se rendre à la mosquée. Les femmes vaquent aux travaux ménagers et aux préparatifs de la fête nocturne. Les jeunes filles que l'orage avait affolées n'ont plus que le souci de leurs cheveux; elles attendront le soir pour défaire les bandages qui fixent le " héné " à leurs pieds grêles. Déjà, la ruisselante paille des toits affaissés vomit des volutes de fumée blanche. » Et pourtant, aux dernières pages, le pauvre Ni se lamente : « Qui pourrait me dire / Où croît la douce herbe des prés / Qui pourrait me dire / Où chante la source des fées / Qui pourrait me dire / Où se cache la belle Makalé ? / Belle Makalé / Dieu te préserve / Belle Makalé / Dieu te conserve / Au marché / J'ai chanté ma complainte / Au marché / J'ai loué ma misère / Au marché / Les rires ont comblé ma détresse. » Plus encore que Fodeba, Émile Cissé est proche du théâtre. On l'a vu lorsqu'il a monté *La Nuit s'illumine* au T.N.A. d'Alger, également en 1969. Un ambigu, proprement africain, de poésie, de chant... et de théâtre. Condetto Nénékhaly-Camara, poète déjà apprécié de *Lagune*, né à Beyla en 1930, nous fait faire un nouveau pas vers le théâtre proprement dit. Lisons, en attendant de les voir, ses pièces *Continent-Afrique* et *Amazoulou* [128]. Elles évoquent en une langue vigoureuse, brillante, les grandes figures africaines d'*Antar* — le poète et guerrier arabe — et de *Chaka*, on le sait, combattant suprême du peuple zoulou.

Avec Camara Laye, nous abordons franchement le roman. Ce remarquable auteur est né en 1928, à Kouroussa, dans une famille musulmane malinkée. Son père était forgeron-bijoutier, c'est-à-dire qu'il appartenait à la puissante caste à laquelle se rattache la magie (souvenons-nous de Noumouké, le forgeron-magicien des *Nouveaux contes d'Ahmadou Koumba*). Après l'école coranique, Camara Laye entre comme boursier au collège technique de Conakry, d'où il sort, quelques années plus tard, major des ingénieurs en aéronautique. Mais, tout à coup, il rompt les liens sociaux, mène une vie d'aventures, fait cent métiers, avant de se retrouver, finalement, écrivain en renom. Entre-temps, il a beaucoup lu, de La Bruyère à Kafka. Le premier succès de Camara Laye remonte à 1953. Il le doit à *L'Enfant noir* [129] — apprécié par Senghor, prix Charles Veillon 1954 —, dont l'extraordinaire fraîcheur et la spontanéité conquièrent à l'auteur un large public. Ce sont des souvenirs d'enfance. Notamment de la forge du père et de ses clientes : « La commère à laquelle le bijou était destiné et qui, à plusieurs reprises déjà, était venue voir où le travail en était, cette fois revenant pour de bon, ne voulant rien perdre de ce spectacle, merveilleux pour elle, merveilleux aussi pour nous, où le fil que mon père finissait d'étirer, se muerait en bijou. Elle était là à présent qui dévorait des yeux le fragile fil d'or, le suivait dans sa spirale tranquille et infaillible autour de la petite plaque qui lui sert de support. Mon père l'observait du coin de l'œil, et je voyais par intervalles un sourire courir sur ses lèvres : l'attente avide de la commère le réjouissait. " Tu trembles ? " disait-il. " Est-ce que je tremble ? " disait-elle. Et nous riions de sa mine. » Puis l'enfant Camara, avec les autres garçons de son âge, est reçu au sein de la communauté religieuse de son village au cours de fêtes, de danses initiatiques : « Tandis que je dansais, mon boubou fendu sur les flancs, fendu du haut en bas, découvrait largement le foulard aux couleurs vives que je m'étais enroulé autour des reins. Je le savais et je ne faisais rien pour l'éviter : je faisais plutôt tout pour y contribuer. C'est que nous portions chacun un foulard semblable, plus ou moins coloré, plus ou moins riche, que nous tenions de notre amie en titre. Celle-ci nous en avait fait cadeau pour la cérémonie et l'avait le plus souvent retiré de sa tête pour nous le donner. Comme le foulard ne peut passer inaperçu, comme il est la seule note personnelle qui tranche sur l'uniforme commun, et que son dessin comme son coloris le font facilement identifier, il y a là une sorte de manifestation publique d'une amitié — une amitié purement enfantine, il va de soi — que la cérémonie en cours va peut-être rompre à jamais ou, le cas échéant, transformer en quelque chose de moins innocent et de plus durable. » La suite de l'histoire, toujours contée d'un ton fort simple et traditionnel, nous entraîne vers l'Europe, où le narrateur va connaître de nombreuses aventures. Dès 1954, Camara Laye donne *Le Regard du roi* [130], qui a désorienté le public, faisant passer d'Ahmadou Koumba à Kafka. Ce roman implique une recherche — peut-être un peu trop esthétique et comportant une trop grande part de nostalgie personnelle, attachante cependant — de l'universel et de Dieu. Clarence, personnage central, est un Blanc que rejette les siens, et qui n'arrive pas à se faire accepter par l'autre monde, le monde noir. Somme toute, l'exact contraire de *L'Aventure ambiguë* d'Hamidou Kane. Clarence fait longtemps de vains efforts pour approcher le roi nègre, et ici il le contemple de loin : « Le roi, à présent, descendait de son palefroi; plus exactement, les danseurs, revenus près de lui, le dégageaient petit à petit de la selle en la faisant glisser, et le recevaient dans leurs bras, au préalable enveloppés de linges blancs. Cette façon inattendue de descendre de cheval donnait l'impression d'une extrême pesanteur, mais apparemment n'était-ce qu'une impression et assurément une impression fausse, car tout dans la personne du prince donnait à l'inverse l'impression d'une merveilleuse légèreté; la première impression pourtant persistait parallèlement à la seconde. Sitôt que le roi eut mis pied à terre, deux pages danseurs se portèrent à sa droite et deux autres à sa gauche, et ils lui relevèrent les bras; alors Clarence découvrit que ces bras étaient cerclés de tant d'anneaux d'or que le roi n'aurait pu les lever sans aide; l'impression de pesanteur venait de cette invraisemblable profusion d'anneaux. En même temps que les pages avaient levé les bras du roi, la robe royale s'était entrouverte sur un mince torse d'adolescent. » Un mendiant avisé conseille Clarence. Il l'entraîne à la poursuite du roi vers le sud, symbole d'exotisme et lieu abstrait où règnent la verdure, une étrange lumière verte, une odeur caractéristique : « L'odeur mêlait intimement aux parfums des fleurs les exhalaisons du terreau. C'était là assurément une odeur bizarre et même suspecte, pas désagréable ou pas nécessairement agréable, mais bizarre, mais suspecte; un peu comme l'odeur opaque d'une serre chaude et de fleurs décomposées; une odeur douceâtre, entêtante et inquiétante, mais plus enveloppante que rebutante, étrangement frôleuse, oui, et — on s'effraie de l'avouer — attirante, insidieusement attirante; une odeur en vérité où le corps et l'esprit, mais l'esprit surtout, insensiblement se dissolvaient. On l'eût très exactement qualifié d'émolliente. » Là, toujours dans l'intention d'accéder au roi, Clarence vit la vie des noirs, avec une femme noire. A l'horizon se dresse le palais royal : « Sa formidable masse rouge contre le ciel. C'était, à première vue, une longue muraille crénelée, de loin en loin surmontée de toits de chaume, comme si divers corps de logis y fussent adossés; le tout était dominé par un donjon dont l'escalier extérieur semblait donner accès au ciel même, non pas que le donjon fût exceptionnellement élevé, mais la plate-forme à laquelle l'escalier donnait accès paraissait, bizarrement, être de plain-pied avec le ciel; cette impression — ce ne pouvait être rien de plus qu'une impression — tenait sûrement au fait que l'escalier n'avait pas de rampe, et la plate-forme pas de garde-fou apparent. » Le héros de l'aventure sera finalement récompensé. Il paraît devant le roi; mais le premier regard de celui-ci l'engloutit.

De 1954 à 1966, le long silence de Camara Laye n'est interrompu que par une sorte de commentaire énigmatique, faisant le point entre le départ et l'arrivée. Où en est l'Afrique? Une femme s'avance vers la ville. Est-ce encore la campagne? Est-ce déjà la ville? L'Afrique évolue : « Elle pensait que de la distance d'où elle regardait, toutes les transformations étaient encore possibles, et elle pensait fermement que si des transformations devaient se produire, elles s'opéreraient dans les intervalles où la ville demeurait cachée par les broussailles et les arbres [131]. » En 1966, *Dramouss* [132] est à la fois un retour à l'autobiographie romancée (le narrateur, marié, revient en Afrique, s'en dégoûte et, terrifié, repart) et une tentative de compromis stylistique entre *L'Enfant noir* et *Le Regard du roi*. Nous retrouvons l'Afrique des chants, des légendes, des rêves, des griots, des artisans-artistes, et les femmes malinkées ou peules : « Elle prit place, près de moi, bien près de moi; nos hanches se touchaient. Mon cœur battait fort, très fort. Tout mon cœur et toute mon âme étaient tendus vers elle, comme magnétisés par une passion sublime, indéfinissable. Je la regardai : elle était plus sereine et plus belle que jamais. La brise, qui soufflait doucement, décuplait mon bonheur, en jouant dans son foulard, dont les pans balayaient ses épaules. Elle désirait parler, mais j'aurais aimé qu'elle se tût. Ma pensée, subitement, alla loin. Tantôt elle se posait sur l'avenir que j'imaginais plein de bonheur, tantôt sur le passé, puis sur le présent... Et bientôt, elle se confondait avec l'infini : elle montait très haut, infiniment haut. Je voulais dire à Mimie : " Tu es belle ", mais je me retins. » Mais nous retrouvons aussi l'étrange vision qui animait *Le Regard du roi*, quand l'iman entre en scène : « A l'instant même où tout le peuple avait le regard braqué sur l'estrade et où un silence embarrassé planait sur lui, l'iman

Moussa, tout en disant des prières, enroula majestueusement autour du prince une natte en osier tressé, ce qui le déroba entièrement à la vue du peuple. Personne ne disait mot; le silence devenait d'autant plus pesant et inquiétant, d'autant plus embarrassé, que le peuple ne se doutait point de ce qui allait se passer. Et puis d'un coup, comme en un éclair, l'iman Moussa retira la natte. Et le peuple, avec stupéfaction, vit à la place du nain, un jeune homme beau, au sourire énigmatique, aussi grand que le roi. »

Telle est, fort complexe, la Guinée du grand romancier Camara Laye.

4) La Côte-d'Ivoire

Ce pays, d'une superficie à peu près égale à celle de la Guinée, compte une large majorité d'animistes (1 600 000), 600 000 musulmans et 300 000 chrétiens. Les animistes, plutôt localisés au nord, dans les terres, se rattachent au monde surnaturel par la croyance en de multiples divinités qu'entourent des entités occultes secondaires. Le christianisme fut implanté, dès le XVIIe siècle, notamment par des capucins venus de Saint-Malo, et sur la côte règne parfois un certain syncrétisme entre les religions. Il faudrait lire à ce propos les intéressants travaux de Georges Niangoran-Bouah, jeune ethnologue né à Agoville en 1935 [133]. La Côte-d'Ivoire abrite, au moins partiellement, une quarantaine d'ethnies. Nous trouvons, comme en Guinée, des Guérzés établis à l'ouest; tandis que les Senoufos, très nombreux au nord et souvent animistes (leurs traditions, à ce propos, sont fort riches), forment par leur culture un véritable lien avec le Sénégal et le Mali. Il faudrait citer encore les Baoulés (nombreux, eux aussi), les Agnis, Akans, Betés, Birifors,

Dioulas, Gagous, Oubis, Peuls, Wobés, et sur la côte même, dans les lagunes, d'ouest en est, les Atiés, Abés, Abourés, Adioukrous, puis les Ébriés, originaires de la capitale : Abidjan.

Mais n'oublions surtout pas, au cours de cette énumération pourtant incomplète des ethnies, les Malinkés et les Tourés, dont le grand écrivain ivoirien Amon d'Aby (né à Aby en 1913) montre par son ouvrage *La Côte-d'Ivoire dans la cité africaine* [134] le rôle qu'ils jouent en confirmant, au niveau historique, les relations avec le Sénégal et le Mali. Amon d'Aby — cette dualité va se retrouver chez plus d'un écrivain en Côte-d'Ivoire — est aussi un auteur dramatique. A ce titre, il est l'héritier d'une vieille tradition du spectacle, de la farce des chasseurs ou des ballets d'animaux : d'un côté, les hommes travestis en chasseurs armés d'arcs, de l'autre les animaux figurés par des hommes recouverts de peaux de bêtes. Pour les Sénoufos, ce déguisement se complète de masques articulés. Antérieurement à la création de l'École nationale du théâtre, Amon d'Aby donne, en 1956, *Kwao Adjoba* [135], qui fait le procès de la condition féminine en Côte-d'Ivoire. Quand le mari disparaît, la femme est dépouillée de tout : « Mon mari est mort. Tous mes biens sont confisqués, y compris ceux que j'ai acquis par mes propres moyens. Après vingt-sept ans de mariage, je suis renvoyée avec mes enfants, les mains vides, mais ne m'abandonne pas, ô mon Dieu ! » En 1958, le dramaturge s'associe à l'historien en écrivant *La Couronne aux enchères* [136], drame en trois actes et six tableaux. Le vieux roi est mort, et son frère, successeur légitime, accède au trône. Mais le peuple — ce nouveau venu — conteste. Dans une scène finale le roi déposé — parcourant la « maison des chaises », c'est-à-dire le sanctuaire où sont rassemblées les reliques des ancêtres et les chaises qui incarnent leur esprit — se lamente : « Je ne comprends plus. Une intronisation sans trône ? Un roi sans maison de chaises et sans cimetière ? Dans quel monde sommes-nous donc ? Ancêtres, pourquoi permettez-vous que je voie ce que des siècles durant, vous n'avez pas vu ?... Le monde est en sens dessus-dessous ; l'oiseau de cette rive a passé sur l'autre rive ; et celui du bord opposé s'est installé en maître sur ce rivage. Le captif règne à la place du maître. Dans quel monde sommes-nous, ô ancêtres, dites-le-moi, quel monde sommes-nous ? S'il est vrai que ceux qui quittent cette vie se retrouvent dans un monde meilleur, entendez ma voix. Ne permettez pas que j'assiste plus longtemps à la profanation de vos institutions. Voici la boisson de ma main, acceptez-la et venez me prendre. O générations impies ! rasez, brûlez, anéantissez cette maison, ces chaises, ces olifants et ces statuettes commémoratives d'une civilisation millénaire, détruisez ces tam-tams parleurs et ces bas-reliefs de nos luttes épiques, rompez tous ces liens et sautez dans le noir, dans l'inconnu, dans le vide. » Tel est le désarroi qu'entraîne la rapide évolution des mœurs et de la politique. Germain Coffi Gadeau (contemporain d'Amon d'Aby) s'est fait lui aussi l'écho, sur un ton plus prophétique il est vrai, de ces problèmes contemporains. D'abord avec sa pièce *Kondé Yao*, qui confronte les croyances religieuses au monde moderne, puis avec deux comédies-farces : *Nos femmes* (elles sont bien légères), et *Nos maris* (ils sont trop galants).

Bernard Bindin Dadié — auquel il est temps de venir — est lui aussi auteur dramatique. Né en 1916 à Assinie, au bord de la mer, ce bel écrivain appartient à la tribu Agni Ashanti de l'ethnie brafée, autrefois fort guerrière. Dès l'âge de six ans, il est mis par son père — un exploitant forestier — en pension chez un oncle, et à sept ans inscrit à l'école du quartier de France de Grand-Bassam. Maltraité, il s'enfuit, et ne reprendra ses études que trois ans plus tard. Entre-temps, il a reçu le baptême dans l'Église catholique romaine. En 1929, le jeune Dadié est admis à l'école préparatoire supérieure de Bingerville, puis il est reçu à l'École normale William-Ponty (Sénégal). Dadié entrera en 1935, dans l'Inspection générale de l'enseignement. Cette carrière administrative se poursuit à Dakar, d'abord au département de la bibliothèque et des archives de l'Institut français d'Afrique noire. Secrétaire général du Bloc démocratique africain, il est en 1947 chargé de la presse au comité directeur du Parti démocratique de la Côte-d'Ivoire, et rentre dans son pays. Un moment arrêté en 1949, Bernard Dadié devient, après l'indépendance, chef de cabinet du ministre de l'Éducation nationale, puis directeur des services de l'Information. En 1950, il se marie, et nous le retrouvons aujourd'hui directeur des Affaires culturelles au ministère de l'Éducation nationale, et père de neuf enfants. Telle est la personnalité qui, dès 1933, écrit *Les Villes*, saynète sur les capitales successives, de la Côte-d'Ivoire : Assinie (la ville natale), Bassam, Bingerville (cité surtout administrative) et enfin Abidjan. En 1936, alors qu'il était encore élève de 3e à William-Ponty, Dadié donne *Assiemen Déhylé* [137] — une chronique agni qui, l'année suivante, est jouée au Théâtre des Champs-Élysées à Paris. Le premier tableau situe l'action : au XVIIIe siècle, sur une place de Krinjabo. Un devin prédit au jeune Assiemen Déhylé le plus grand avenir. Le deuxième tableau montre le succès d'Assiemen, que le peuple désigne pour remplacer le vieux roi, décédé. Au troisième tableau, le nouveau roi revient victorieux d'une expédition militaire. Son triomphe est grand et un vieillard lui prédit : « Quand la jeune tortue a perdu son chemin, elle retourne sur ses pas pour demander conseil aux vieilles. Les vieilles tortues, c'est nous, et la jeune, c'est toi. Désormais, tu consulteras les ancêtres et les anciens, et tes paroles seront des ordres, tel est le désir de tes illustres prédécesseurs. »

Bernard Dadié donnera encore au cercle culturel et folklorique de la Côte-d'Ivoire, dont il est un des animateurs, de nombreuses saynètes : *Serment d'amour*, *Situation difficile*, *Siddi maître escroc*, *Lin Adja-wo*, souvent sur des sujets d'actualité; et il adaptera *Inès de Portugal*, légende dramatique en deux parties et huit tableaux d'Alejandro Casona [138]. La percée au théâtre se fera cependant avec *Monsieur Thogo-Gnini* [139], pièce écrite en 1966, qui dénonce la cupidité d'un nouveau riche n'hésitant pas à jeter par-dessus bord toutes les valeurs morales de ses ancêtres. L'action se déroule en 1840, sur la côte occidentale africaine, où Thogo-Gnini est porte-canne d'un roi local. Un colon blanc se présente à la cour, offre des cadeaux, en reçoit et se fait tentateur : « Notre grand roi, cousin de votre grand roi, est content des paroles prononcées. Ici, il est le soleil qui brille tout comme votre roi est chez vous la seule lune. Ils sont faits pour s'entendre, pour gouverner le monde. Dites à votre puissant roi qu'il est devenu le roi blanc des Noirs, et que notre roi est devenu le roi noir des Blancs; que ce garçonnet qu'il vous remet serve de ciment à cette amitié qu'il veut plus brillante que le soleil de chez vous et le soleil de chez nous réunis, plus profonde que l'océan de chez vous et l'océan de chez nous réunis, plus vraie que la vérité de chez vous et la vérité de chez nous réunies. » L'implantation des Blancs transforme le pays. On travaille certes, mais que sont devenues les bases essentielles de la société? Un récitant le constate : « Supprimés, les poids morts : — Fidélité. — Reconnaissance. — Vieillesse. — Respect de l'âge. — Tradition. — Femme. — Enfant. — Amour. — Drame. Il reste moi, le présent, l'avenir, moi, la vérité! Moi. Demain! Regardez-moi. Il faut que je me cherche, il faut que je me retrouve dans toutes ces peaux. Je suis la force. » Dans cette atmosphère, Monsieur Thogo-Gnini, sorte de bourgeois gentilhomme noir, s'épanouit. Agent d'affaires en tout genre, il rançonne chacun et s'enrichit démesurément. Sa vanité ne connaît plus de bornes. Il veut être connu jusqu'en Europe, et accepte des Blancs les propositions les plus ridicules : « Mon nom gravé dans le marbre vert des vespasiennes des provinces, le nom de Monsieur Thogo-Gnini gravé dans le marbre vert des provinces. Merci à vous dieux qui ont fait de moi ce que je suis. Je vais être l'homme le plus considérable d'Afrique. Pendant mille ans, cent mille ans, mon nom sur le marbre vert des vespasiennes bravera le temps. On entendra encore parler de moi, on racontera encore mes prouesses à moi, Thogo-Gnini, Thogo-Gnini, Thogo... *(au Blanc)*. C'est quoi, une vespasienne? *(Le Premier des Blancs.)* Un édicule pour hommes à besoin pressant. *(Thogo-Gnini.)* Ah! édicule pour hommes à besoin pressant... édicule. Enfin, aucune importance, pour entrer dans l'éternité toutes les voies sont bonnes. Moi, au moins, je n'aurai jamais privé personne de sa liberté, je n'aurai pas fait couler du sang, mains nettes, j'entrerai dans l'éternité par la voie impériale des vespasiennes! Que les dieux soient loués et bénis! » Il se fait alors appeler Monsieur Thogo-Gnini des Afriques des Trafics! Mais, comme l'écrit Bernard Dadié en commentaire : « Tout et rien, Monsieur Thogo-Gnini a tout en lui et rien en lui. Ce qui fait, à la fois, sa force apparente et sa faiblesse réelle. » Une femme, par trop lésée, dépose une plainte, et un juge intègre condamne Thogo-Gnini, dégonflant d'un coup la baudruche. La pièce, très bien construite, truculente à souhait, a été fort bien reçue, en 1969, au T.N.A. d'Alger. Ce succès incite l'auteur à persévérer dans la même voie. En 1970 paraît *Les Voix dans le vent* [140]. Encore une satire de la vie publique en Afrique : Macadou, un ambitieux sans emploi, rêve des joies que procure le pouvoir. Il s'en empare, mais se laisse bientôt griser par des flatteurs intéressés. C'est l'échec qui replace

Macadou en face des réalités. Enfin, est publié en 1971 *Béatrice du Congo* [141], éblouissant de verve, de mouvement, et qui par moments fait penser — au milieu de barons et de ducs d'emprunt — au *Roi Christophe* d'Aimé Césaire.

L'auteur dramatique ne doit cependant pas faire oublier, chez Bernard Dadié, le conteur. Léopold Sédar Senghor met volontiers en parallèle Birago Diop — homme du Nord — et ses *Contes d'Ahmadou Koumba*, avec Bernard Dadié — homme du Sud — qui, dans ses propres contes et en dépit de son admiration pour Maupassant ou Balzac, s'inspire directement de la tradition orale, et sauve ainsi de l'oubli, en Côte-d'Ivoire, les plus belles et authentiques légendes. Dès 1939, Dadié donne dans *Genèse*, puis *Dakar jeune*, quelques contes : « Nénuphar reine des eaux », « Araignée mauvais père ». *Légendes africaines* [142], recueil préfacé par Alioune Diop, paraît en 1953. Les temps les plus reculés sont évoqués avec « Attoua, reine des étoiles », et « La saunerie de la vieille Amafi » : « Alors Dieu habitait parmi les hommes qui pour la moindre bagatelle allaient le consulter, et lui savait comment leur parler pour arrêter le courroux qui facilement fait bondir le cœur et rougir les yeux. On ne s'étonnait point de voir deux adversaires abandonner leurs armes et s'embrasser, et moins encore que le coupable le plus endurci s'arrêtât au milieu de son forfait pour en jeter les outils loin de soi. Pourtant Dieu ne portait sur soi ni or, ni argent; il était d'une simplicité majestueuse. » « La légende des hommes » remet en scène la vieille Amafi, qui sépare le ciel et la terre. Alors ce sont « La bataille des oiseaux et des animaux », « La légende de Baoulé ». Enfin, voici le beau, malheureux et terrible « Gnamintchié » : « Gnamintchié! Encore de nos jours sur la route d'Amati à Moouach, certain vendredi à midi, on voit passer un géant richement paré, fusil en bandoulière, précédé d'un chien au pelage d'or. Il ne parle à personne. Les herbes le frôlent à peine, le vent s'apaise, un silence majestueux règne sur la brousse à la tignasse ébouriffée et l'océan cesse un moment de mugir tandis que les poissons se tapissent au fond de leur retraite. Les vieux s'écartent de l'étroit sentier et les enfants s'égaillent. C'est Gnamintchié qui passe. » *Le Pagne noir*[143] regroupe, en 1955, seize contes, dont dix ont pour personnage principal Kakou Ananzé, l'araignée habile et perfide. Dans un contexte parfois plus proche de la fable que du conte, nous retrouvons d'abord les temps paradisiaques (ils reviennent toujours au cours des légendes africaines) où Dieu était présent : « Dieu avait un champ qui était plein de ronces et de broussailles. Ronces et broussailles étaient si emmêlées, que les serpents eux-mêmes fuyaient le lieu. Dans cette obscurité étouffante les grillons se taisaient. Et les papillons, sur ce champ, passaient sans se poser. Les épines dressées dans le ciel ressemblaient à des grosses pointes effilées. Et ronces et broussailles sous le soleil et la pluie croissaient sans cesse. C'était le champ de Dieu. » Alors, hommes et bêtes vivaient en paix, heureux : « Autrefois, tous les animaux habitaient ensemble, dans un village à eux, qui n'était pas loin du village des hommes. Et les hommes et les animaux se comprenant ne se livraient point à la guerre. Mais dans le village des hommes, était un homme pauvre qui avait un champ dont la route traversait le village des animaux, lesquels, chaque fois qu'il passait, lui cherchaient noise. C'était tantôt le singe noir qui venait lui tirer la barbe; tantôt le singe rouge qui lui tendait des pièges. Souvent, il trouvait le passage semé d'épines. L'homme passait quand même, parce que la guerre entre les hommes et les animaux n'était pas encore déclarée. » Mais « L'enfant terrible » est intervenu, et Kakou Ananzé, va se donner libre cours. Il fait alliance avec les autres animaux : « Le village de Kakou Ananzé était un grand village, le septième grand village après ceux de l'éléphant, du rhinocéros, du buffle, du lion, de la panthère, du tigre. Ils étaient les sept " grands " du monde animal. Un pacte liait ces sept personnages qui se devaient secours, que ce soit le jour, que ce soit la nuit, tout le temps. Aucun d'eux ne devait rien entreprendre sans en avoir référé aux autres. » Viennent ensuite les contes intitulés « Le miroir de la disette », « L'araignée et la tortue », « Les funérailles de la mère ignane ». Kakou Ananzé impose son pouvoir : « A peine était-il rentré, qu'appelant toutes les bestioles du village, il leur dit, après s'être couché sur le dos : " Allez à la rivière, allez dans la montagne, allez partout où vous voudrez et apportez-moi du sable, du sable, pour me faire d'ici demain un nez aussi gros, aussi énorme que la montagne qui est là-bas. " Les bestioles s'inclinèrent et partirent. Elles revinrent des montagnes, des carrières, des sources, de partout, entassèrent le sable, le mêlèrent de glaise, posèrent l'échafaudage et commencèrent leur besogne. Elles travaillèrent, travaillèrent sans un instant de repos, chacune faisant un geste machinal, automatique. Elles étaient abruties de travail. Or il fallait finir ce nez d'ici demain soir, un nez aussi énorme que la montagne qui est là-bas. Nombreuses étaient les bestioles tombées de fatigue. Mais il le fallait finir ce nez. Et elles le finirent, ce nez rocailleux, monumental. Toute la nuit l'on fit du feu pour le sécher, ce nez qui, le lendemain matin, fut hissé sur les épaules de six cent soixante quinze bestioles pour aller à la chasse. Kakou Ananzé était fier de posséder un tel nez. » Les propriétés de l'araignée sont immenses : « Le champ s'étendait à perte de vue. Et c'était le champ de Kakou Ananzé. Les tiges d'ignames, avec grâce, s'enroulaient autour des tuteurs, traînaient indolemment sur le sol, telles des femmes grosses dans la cour des hommes, grimpaient au long des souches, des troncs d'arbre, des pieds de maïs... Çà et là, du taro, du gombo, du piment, des aubergines blanches, violettes, toutes rondes, avec en parterre, des patates aux feuilles vert foncé. Et mêlée à tout cela de l'arachide aux fleurs jaunes. Vraiment, il était beau à voir, ce champ, surtout par les couchers de soleil! Toutes ces feuilles, toutes ces tiges alors grisées de fraîcheur, de parfums, ivres d'air, de vitalité, ondulaient sous la brise câline. Et les ignames adoptaient de ces attitudes, de ces poses! On aurait dit des galantes allant chez leur ami, le pagne relevé comme ceci et le foulard dans lequel le zéphyr joue avec plaisir, le foulard en bataille... comme cela. » Et toutes les femmes sont amoureuses de l'araignée : « En ce temps-là, j'étais un beau gars. Il n'y avait pas mon pareil dans le monde. Ni chez les hommes, ni chez les animaux. Nulle part, l'on ne trouvait un être aussi beau, aussi charmant que moi. Les femmes ensorcelées, éblouies, tout le temps, couraient à mes trousses. Pas moyen de faire tomber cette grappe humaine. Nombreuses étaient celles qui couvraient des étapes d'une lune, de deux lunes, de vingt lunes, pour me voir. Et lorsqu'elles m'avaient vu, elles oubliaient de repartir. Et quand elles accouchaient, toutes tenaient à nommer leur enfant Kakou Ananzé, comme si le fait de s'appeler Kakou Ananzé pouvait embellir une laideur monstrueuse, corriger un faciès affreux, conférer un peu d'intelligence, dégrossir des goujats, rendre alertes les impotents. Et les femmes, à la moindre histoire, cornaient aux oreilles de leur époux : " Ah! si j'avais un mari pareil à Kakou Ananzé! " — " Va donc te marier à lui! " et les femmes saisissant la réponse au vol, s'en venaient chez moi. De ce fait, j'avais un harem qui était plus grand que dix villages, trente villages. Les femmes du roi l'avaient abandonné pour venir chez moi. Je les avais accueillies à bras ouverts. Celles de notables avaient elles aussi rejoint mes harems. Lorsqu'on m'appelait, je répondais par ma devise : " La femme est un bijou qu'il ne faut jamais ternir. " » Dès lors, l'humanité dans son ensemble est menacée. L'avenir est incertain. Koffi (un jeune garçon) doit surmonter bien des épreuves, et une des plus redoutables le confronte avec le crocodile : « Un soir, il arriva au fond d'un fleuve, si grand que l'autre rive se confondait avec l'horizon. Et dans cette eau, un crocodile aussi gigantesque qu'une montagne. Le fleuve, survolé de mouettes, était comme un tapis uni tiré par une main invisible. Sur la berge, des vaguettes, sans dentelure aucune, d'un bloc comme du velours qu'on déploie, venaient mourir. Les coqs de pagode dans les fourrés chantaient l'heure du repos. Le crocodile fixait Koffi de tout l'éclat de ses yeux couleur de flamme. » Mais, et ceci est le plus touchant, les jeunes filles elles-mêmes sont malheureuses. Voici l'innocente Aïwa, du « Pagne noir » (un des plus beaux contes du recueil), que la méchanceté de sa belle-mère poursuit : ce pagne noir, elle doit le rendre blanc. Aïwa court de rivière en rivière. Heureusement sa mère, qui intervient de l'au-delà, va la sauver : « Et l'orpheline reprit sa route. Elle était maintenant dans un lieu vraiment étrange. La voie devant elle s'ouvrait pour se refermer derrière elle. Les arbres, les oiseaux, les insectes, la terre, les feuilles mortes, les feuilles sèches, les lianes, les fruits, tout parlait. Et dans ce lieu, nulle trace de créature humaine. Elle était bousculée, hélée, la petite Aïwa! qui marchait, marchait et voyait qu'elle n'avait pas bougé depuis qu'elle marchait. Et puis, tout d'un coup, comme poussée par une force prodigieuse, elle franchissait des étapes et des étapes qui la faisaient s'enfoncer davantage dans la forêt où régnait un silence angoissant. Devant elle, une clairière et au pied d'un bananier une eau qui sourd. Elle s'agenouille, sourit. L'eau frissonne. Et elle était si claire, cette eau, que dedans se miraient le ciel, les nuages, les arbres. Aïwa prit de cette eau, la jeta sur le pagne noir. Le pagne noir se mouilla.

Agenouillée sur le bord de la source, elle mit deux lunes à laver le pagne noir qui restait noir. Elle regardait ses mains pleines d'ampoules et se remettait à l'ouvrage. " Ma mère, viens me voir ! / Aïwa-ô ! Aïwa ! / Me voir au bord de la source, / Aïwa-ô ! Aïwa ! / Le pagne noir sera blanc comme kaolin / Aïwa-ô ! Aïwa ! / Viens voir ma main, viens voir ta fille / Aïwa-ô/ Aïwa ! " A peine avait-elle fini de chanter que voilà sa mère qui lui tend un pagne blanc, plus blanc que le kaolin. Elle lui prend le linge noir et sans rien dire, fond dans l'air. Lorsque la marâtre vit le pagne blanc, elle ouvrit des yeux stupéfaits. Elle trembla, non de colère cette fois, mais de peur ; car elle venait de reconnaître l'un des pagnes blancs qui avaient servi à enterrer la première femme de son mari. Mais Aïwa, elle, souriait. Elle souriait toujours. Elle sourit encore du sourire que l'on retrouve sur les lèvres des jeunes filles. »

Tous les écrits de Bernard Dadié ne présentent pas un caractère aussi traditionnel. *Climbié* [144], par exemple, qui a été terminé en 1953 et publié en 1956, et qui est donc à peu près contemporain des *Légendes africaines* et du *Pagne noir*, est très proche du roman à la mode européenne. Roman antobiographique, d'ailleurs, largement inspiré des mésaventures du jeune Dadié chez son oncle, puis au collège de Grand-Bassam. Le texte reste cependant d'une simplicité, d'une fraîcheur et d'une sérénité remarquables. Il s'en dégage une ironie certaine à l'encontre des maîtres, des professeurs blancs : « Le symbole ! Vous ne savez pas ce que c'est ! Vous en avez de la chance. C'est un cauchemar ! Il empêche de rire, de vivre dans l'école, car toujours on pense à lui. On ne cherche, on ne guette que le porteur du symbole. Où est-il ? N'est-il pas chez celui-là ? Chez cet autre ? Le symbole semble être sous le pagne, dans la poche de chaque élève. On se regarde avec des yeux soupçonneux. Le symbole a empoisonné le milieu, vicié l'air, gelé les cœurs! Vous ne savez pas ce que c'est, ni quelle en est la cause? » Cette ironie se tourna aussi, parfois, à l'encontre des Africains : « Le terrain était déjà noir de monde lorsqu'il arriva. Il y avait des spectateurs sur les gradins, sur les marches, sur les pelouses, des hommes assis, debout, à croupetons, accoudés, amalgame de chéchias, de casques, de chevelures crépues, de boubous, de vestes, de défroques, de casquettes, de bérets troués, pâlis. Les hommes affluaient toujours. Les délégués, debout sur la plate-forme d'un édicule, haranguaient ces hommes attentifs. Enfin le secrétaire général de l'Union des syndicats se lève. » Bernard Dadié voyage volontiers. En 1956, toujours ironique et, cette fois, un peu attendri, il est à Paris : « Enfin l'homme est là! Un sourire radieux illumine les visages qui s'empourprent. Leur sang est d'une fluidité telle qu'il leur monte facilement au visage. Tout se lit dans le visage : la haine, l'amour, la colère. Et ces deux amoureux comme pour deviner ce que l'un et l'autre a mangé ou bu s'embrassent sur la bouche. Quel plaisir en éprouvent-ils? Les avis sont partagés. C'est une coutume dont ils n'arrivent pas à se défaire, tant elle a ses racines profondément ancrées dans le passé... Vraiment, on peut être parisien et raisonner comme un Agni. Ce qui nous rapproche de ce peuple et nous le rend sympathique. J'ai même trouvé ici des contes identiques aux nôtres, et si les mamans poussent leurs enfants dans des espèces de lits roulants, et ne leur donnent pas le sein, c'est leur façon de les aimer. Et lorsque je vois un père tenir son enfant par la main, lui sourire en racontant des histoires, je dis : " Mais ils se conduisent comme des nègres [145] ". » Puis, on le retrouve à New York, d'où il porte sur les Américains un regard pénétrant : « Un peuple lent aux gestes brusques qui voudrait rattraper on ne sait quel retard. C'est la seule façon qu'il a de dominer la machine, de la posséder, de l'assujettir. Des gestes brusques, autoritaires, de maître, de cavalier [146]. »

Comme toujours en Afrique, le poète n'est pas loin du conteur, et de 1940 à 1942 Bernard Dadié publie en effet plusieurs recueils de style assez classique, inspiré — il le dit lui-même — du *Coup de pilon* de David Diop. Ce sont : *Voix d'enfance*, *Lueurs d'automne*, *Feuilles mortes*, *Principes de combat*, *Maquettes*, aux titres éclairants. Avec *Afrique debout* [147], Dadié passe au vers libre qui, chez lui, « préexistait mais cherchait une forme ». Le recueil se compose de quinze courts poèmes, fort beaux, parmi lesquels nous remarquons « Noir et blanc », « Fidélité à l'Afrique », « Souviens-toi », « Mon ciel ce soir » (dédié à celle qui sera bientôt sa femme), « Redis-moi la complainte des pilous » et « L'Afrique veut la paix » : « Gabriel de notre Afrique, messager des grandes heures, / Dis ceci à nos frères de lutte du monde, / Dis-leur bien ceci, / L'enfant qui naît veut protéger la paix, / L'enfant qui joue veut protéger la paix, / L'Afrique veut la paix ! » *La Ronde des jours* [148] est un recueil de vingt-huit poèmes, la plupart datés de 1954. La lutte pour l'indépendance de la Côte-d'Ivoire continue, certes, mais le poète veut surmonter les rancunes, et devient plus serein, même en songeant à son pays : « Je te tresserai une couronne / de lauriers et d'hibiscus, / sertie de papillons éployés / et du calme des sous-bois en fleurs. » Plus serein également quand il assume sa négritude : « Je vous remercie, mon Dieu, de m'avoir créé noir, / d'avoir fait de moi / la somme de toutes les douleurs, / mis sur ma tête / le monde. / J'ai la livrée du centaure / Et je porte le monde depuis le premier matin. » Et puis, il y a aussi l'amour : « Les lignes de nos mains / ne sont point des parallèles / des chemins en montagne / des gerçures sur troncs d'arbres / des traces de luttes homériques. / ... Les lignes de nos mains / sont des lignes de vie / de destin / de cœur, / d'amour, / de douces chaînes / qui nous lient / les uns aux autres, / les vivants aux morts. / Les lignes de nos mains / ni blanches / ni noires / ni jaunes. / Les lignes de nos mains / unissent les bouquets de nos rêves. » Il faut encore lire de ce recueil « Aucun pays n'est loin », « Retour », « Mon rêve » et la très intime « Confession ». Les plus récents poèmes de Bernard Dadié — avec, il est vrai, quelques-uns plus anciens — se trouvent réunis dans *Hommes de tous les continents* [149]. L'épanouissement et l'apaisement que nous avons déjà remarqués se confirment. De cette quarantaine de courts poèmes retenons d'abord « La porte d'airain », description d'Assinie quand « l'océan hurle et inonde le village des hommes ». L'enfance de Dadié est évoquée en traits colorés. Citons de plus « Nous avons dansé » (1960), « Tisons dans la nuit » (1960), « Silence dans la nuit » (1965). Et puis trois aspects saisissants du poète, tel qu'il se reconnaît aujourd'hui. L'homme noir en pleine possession de lui-même : « Masques... / Masques blancs! Masques noirs! / Masques toutes-couleurs, / Je ne vous adresse aucune prière! / Masques de mort / de faim / de soif / Masques sans entrailles et sans rêves! /Oh! Ronde de masques sur les routes / Dans des palais argentés de larmes / Masques à la lisière du temps / Je vous somme de montrer votre visage / pour que se délivre la joie de vivre. » Un second aspect est donné par « Prière à Marie », où transparaît la spiritualité chrétienne : « C'est bien ton mois, Marie! / le mois des grâces et des fleurs. / Parmi les corbeilles de lis, d'œillets et de roses, / les brassées de glaïeuls, d'amarante et de primevères / Qu'aurai-je à mettre, Marie? » Le Bernard Dadié avant tout humain s'adresse enfin au « Frère blanc » : « Nous sommes du siècle / Ton cœur est de chair / Je le sais / Le mien aussi / Tu le sais. / Frère blanc, / Tu es un homme / Et moi aussi / C'est tout dire. »

La Côte-d'Ivoire possède d'autres poètes. Un des meilleurs est Anoma Kanie, dont on a édité, entre autres, *Germes* et *Les Eaux du Comoë* [150]. Ce dernier livre est particulièrement intéressant par l'utilisation, dans « Noël noir », d'une sorte de parler « petit nègre », spécifique du pays; en somme la tentative de manipuler le français pour l'adapter au mieux à la sensibilité noire. Malheureusement ce texte, ainsi que « Libiate » (soit, en dialecte : liberté), reste si obscur que sa transcription supposerait une traduction et ne relève donc pas de l'expression française. *Les Eaux du Comoë* retient encore l'attention avec le long poème « Chant d'élite noire », daté de 1946. Il faudrait citer les descriptions du pays « Sur la route d'argile », « Savane », « Cocotiers », « D'un verger », « Marmite ». « Tam-tam de malheur » s'éloigne curieusement de ce style : « Entrouvre ton flanc et fume, / Parc de mon soleil, / Que je voie partout, partout dans le pays ces loups / Loups à moustaches, hérissés / Ces lions à poils blonds ou noirs! / Je sens l'acier des griffes. / Qui crache la bave chaude qui brûle? / Ce corps fragile est mon cœur! » Enfin, « Les rivages verts » aborde plus nettement encore la voie nouvelle du poète : « Permets que je m'embarque à bord de ma tête, / Et découvre au loin sur la mer de mes yeux nageurs / Ces rivages verts. »

Un autre pur poète est Bertin N'Guessan-Ghohourou. On ne connaît encore de lui que quelques courts textes regroupés sous le titre *A l'ombre du tam-tam* [151]. « La mère », « La Côte-d'Ivoire » manifestent d'une naïveté qui laisse espérer la prochaine affirmation d'un talent : « Sous un ciel à métamorphose / De fée, surgit la Côte-d'Ivoire, / Magnifique, séduisante rose, / Vrai paradis de la race noire. » Charles Nokan — à l'écriture sèche, nette — est en revanche déjà un littérateur confirmé, comparable par l'éventail qu'il couvre à Bernard Dadié. Né en 1936 à Yamoussokro — études secondaires en France, licence de sociologie, doctorat de philosophie, professorat à l'université de Poitiers — Nokan est l'auteur dramatique très engagé des *Malheurs de Tchako* [152], une pièce en cinq tableaux qui se déroule dans le milieu baoulé. Tchako est difforme, malheureux, et amoureux de Fatouma. A l'écart des grands, il veut rester au cours des luttes d'indépendance un militant de base, un prolétaire, et toute son attitude reflète une profonde nostalgie : « Le temps passe et ne revient pas. Les souvenirs engendrent des regrets. Chaque nuit nous vivons intensément et mourons autant. La mort et la vie voyagent ensemble. Pour les vivants, elles sont deux sœurs inégalement belles et inséparables... Les heures passent et ne reviennent pas. Toute évocation a sa mélancolie. » En 1970, Nokan donne encore *Abraha Pokou ou une grande Africaine* [153]. Ce drame historique reprend — il est vrai très librement — une autre légende baoulée. L'enfant de la reine doit-il être sacrifié pour sauver le peuple dans son exode forcé? Finalement le sacrifice est évité et le peuple traverse pourtant la rivière, échappant ainsi à l'ennemi. *La Voix grave d'Ophimoï*, qui paraît sous la même couverture, nous ramène à la poésie. Ce texte, fait de foi et d'espérance, est une éloquente et patriotique exhortation au travail. Charles Nokan est en effet aussi un poète. *Les Malheurs de Tchako* sont d'ailleurs imprégnés de poésie : « Une rose flétrie possède un parfum que j'envie. Un bel homme vieilli a des souvenirs doux », y lit-on. Il faut connaître du poète Nokan *Soleil noir point* [154], qu'a préfacé Pierre Stibbe. Le genre en est, à vrai dire, incertain, entre le poème, le conte et la nouvelle. Une série de soixante-trois tableaux, dont certains comportent des textes dialogués. Ici Tanou rêve : « Tandis que Tanou dormait, qu'il rêvait d'Amah, de son pays où il semblait se trouver, ses amis étaient là-bas, à la canne à sucre, secoués par une musique enivrante. Ils dansaient, le visage inondé de sueur. L'odeur qui émanait des jeunes filles leur était douce. Le bonheur auréolait leur cœur. Ils oubliaient presque l'existence de la misère. La vie n'était que merveilleuse. Mais trois heures sonnaient. » *Violent était le vent*[155] est tout aussi équivoque (du point de vue de la discipline littéraire à laquelle il se rattache). Ici poème, ici récit, même ici roman. A vrai dire ce livre est — de tous ceux de Charles Nokan — le plus proche de l'esthétique baoulée, et donc le plus difficile à appréhender, à faire comprendre. Que dire de Kossia, à l'enfance romantique, qui de retour au pays natal s'écrie : « La vie est semblable à un fleuve qui traverse la forêt, la savane, le sable fin, la boue ? » *Violent était le vent* présente de superbes masques africains; des paysages : « Le matin enchanteur, mais non sans nuages. » Dans son épilogue, Charles Nokan s'exclame : « Afrique des forêts bruissantes, / Afrique des savanes jaunes, / tu charries toutes les misères du monde; / tu n'es qu'un feu que dévore / l'immense nuit ensanglantée de l'esclavage, / qu'une lueur au fond d'un abîme. / Il y a des terres riches d'ignames, / de cocotiers, de manguiers, de maïs, / de manioc, d'ananas aux parfums suaves. / Mais tes fils et filles ont faim. »

Évoquons, en terminant ce tour d'horizon sur les poètes de la Côte-d'Ivoire, Maurice Koné. C'est un jeune, qui a obtenu un premier prix pour *Au bout du petit matin*, et que nous voyons en 1961 armé d'un recueil plus consistant : *La Guirlande des verbes*[156]. De brefs poèmes, dont l'un s'intitule « L'appel de la nature », selon le message essentiel de l'auteur. Lisons « Rivière de ma jeunesse » : « Miroite tes eaux à mes égards, ô rivière! / Les années vont finir et plus tard nous ne serons que poussière. / Pour le moment je vis, / Et c'est toi qui berces ma vie. » « Souvenirs d'enfance » rappelle, une fois encore, ces merveilleuses eaux miroitantes de l'Afrique noire : « Mes souvenirs d'enfance sont des touffes de feuilles, / Des chemins poudreux sous les grands arbres, / Une rivière profonde où coule une eau claire / Un murmure de caresse dans les roseaux où le vent souffle. » En 1966, Maurice Koné publie *Au seuil du crépuscule* [157]. Déjà l'envahit une double nostalgie, et d'abord celle de son enfance, de son adolescence, de ses débuts dans les lettres : « Hier, j'étais un petit garçon pauvre. / J'ai grandi, j'ai travaillé avec pour arme / Mon faible courage d'enfant seul sans aide / Et pour ne pas perdre patience / J'ai commencé à écrire des poèmes. » Et puis la nostalgie du bourg d'autrefois, de la province qu'il a dû quitter ainsi que tant d'autres. Il y revient, après fortune faite : « Moi l'enfant des villes / Je ne viens pas pour me vanter, ô village. / Parmi tes cases aux toits de paille / Je viens voir le vrai visage de l'Afrique ancienne. » Entre ces deux importants recueils de poèmes, à la tonalité à la fois libre et authentique, Maurice Koné écrit un roman, *Jeune homme de Bouaké* [158]. Texte autobiographique, lui aussi animé d'un vif amour du pays, de ses paysages verts et féeriques, aux ombres favorables. Moussa, le narrateur, revient — précédant le poète d'*Au seuil du crépuscule* — à sa petite ville d'origine : Bouaké. Le voici qui parcourt, au matin, un de ses quartiers : « Un matin radieux s'élevait sur le quartier " Sokoura " et le chaud soleil jouait sur les feuilles des manguiers où l'on entendait le concert des oiseaux. Les bruits s'éveillaient sous la cadence des femmes. Chacun, au seuil de sa porte, versait de l'eau dont il s'aspergeait le visage mal réveillé. La nuit était enfin rentrée dans son logis. » Le narrateur retrouvera là un camarade, Kouadio, l'amour de la belle Fanta, et de quelques autres... Cette tentative romanesque fait espérer beaucoup de Maurice Koné [159]. Il n'est d'ailleurs, certes pas, le seul romancier de la Côte-d'Ivoire. Un des plus intéressants est le musulman Ahmadou Kourouma, qui a reçu le principal de sa formation supérieure à Bamako, et dont *Les Soleils des indépendances* [160] (prix de la revue *Études françaises* à Montréal) est typique de l'esthétique malinkée. Au rythme du palabre africain se dresse une vaste fresque pleine de saveur où contes, proverbes, descriptions de coutumes, violences de langage s'entremêlent. Qu'on juge du ton de l'ensemble d'après les titres des parties. La première s'intitule « Le molosse et sa déhontée façon de s'asseoir ». La seconde « Marcher à pas comptés dans la nuit du cœur et dans l'ombre des yeux ». C'est l'histoire de Fama, roi des Malinkés, déposé, ruiné à la suite des indépendances nationales, et réduit à travailler aux pompes funèbres. En main lui restent seulement deux cartes : la carte d'identité du citoyen ivoirien, et celle du parti unique dont il est membre. Circonstance assombrissante, s'il en est : la femme de Fama, Salimata, est stérile. Tout va de plus en plus mal. Fama est condamné, mis en résidence surveillée. Alors qu'il cherche à s'échapper, il est abattu : « Et comme toujours dans le Horodougou en pareille circonstance, ce furent les animaux sauvages qui les premiers comprirent la portée historique du cri de l'homme, du grognement de la bête et du coup de fusil qui venait de troubler le matin. Ils le montrèrent en se comportant bizarrement. Les oiseaux : vautours, éperviers, tisserins, tourterelles, en poussant des cris sinistres s'échappèrent des feuillages, mais au lieu de s'élever, fondirent sur les animaux terrestres et les hommes. Surpris par cette attaque inhabituelle, les fauves en hurlant foncèrent sur les cases des villages, les crocodiles sortirent de l'eau et s'enfuirent dans la forêt, pendant que les hommes et les chiens, dans des cris et des aboiements infernaux, se débandèrent et s'enfuirent dans la brousse. Les forêts multiplièrent les échos, déclenchèrent des vents pour transporter aux villages les plus reculés et aux tombes les plus profondes le cri que venait de pousser le dernier Doumbouya. » Curieusement, Raphaël Atta Koffi, fils de planteurs, qui vit à Abidjan, et fort jeune auteur (il est né en 1942), n'est pas insensible aux sortilèges du passé. *Les Dernières paroles de Koïmé* [161] commence habilement. Un jeune homme de famille

(Koïmé) a une liaison précaire, d'où naît un garçon, Koïtou, que ni père ni mère ne reconnaissent. Koïmé prend du champ, et le voici en province au milieu des siens : « Le prince était entouré d'un nombre considérable de petits chefs, ses vassaux, tous portant des pagnes splendides importés du Ghana et la tête ceinte d'une couronne en bois doré, sculptée plus ou moins avec fantaisie. Et à côté de tous ces hommes royaux, jadis si cruels et si sanguinaires que les Blancs avaient mal domptés encore, des hommes de toutes les races et de toutes les conditions s'amoncelaient comme des papillons, attirés par les couleurs vives d'une légion de fleurs. » La fin est plutôt décevante : Koïmé revient à Abidjan, cherche à renouer ses amours, mais sans succès. Et il se tue. Somme toute, un essai brillant, dont nous attendons la confirmation. Elle vient, en partie, sous la forme d'une pièce historique en cinq actes, *Le Trône d'or* [162], qui s'inspire des luttes d'autrefois entre les royaumes d'Abron et d'Achanti. Enfin, avec Aké Loba et son *Kocumbo l'étudiant noir* [163], jetons un dernier coup d'œil, avant de la quitter, sur la Côte-d'Ivoire. Ce roman est en effet extrêmement évocateur des circonstances réelles et actuelles qui prédominent en ce pays. Un jeune Noir réussit dans ses études. On l'envoie en France les poursuivre. Il est à Paris un peu perdu (description des étudiants noirs au Quartier Latin) avant de se reprendre et de revenir en Côte-d'Ivoire où il sera un magistrat intègre et éminent. Le voici, à la veille de son retour au pays natal, à la fois désemparé et d'avance réadapté : « La voix de Kocumbo s'est tue. Ses yeux s'étonnent; un sourire glisse sur ses lèvres. Debout au milieu d'une chambre sens dessus dessous, il tient à la main un papier jauni, aux bords frangés de poussière. Cette relique dédaignée pendant de longues années met aujourd'hui sur son visage une expression qui intriguerait beaucoup ses collègues... avec ce vieux pagne autour des reins, cette malle d'allure antique ouverte devant lui. Est-ce pour retrouver déjà son milieu d'origine qu'il a ceint cette étoffe nostalgique ? Son retour au pays n'est plus qu'une question de jours... » Telle est la conclusion d'un jeune romancier notoire en Côte-d'Ivoire.

3.
Les royaumes mossis

1) La Haute-Volta

La Haute-Volta a conquis son indépendance en 1960. Elle est d'une superficie de 275 000 kilomètres carrés, assez peuplée (cinq millions d'habitants), et sa capitale, Ouagadougou, est située au centre du pays. A l'ouest, on remarque des Sénoufos (déjà rencontrés en Côte-d'Ivoire) et les Bobos; au sud, les Lobis; un peu partout les Mossis, et enfin, comme au sein de toute l'Afrique occidentale, des Peuls. Joseph Ki-Zerbo, agrégé d'histoire, montre dans son magistral ouvrage *Le Monde africain noir* [164] que les Mossis, succédant à la domination des Bwamus, ont été à l'origine des fameux royaumes mossis auxquels se rattache la Haute-Volta. L'auteur dépasse, d'ailleurs, la seule étude des empires historiques. Il aborde aussi les aspects ethniques, politiques, économiques et socio-culturels de l'ensemble des peuples de l'Afrique noire. Ki-Zerbo le fait souvent non sans humour, par exemple à propos de la condition féminine : « Il serait très faux de s'imaginer que la condition de la femme africaine est misérable. Sur le plan économique, la femme jouit d'une autonomie appréciable... la femme a toujours, en dehors du grand champ familial, quelques petits champs de condiments, d'arachides, de coton, de petits pois dont le produit lui revient en propre. Le fil qu'elle a tissé le soir en compagnie de ses filles, elle ira le vendre au marché et parfois à son propre mari. Ne voit-on pas des fabricantes de *dolo* (bière de mil) en offrir à leur mari mais refuser de lui vendre à crédit lorsqu'il veut entretenir ses invités ? »

Cependant, l'historien qui s'est le plus exclusivement consacré aux Mossis est Yamba Tiendrebeogo, dont *Histoire et coutumes royales des Mossis de Ouagadougou*[165] constitue une source inépuisable de renseignements. Tiendrebeogo, qui appartient lui-même à une famille de la noblesse mossie longtemps en responsabilité gouvernementale à la cour, dispose d'informations directes. Son livre se présente en trois parties, la première strictement historique et les deux autres plus tournées vers les problèmes religieux et d'organisation politique. Souvent Yamba Tiendrebeogo se laisse aller à rapporter, sans la transposer, une fable d'autrefois : « C'était au temps de Naba Sanem. Un matin, de bonne heure, un garçonnet se rendait en brousse lorsque son attention fut attirée par le manège d'une abeille qui faisait la navette entre un néré et un karité, tous deux en fleur. L'enfant s'assit et vit que l'abeille entrait d'abord dans une fleur du néré *(doinga)* puis quittait l'arbre et allait se poser sur une fleur du karité *(taanga)* : elle revenait enfin au néré et ainsi de suite. L'enfant était fort intrigué et chaque fois qu'il voulait s'éloigner une mystérieuse curiosité le rappelait près des deux arbres. » La morale suit : chacun doit cultiver sa terre avec amour, et tout ira bien ainsi que chez les abeilles. On le voit déjà : Tiendrebeogo s'intéresse aux proverbes et devises. Il en a recueilli un grand nombre dans ses *Contes de Larhallé* [166] sur le destin, la providence, la vie publique, la générosité, l'amitié et la famille, femmes ou orphelins, toujours chez les Mossis. Voici le conte de l' « Homme aux troix chiens » : « Un homme qui n'avait pas froid aux yeux vivait dans une grande ville. Il recueillit trois jeunes chiots et les éleva.

Il leur donna des noms étranges. Le premier s'appelait " Doumdé pami ta sida ya nab yé ", ce qui veut dire " L'épouse aimée d'un chef ignore que son mari est chef ". Le second chien répondait au nom de " Ned sin mya soba son ef sin dogh'né soba ", qui peut se traduire par " Un ami qui vous connaît intimement vaut mieux qu'un parent ". Quant au troisième chien, on le nommait " Wend san pa kou, nab pa koud yé ", qui signifie : " Si Dieu ne permet pas de tuer, le chef ne peut pas tuer. " Ces noms étaient très longs, mais les chiens avaient pris l'habitude d'y répondre. Avec le temps, ces curieuses dénominations furent connues de toute la ville. » L'homme aux trois chiens est finalement arrêté par le chef. Mais la population s'aperçoit, peu à peu, que tous ces noms avaient une signification qui la concerne elle-même.

Pierre Dabiré, jeune auteur qui a obtenu en 1967-1968 un prix au Concours théâtral interafricain, nous fait sauter le pas du conte au théâtre. *Sansoa* [167], qui a pour thème la situation des cultivateurs pauvres à l'époque où l'enrôlement militaire forcé était pratiqué dans les villages par la puissance coloniale, est encore très proche de l'art des griots. C'est l'intérêt et le charme de cette œuvre de débutant. Avec Nazi Boni, nous abordons enfin le roman. Son *Crépuscule des temps anciens* [168] ressuscite en effet les gloires des Bwamus, voici trois cents ans, leurs mœurs, la politique, tout en agrémentant ce fond un peu austère de la description d'une grande passion amoureuse à l'époque. Une fois de plus les coutumes contrarient un amour partagé. Le récit est vivement mené, les moments pathétiques coupés de scènes en dépit de tout joyeuses : « Bruyants, les souhaits de bienvenue qui retentissent de toutes parts, traduisent la joie de ceux qui reçoivent. La façon d'accueillir l'étranger à son arrivée importe plus que toute autre sollicitude. Aussi, est-ce avec un bêêré! sonore qu'on le rencontre.

On l'embrasse; on le débarrasse des objets qu'il porte; on lui offre une natte ou un escabeau, de l'eau pour se désaltérer, et, aussitôt après, la pipe. Tout se passe dans un ordre immuable. La pipe, oun-houm!, la pipe qui repose l'esprit des Anciens! Fôôbwah! la pipe, élégance de la jeunesse. Bientôt, les quartiers sont pleins à craquer. La cité est houleuse. Après l'heure des bains, celle des repas. »

D'ailleurs, rassurons-nous, tout finira bien; et on peut considérer que la parution du *Crépuscule des temps anciens* — texte historique qui, tout en restant instructif, s'anime de personnages imaginaires mais présentés comme réels — marque le début, à suivre, de la littérature romanesque d'expression française en Haute-Volta.

2) Le Niger

Cet immense pays ne nous fait pas changer véritablement de milieu. Certes, nous trouvons au nord des Touaregs, et surtout des Sonraïs; certes, vers le sud, l'implantation des Haoussas est importante. Mais, en plus des Peuls, nous retrouvons des Mossis, et la situation de la capitale, Niamey, est telle qu'historiquement l'actuel Niger se rattache bien, en effet — comme la Haute-Volta elle-même — aux anciens royaumes mossis. Voilà ce que montre l'éminent écrivain et homme politique nigérien, d'origine sonraï, Boubou Hama. Il faut lire son excellente *Histoire du Niger* [169], qui décrit — l'auteur y insiste — l'exceptionnelle fortune et stabilité de ces royaumes : « Ces empires, bien que n'ayant pas eu l'éclat ni la renommée des empires de Ghana, de Gao et de Mali, bien que leur territoire n'ait jamais atteint les dimensions presque fantastiques de ces derniers, furent en réalité des États plus forts, plus homogènes et plus durables. Entourés d'empires dont l'éphémère apogée fut toujours suivi à bref délai d'un démembrement progressif ou d'une fin rapide, ils ont, eux, duré six siècles sans changement appréciable dans leurs limites ni dans leur organisation intérieure. » On se référera aussi à l'*Histoire du Gobir et du Sokoto*[170], qui comporte une chronique de la région du Gobir, une vue générale de l'État de Sokoto et même de l'État de Gando, dont nous extrayons ce portrait saisissant du prince Akitou : « Ce prince est fils d'Ousman Dan-Fodio. Il était frère de père et de mère de Mohammed Bello. Rouge, petit de taille, la tête penchée, — il ne la relevait que fort peu — ne quittant jamais son sabre, sa lance et son arc. Jamais on ne le voyait autrement que tenant à la main deux de ces objets sur les trois et cela même à l'intérieur de sa maison. » Moins récent, mais tout aussi intéressant, est *Empire du Gao — Histoire, coutumes et magie des Sonraïs*[171]. Le point de vue historique s'élargit ici à des études ethnologiques ou même théologiques. A propos des croyances, la notion du double et de sa signification est, dans ce livre, très fouillée. Encore faudrait-il évoquer du même auteur *Recherche sur l'histoire des Touaregs sahariens et soudanais*[172], et *Histoire traditionnelle d'un peuple, les Zarma-Sonraï*[173], qui le concerne directement. Boubou Hama — on commence à s'en apercevoir — est autant sociologue qu'historien. Cela apparaît clairement à la lecture de son étude sur *L'esprit de la culture sonraï*[174], dont nous détachons un passage très informatif sur la relation qui s'établit, au sein de cette ethnie, entre la matière et l'esprit : « Le peuple sonraï occupe le Niger de Djenné (Soudan) à l'extrême limite du Dendi (Haut-Dahomey). Les Sonraïs habitent la vallée du Niger, ses îles, et égrènent leurs villages le long des affluents de ce grand fleuve. Les Sonraïs croient aux " holés " ou esprits qui hantent les humains, ou " holés-tams " (médiums) ou holés-chevaux, ou holéscaptifs. La mythologie vivante des Sonraïs dénote une notion très élevée d'une conception spiritualiste du monde, — je dis même, chez eux —, la croyance aux esprits, à une spiritualité très voisine de celle de l'Europe. Cette mythologie est axée sur le fleuve, sur l'eau des étangs, des lacs ou sur celle qui tombe du ciel... Le Sonraï croit qu'un peuple n'est dominé que dans la mesure où ses génies protecteurs le sont, ne résistent plus à ceux du vainqueur. Ainsi, avec cette variante de la culture sonraïe, il est montré, dans le domaine spirituel, combien cette occupation vide le peuple vaincu de sa substance vive, de l'essence même de son être. La domination matérielle du peuple, dans la croyance des Sonraïs, entraîne sa domination sur le terrain spirituel. » A ces ouvrages s'ajoutent une *Enquête sur les fondements et la genèse de l'unité africaine* [175] (L'Afrique est la genèse de l'homme — Les traditions qui témoignent de l'unité africaine — Du contexte mythique de la communauté à la communauté de l'unité religieuse), et un pénétrant *Essai d'analyse de l'éducation africaine* [176], particulièrement éclairant sur la mentalité sonraïe : « Le milieu physique lui-même, d'abord, est une mine d'enseignements. Tout, dans le monde africain, est symbole. L'arbre qui pousse dans le creux du sommet d'un arbre et qui le dépasse est signe de la grandeur. C'est à partir de celui-ci que le Soninaké fait les gris-gris à l'intention des princes et des rois. Le hurlement de l'hyène, le hennissement du cheval, le beuglement de la vache, le cri de la tourterelle sont interprétés par les Peuls, les chasseurs ou les simples voyageurs. Les moments de la journée, les jours de la semaine sont fastes ou néfastes pour les entreprises humaines. Le point de jonction de deux routes qui se croisent, la termitière, la fourmilière ont leur signification profonde qui conditionne les actes importants de l'animiste sonraï. » Un autre sociologue nigérien de valeur est Abdou Moumouni. Il faudrait lire de lui *L'Education en Afrique* [177].

Avec *Kotia-Nima* [178] (littéralement : Enfant, entends-tu?), Boubou Hama livre, sous couvert d'une autobiographie, ses idées en vrac. Il évoque son village sonraï et se souvient du jour où son père a été convoqué au chef-lieu lors de la mobilisation de 1914 : « Lorsque j'avais huit ans..., un jour, vint le garde dans mon village. Son beau cheval, au contact de ses éperons ne savait plus où poser ses sabots. Sur sa haute chéchia rouge pendaient, en un pompon, des tresses noires qui tressaillaient à chaque sursaut de sa tête magnifique. Le cavalier se pencha vers mon père et lui tendit un papier, au bout d'une tige fendue. Dans le village, personne ne savait lire ni écrire. Le garde lui-même était illettré. En ce temps-là, le papier était doté d'un pouvoir magique, surtout quand il était présenté au bout d'une tige fendue. La mystérieuse missive tenait lieu de convocation. Mon père, qui était chef du village, le comprit aussitôt. Il réunit brièvement un conseil de famille dans sa maison. » Puis l'enfant, en écoutant les anciens et les griots, apprend au fur et à mesure qu'il s'éveille quelles sont les traditions de son pays : « Des histoires de tourterelles, j'en connaissais quelques-unes. Quand l'oiseau corne derrière le chasseur, alors qu'il n'a pas atteint encore la lisière de la haute brousse, ce présage préfigure une mauvaise chasse. Mais lorsque ceci se produit devant lui, c'est un signe de bon augure. De même, la tourterelle perchée sur le toit prévient de l'arrivée imminente d'un hôte de marque... Ce colombin est le totem de notre famille. Voici pourquoi. Un de nos ancêtres, dit une tradition familiale, avait le ver de Guinée. Son pied enfla. Seul dans la forêt, il se traîna jusqu'à l'ombre d'un arbre. Immobilisé, tenaillé par la faim et la soif, il n'attendait plus qu'une chose : la mort. Dans sa solitude, dans l'extrême détresse où il était plongé, il entendit : " Kirr! Kirr! " et puis encore " Kirr! Kirr! " Ce n'était pas quelque diable qui s'aventurait dans les alentours. Ce n'était pas non plus la mort qui y rôdait. Ce qui " cornait " ainsi n'était pas non plus un fauve affamé en quête de quelque proie facile, mais une petite tourterelle " rouge ", compatissante, clémente. Elle fit danser un moment son ombre au soleil, voletant de ses ailes légères. Avec son bec, elle vint percer l'enflure qui paralysait le pied du malade. Le pus jaillit de la plaie. Notre ancêtre reprit l'usage de ses membres. Il fut ainsi libéré de la douleur qui le torturait et de l'angoisse de la mort. En signe de reconnaissance, il interdit à tous ses descendants de consommer de la viande de tourterelle. » Boubou Hama élargit de la sorte peu à peu le cercle de ses connaissances. Il participe aux fêtes, voit comment on travaille. Il se prend à penser : « Au rythme du tam-tam chante l'Afrique. Au son des balafongs dansent les jeunes filles noires le soir, sous le clair de lune. Dans leur corps qui vibre passe le rythme du vent, se diffusent les mille nuances des sons, tous les coloris de la nature. Dans le grand rythme du monde, dans la lumière qui irise ses yeux, l'homme d'Afrique vit et meurt, au rythme de l'univers. Le cultivateur, de son instrument, au rythme de sa voix, au grand souffle qui agite le vent, sous la chaleur qui roule dans ses muscles, fend la terre, sème et voit grandir le mil, la plante dont il sent monter les cellules dans sa tige flexible. Le chasseur bande son arc au rythme de la prestance de la bête. De son arme, à l'immense soupir de l'univers, l'abat... Au rythme des flots, le pêcheur Sorko appelle le poisson, parle au caïman, jette son filet qui se referme au rythme des vagues. Dans le silence des choses, le Noir entend le rythme qui agrège la matière. » Enfin, l'enfant devenu adolescent quitte son village natal, rencontre des Blancs, et le voilà qui exerce une profession. Les réflexions se multiplient, et les comparaisons entre les diverses idéologies. La conclusion semble être qu'aucune d'entre elles n'est véritablement adaptée aux nécessités propres à l'Afrique, et que trop souvent l'impulsion venue d'Europe détruit sans remplacer : « Le système économique d'aujourd'hui fait pousser les villes, crée des professions nouvelles, désagrège la famille communautaire africaine et la dirige vers un individualisme plus étroit et vers la conception de la propriété privée individuelle. Ce phénomène accentue la cadence du partage des terres, de leur distribution et de leur transmission selon des modes économiques qui ne sont pas toujours l'application exacte de la coutume. Il liquide ce qui reste du féodalisme. »

Ainsi Boubou Hama — jusque-là historien, sociologue — en vient-il à adopter dans son dernier livre un genre assez indéterminé, mais somme toute proche du conte. Parmi les conteurs, on peut également citer au Niger Damouré Zika *(Chants du Dahomey*[179]*)*, fils de pêcheur, lui-même infirmier, un autodidacte qui n'est pas sans dons. Mais le relais des conteurs est véritablement pris, à un niveau plus élaboré, par Ibrahim Issa, dont les *Grandes eaux noires*[180] décrit ce qu'on appelait autrefois le pays d'Aïr. Issa chante le passé de l'Afrique, vers la fin des guerres puniques. Le thème de l'eau, si important dans ces régions, court d'un bout à l'autre de ce texte, à la limite de la prose poétique. Le lecteur assiste, notamment, aux fêtes qui président à l'installation de l'héritier présomptif du trône. Au bord du Niger, le fleuve par excellence, se déroule cette scène superbe et terrible : « Les formes diffuses que contenait la barrière des acacias firent irruption sur le fleuve. C'était la " horde " des chasseurs de la Grande eau noire, la garde de corps de Barbe-Blanche, qui pour signifier au vieux leur attachement indéfectible avait tenu à offrir vivants aux eaux furieuses quatre lions de taille remarquable, un éléphanteau, dix gazelles et du menu gibier. Toutes ces bêtes furent éventrées et dans les râles rauques que la vie quitte, les cadavres roulés par l'eau bouillonnante sombrèrent. Le cœur des quatre lions arraché de force revenait de droit à l'héritier présomptif du trône! »

Des conteurs aux auteurs dramatiques la route est courte, nous le savons. Aussi faut-il — avant de clore sur le Niger — parler ici du jeune André Salifou, dont la première pièce, *Tanimoune*, a remporté un grand succès lors de sa présentation en 1969 à Alger. André Salifou est venu au théâtre par le truchement du scoutisme. Pendant de longues années, en effet, il a composé pour ses camarades, en vue des veillées de camps, toute une série de saynettes. Puis, il termine ses études à Niamey, les reprend au lycée Corody d'Abidjan, et en même temps suit les cours de l'École d'art dramatique de cette ville. Le résultat est là : *Tanimoune*, drame historique en trois actes fort bien structurés, d'une belle langue classique, qui rappelle la figure du célèbre prince rassembleur du Damagaram au XIXe siècle. Tanimoune refuse d'obéir aux ordres de son suzerain de Bornou, le cheik Omar, apaise les querelles des princes, et aidé de son fils Kiari tient tête à la pénétration coloniale : « Même quand l'homme blanc réussira à vous imposer sa loi par la force des armes, et sans doute aussi avec la complicité de certains de vos frères, auxiliaires inconscients d'une nation étrangère, dites-vous toujours que la roue de l'histoire ne cessera pas de tourner. »

4.
Le royaume du Dahomey L'empire des Fons et extensions

1) Le Togo

Depuis l'océan Atlantique, au bord duquel est située Lomé, sa capitale, le Togo s'enfonce sur 56 000 kilomètres carrés vers l'intérieur des terres. Nous sommes au seuil d'un milieu nouveau et particulier. Nouveau dans ses composantes humaines puisque — les Peuls mis à part — ses deux millions d'habitants appartiennent à des ethnies que nous n'avons pas rencontrées jusqu'ici : au nord, les Kabres, au sud les Ewés. Particulier dans son histoire, puisque le Togo se rattache directement au puissant royaume du Dahomey, dont la spécificité était bien affirmée. Particulier encore, à l'époque contemporaine, puisque le Togo, ancienne colonie allemande, a été partagé entre la France et l'Angleterre à la suite de la guerre de 1914-1918, et se trouve le seul pays de ces régions à avoir subi successivement ou simultanément les influences de ces trois nations européennes. Une des conséquences est que l'expression française est inégalement répartie, développée surtout à l'est, du côté de Lomé. Remarquons, enfin, qu'après l'indépendance, intervenue en 1960, une partie de l'ancien Togo est restée rattachée au Dahomey d'aujourd'hui.

Depuis 1967, date de la publication de *Courage* [181], le poète le plus notoire du Togo francophone est Toussaint-

Viderot Mensah. Un recueil d'une soixantaine de courts poèmes, assez classiques, qu'anime une pensée philosophique, une réflexion sur la condition du Noir : « Tu fus jadis esclave des autres et aussi de toi. / Tu l'es moins pour les autres mais davantage pour toi. / Tu as une tête, ton unique bagage, que renferme-t-elle ? / Tu supposes, tu crois, tu te fais une idée / Que tu as des ailes et que tu peux voler. / Pauvre noir, pauvre de toi et de moi. / Pauvres, nous sommes pauvres et sans loi. /... Nègre ou négritude, peu importe. / Tu me parles d'une révolution, / Une révolution à laquelle je n'ai point pensé. / Une révolution pour ceux qui tomberont. / Ceux qui poursuivront dans les ténèbres, / Une course vagabonde sans ébats. / Sans même savoir pourquoi ils sont morts. » Après « Pauvre noir », « Nègre », ou encore « Dieu », viennent des chants d'amour : « Oh ! belle dont la beauté éclipse le jour. / Oh ! belle aussi belle que la rose du printemps. Mais la rose se fane après son temps. Ainsi finissent, belle déesse, nos jours. / Ceci c'est le souvenir d'une image. / Ceci c'est l'amour d'un jour d'été. / C'est le rêve d'un être aimé. / C'est aussi l'écho de mon cœur épuisé. / C'est tout, mais, ce n'est rien. » Et le poète, finalement, fait choix d'Akwaba : « Quel nom poétique, Akwaba ! / Là-bas à l'ombre des cocotiers, / Une voix se fait entendre ; / Une voix claire, perçante et ensorcelante. / Akwaba, Akwaba, où es-tu ? / Viens où que tu sois. / Viens vite, cours, rejoins-moi / C'est l'heure d'aller cueillir les pensées. / Nous cueillerons aussi les œillets ; / Les anémones sont dans mon jardin, / Car partout où je suis dans mon jardin, Je ne crois qu'en ton amour. / Je ne tiens qu'à toi, / Et t'aime ardemment. » Le peuple togolais, si vif, gai, sensible a été touché par le charme qui se dégage de ce qu'écrit Toussaint-Viderot Mensah. Yves-Emmanuel Dogbé, né à Lomé en 1939, et qui a enseigné longtemps au Dahomey avant de poursuivre des études de philosophie à Paris, aura-t-il autant de chance avec son premier et récent recueil, *Flamme blême* [182] ? Le public connaissait déjà, par la presse, plusieurs de ses poèmes d'écriture subtile, les uns violents, les autres philosophiques d'inspiration cartésienne. « Affres » avait déjà paru en 1966. Il faut lire « La voix du griot » et ce charmant « Chant du solitaire » : « Le jour naît encor lumineux et blanc / Que la vie douce suit prompte et belle / La joie des cœurs va de seuil en seuil / Pleine d'entrain et animée de bruits / ...Les tourterelles chantent leur réveil / Dans le fier horizon sans nuages / Mille pigeons bruissent et roucoulent en paix / Brouillés par le plaisir de la survie / Les moutons bêlent de rue en rue, lâchés / Prenant aussi leur part d'être / Les branches, les fleurs pleurent de la rosée / Affectées du caprice du vent qui danse. » On dit qu'Yves-Emmanuel Dogbé prépare deux nouveaux recueils : *Divin amour* et *O Afrique mon amour!*

Il est curieux de constater à quel point, des poètes aux romanciers togolais, la tonalité se maintient. En tout cas pour l'essentiel. Passant sur le jeune Claude Bedou, dont l'œuvre est encore en devenir, nous retenons Félix Couchoro, savoureux et naïf, qui rend de façon également charmante la vie de tous les jours, les mœurs propres à cette population animée, allante et somme toute d'esprit méridional. Après *L'Esclave* et *Amour de féticheuse*, Couchoro connaît son premier succès de romancier grâce à *Drame d'amour à Anecho* [183]. Dans cette petite ville côtière, proche de Lomé, des haines ancestrales et la différence de confession (le jeune homme est catholique et la jeune fille protestante) contrarient des amours pourtant bien sympathiques. Faisons connaissance du port et de son marché pittoresque : « Au guichet, c'est une presse et l'on risque d'être étouffé; c'est un brouhaha confus que domine la voix aiguë d'une marchande yorouba jacassant à tue-tête et inutilement pour un panier vide égaré. Au pesage, c'est une mêlée de paniers, de corbeilles, de couffins, de sacs à provisions sur la tête des gens qui font queue et qui hurlent. De ce grouillement humain émanent des odeurs de toutes sortes, sur quoi flotte le relent caractéristique des gares riveraines : le relent des crevettes et du poisson fumé. » Un peu à la Paul Morand nous parcourons ensuite la région en voiture, au cours d'aventures rocambolesques. Tout se terminera bien, puisque non seulement les jeunes gens s'épousent, mais les parents se réconcilient : « Je sais, dit Gilbert, tout le symbole qui se dégage de notre union. Ma femme, Mercy, il m'a fallu l'enlever de haute lutte à l'amour de ses parents à quoi se mêlait, certes, quelque ressentiment partisan. Il nous a fallu à nous deux beaucoup de courage pour triompher de la résistance des nôtres. Dieu a béni notre persévérance et nous voici aujourd'hui mariés. » Tout aussi alerte est *L'héritage cette peste* [184], en dépit d'un sujet plutôt triste : le riche propriétaire d'une vaste cocoteraie vient à mourir. Il laisse plusieurs enfants d'une première épouse (dont la douce et intelligente Éléonore, chargée d'exécuter le testament), une veuve, un beau-fils, Léon. Celui-ci semble évincé de l'héritage, et tous les enfants, arrivés de la ville, se préparent à une âpre dispute. Avant qu'elle ne commence, un moment de recueillement : « Le lendemain, elles se levèrent avant l'aube; elles devaient accomplir un court pèlerinage : une visite à la tombe du disparu. Lili, vêtue de tissu léger, prit un bouquet de fleurs champêtres et, dans un silence quasi religieux, toutes les quatre se rendirent à la tombe située non loin des bâtiments de la ferme. La jeune fille déposa la gerbe sur la pierre encore humide de la rosée de la nuit. Une brise fraîche venant de la plage remuait, en balancements mous, les branches des cocotiers de la plantation. Là-bas, sous les vertes ramures, deux bouviers étaient en train de traire les vaches du troupeau. Un groupe de jeunes paysannes vint à passer pour aller au travail du coprah, dans une plantation proche. » Le testament ouvert, la lutte est en effet fort rude. Mais Éléonore tient bon, rapproche les antagonistes, et a la bonne idée de tomber amoureuse de Léon, que nous récupérons ainsi. Comme on le voit, la littérature togolaise est à l'image de son peuple si sympathique : elle est foncièrement optimiste.

2) *Le Dahomey*

A partir de la côte occidentale de l'Afrique, immédiatement à l'Est du Togo, le Dahomey s'étend sur environ 112 500 kilomètres carrés, avec une population de deux millions et demi d'habitants. Elle est composée au nord de Baribos, au centre de Sombas, un peu partout de Fons, et accessoirement de Ouidahs, parents des Ewés. Depuis l'indépendance en 1960, la capitale est Porto-Novo, mais un autre port, Cotonou, reste presque aussi important. La caractéristique essentielle du Dahomey est qu'il est le centre en Afrique — peut-être le centre mondial — de l'animisme. Le culte rendu aux orishas et aux vaudoux est ici très vivant. Il ne faudrait pas négliger cependant l'apport de la chrétienté qui, si elle ne se rattache pas directement à l'histoire du Dahomey, tient sa place. Les travaux d'Albert Tevoedjre, né en 1929 à Porto-Novo, licencié d'histoire et de géographie, professeur de son métier, sont à ce titre intéressants. Notamment, *L'Afrique révoltée* [185] : « L'Africain catholique ne peut pas être un étranger dans l'Église, cela est impossible, cela n'est pas vrai. Il ne peut pas non plus vivre en étranger dans son propre pays : ce serait une absurdité. L'Africain catholique est solidaire des progrès de l'Église dont il se réjouit. »

Histoire et religion sont donc, dans ce pays, étroitement liées. Cela apparaît clairement chez Paul Hazoumé, un instituteur catholique né en 1890, qui est l'auteur d'un remarquable travail sur *Le Pacte du sang au Dahomey* [186]. Il étudie objectivement les origines, l'objet, les avantages, les modalités (breuvage mystique, nudité), les sanctions, de cet élément essentiel de l'animisme : « Les Danhomênou ne se confient de secrets, ne se prêtent une assistance mutuelle, ne s'associent pour une affaire importante (entreprise commerciale, confection d'un grigri, entente pour vol, assassinat, évasion, assouvissement d'une haine, etc.), ils ne se dévouent, jusqu'à la mort, les uns pour les autres, que s'ils se sont juré la confiance, la discrétion, la sincérité, la loyauté, le dévouement, en contractant le pacte de sang. » L'ouvrage le plus connu d'Hazoumé est *Doguicimi* [187], où il fait revivre l'ancien royaume du Dahomey, dont l'importance, le rayonnement, l'extension sont par tous reconnus, et qui a joué un rôle déterminant au sein de l'ensemble de la région. Paul Hazoumé, après avoir exposé très précisément les structures essentielles, le droit divin, la culture, prend l'histoire du royaume à l'époque du roi Geso (1818-1858). L'auteur trace fort bien le portrait d'un peuple pour lequel le principal de la vie est palabres, guerres et fêtes, et qui fait de la nonchalance et de l'impassibilité la marque même de la noblesse. Doguicimi est la femme du prince Toffa, neveu du roi, et elle se trouve isolée à la cour depuis que son mari est parti en guerre. Elle repousse les assiduités du prince-héritier Vidaho, et de ce fait périra enterrée vivante, avec la tête de son mari. Paul Hazoumé s'attache à faire connaître en détail le cérémonial de la cour du roi, depuis le sacrifice rituel du matin. Les femmes du harem y assistent : « Les épouses de Panthère venaient à reculons. La première rangée battait l'air avec de grands éventails en peau d'hyène, et aux manches chargées d'amulettes. La seconde rangée, composée de porteuses de pipe, crachoir, foulards blancs, tabatière et petite corbeille contenant de fins cauris, s'agenouilla au chevet du sofa tandis que leurs compagnes qui éventaient s'installèrent au pied du trône. » Voici, par ailleurs, la garde royale. De nombreuses femmes y sont enrôlées : « Les jeunes guerrières qui formaient la garde royale étaient vêtues de culottes; une tunique sans manche leur serrait la taille sans les gêner; elles étaient coiffées d'un bonnet qui leur recouvrait les oreilles. Une solide ceinture de velours retenait un poignard sur leur hanche gauche; elles étaient en outre ceintes d'une giberne et armées d'un fusil. »

Au royaume du Dahomey, il faut distinguer plusieurs périodes et parties. C'est à quoi s'attachent un historien comme Maurice Glélé [188] et particulièrement Casimir Agbo avec son *Histoire de Ouidah* [189]. L'ethnie ouidah, largement répartie sur l'ensemble de la région, l'a dominée du début du XVIe siècle à 1726, puis les Fons l'ont emporté au cours de circonstances qu'on raconte ici : « Agadja, le terrible roi des Fons, est mort en 1728, c'est-à-dire deux ans après qu'il eut détruit le royaume houéda dit Juda. Aussi le roi Tégbéssou, son héritier et son successeur, se jura-t-il de conquérir rapidement Gléhoué-Ouidah pour parachever l'œuvre de son feu père qui visait à étendre son territoire jusqu'à la mer. Le sort en était ainsi jeté sur la cité privilégiée de Houéda, la cité déifiée des aborigènes, la ville séculaire, le port naturel, commercial et maritime, le premier et principal port de la côte des Esclaves, le berceau des Éoués, la ville dont le nom est entouré d'un prestige que certains ne s'expliquent pas et qui incite la curiosité chez les uns et le respect chez les autres; enfin la ville jadis surnommée le paradis et la côte d'Afrique. » Les Fons ont eux-mêmes perdu leur suprématie en 1892, et il est intéressant, l'actuelle capitale du Dahomey étant Porto-Novo, que les historiens Akindelé et Aguessy nous aient donné une *Contribution à l'étude de l'ancien royaume de Porto-Novo* [190]. Un des auteurs, Akindelé, était pour ce faire particulièrement bien placé, puisqu'il a pu recueillir auprès de son père Akindelé Akinsowon — personnage important de ce milieu — des informations directes. Nous prenons une vue d'ensemble du royaume, de la vie sociale dans le peuple et à la cour. Mine d'informations, parfois pittoresques, notamment sur la condition des princesses : « Les princesses jouissaient d'un très haut prestige. Elles menaient souvent une vie aussi romanesque que leurs frères. Elles ne se mariaient pas comme les femmes du peuple. On ne leur imposait pas d'époux. Par un privilège exceptionnel, elles étaient libres de choisir qui elles voulaient. Elles entraient en ménage sans cérémonie d'aucune sorte, sans engagement de la part de leurs parents, et divorçaient aussi librement qu'elles se mariaient. Cette union avec les princesses, aussi libre qu'elle puisse paraître, n'était pas de toute commodité pour le prétendant. La princesse est la chose du roi. Nul ne peut y toucher impunément. Le futur époux doit donc se disposer à ne jamais faire de reproche à sa fiancée, à satisfaire les exigences les plus inconcevables de l'épouse, à ne porter sur sa personne le moindre soupçon, à sacrifier enfin sa liberté tout entière. Les querelles de ménage, fréquemment, étaient jugées à la cour. La princesse en profitait pour accuser l'époux d'injures graves à l'adresse du roi. Le thème était repris et aggravé par les courtisans. " Est-ce permis à un sujet d'insulter le roi ? Et, qui pis est, un roi qui lui a donné sa fille en mariage ? " Cette victoire facile des princesses sur leur époux favorisait le divorce au plus haut degré. Ces changements incessants n'étaient pas favorables à la maternité. Aussi bien peu de princesses furent-elles mères. »

Maximilien Quenum aborde, avec son *Au pays des*

Fons [191], un domaine intermédiaire proche du conte. C'est un ouvrage très complet, qui établit bien la différence entre les Fons et leurs cousins les Adjas et les Yoroubas. Langue, religion, mœurs (famille, mariage), et même commerce sont sérieusement étudiés. Mais parfois l'auteur s'échappe et n'hésite pas à relater telle ou telle légende. Une fois de plus, les temps anciens, l'âge d'or sont évoqués. Qu'était donc la mort, avant qu'elle ne fût la mort parce qu'un mourant a eu peur d'elle? : « Voici ce qu'on appelait mourir autrefois : Dès qu'on était fatigué de cette vie, Dieu envoyait son messager et l'on partait avec lui. La personne appelée, bien peignée, le corps soigneusement passé à la pommade se rendait au marché. Chacun chuchotait : " Un tel nous quitte déjà! Nous aurions tant voulu le garder encore avec nous!... " Puis on le comblait de présents, on le chargeait de nombreuses commissions... Le messager de Dieu prenait le devant et l'on s'en allait le sourire aux lèvres. » Maximilien Quenum est aussi l'auteur de *Trois Légendes africaines* et d'un ouvrage théorique, *L'Afrique noire* [192], qui cherche à discerner les idées-force. Toute la société est passée au crible par catégories : les paysans, et puis les vieillards, les femmes, les enfants. Quelle est donc la signification de cet univers spirituel, menacé et malheureux? : « L'homme est le centre de l'univers en ce sens que, de toutes parts, les traits du sort le prennent pour cible. Dans l'existence de l'Africain, il n'y a pas de périodes critiques et d'autres qui ne le sont pas, des séries noires et des séries qui ne le sont pas. Toutes les périodes sont critiques et toutes les séries sont noires. » La littérature théorique est d'ailleurs abondante au Dahomey. Sous l'impulsion de Stanislas Spero Adotevi, commissaire à la Culture, s'affirme là-bas une position originale à l'égard de la négritude. Celle-ci est considérée comme en partie dépassée, mais elle devrait être remplacée par une autre conception de la spécificité noire, le mélanisme, qui saurait joindre à l'irrationnel l'expression d'une volonté rationnelle collective. Stanislas Spero Adotevi préconise aussi d'animer les études historiques d'un certain romantisme — à la Michelet, en somme —, ce à quoi, nous l'avons vu, ne manquent pas la plupart des historiens dahoméens. Parmi les théoriciens du pays, il faudrait encore nommer Sourou-Migan Apithy, et relever son livre *Au service de mon pays* [193]. Un romancier comme Olympe Bhely-Quenum, né en 1928 à Cotonou, est lui-même en quelque manière un théoricien. Son *Chant du lac* [194], et plus spécialement son récent ouvrage *Un Piège sans fin* [195], dégagent une réflexion pénétrante sur la problématique du noir africain, pris entre la tradition et le renouveau.

Ainsi éclairés, nous pouvons examiner le cas complexe de Julien Alapini. A l'égal d'Albert Tevoedjre et de Paul Hazoumé, c'est un remarquable spécialiste de l'animisme. Il faut lire de Julien Alapini *Les initiés* [196], qui définit les caractéristiques du fétiche, ou gri-gri, et les modalités de son intercession entre Dieu et les hommes. Plus intéressante encore est l'étude concernant les *Noix sacrées* [197]. Elles jouent un rôle important qu'Alapini fait bien ressortir : « Le Dahoméen a une religion qui est théoriquement d'un ordre élevé, puisqu'elle ne comporte que le Mahou, Dieu unique, unique lui-même, créateur suprême, puissance incomparable. Entre Mahou et les hommes, ses créatures mortelles, sont d'innombrables dieux connus sous le nom de fétiches et qui sont pour ainsi dire comme les saints du paradis. Ce sont ces dieux intermédiaires qui intercèdent pour les hommes auprès du Dieu éternel, père universel. La plus importante de toutes les divinités est Fa. » Avec *Acteurs noirs* [198], recueil de petites pièces, telles « Le Charlatan », « Conversion d'une féticheuse », Julien Alapini tâte du théâtre. « L'union morganatique » met en scène un prince ruiné, qui cherche à profiter, à la fois, d'une fille laide et riche et d'une fille pauvre et jolie[199]. La notoriété de notre auteur tient cependant surtout à ses *Contes dahoméens* [200]. Ils ont parfois d'ailleurs une signification théologique. « Comment tout devint grand sous le soleil » rappelle que, dans la préhistoire, les hommes étaient tout petits (pygmées, peut-être ?) et le firmament très proche de la terre. Mais un jour une vieille femme, dotée de pouvoirs surnaturels, est intervenue, et d'un coup le firmament a reculé à une distance incommensurable, tandis que les hommes se mettaient à grandir. La plupart des contes sont porteurs d'une morale pratique. « Enfants prodigues et enfants reconnaissants » met en parallèle le fils qui travaille, fait fortune, et ceux qui dilapident le bien du père (moralité : ne soyez pas prodigues). « La queue du lion » oppose deux femmes enceintes, dont l'une reçoit en cadeau la queue d'un lionceau. L'autre, jalouse, va couper la queue d'un vieux lion, et celui-ci, rendu furieux, mange le mari (moralité : ne soyez pas jaloux). Bokossa a deux femmes. L'une cherche à faire dévorer l'autre par un caïman. La victime en réchappe et pardonne (moralité : rendez le bien pour le mal). « Le roi de la mort », c'est — sous d'autres cieux — l'histoire du Petit Poucet : afin de retrouver son chemin à travers la forêt, un enfant laisse tomber derrière lui des pelures d'orange. Enfin, « Dogbé » rappelle aux jeunes filles qu'elles ne doivent pas être trop exigeantes sur le choix d'un époux : « Dogbé était une fille qui faisait l'unique admiration de tous les hommes de la terre. Fière de sa beauté, très recherchée, elle faisait émouvoir bien des passions et méprisait toutes les demandes de main qui s'adressaient à elle, à ses parents, et se moquait parfois de tous ceux qui s'étaient épris de sa personne. Tous les gens lui semblaient indignes, les grands hommes de la cour du roi, aussi bien que d'illustres dandys. Un jour de marché, elle était devant sa calebasse d'acassa, quand, tout à coup, elle remarqua dans la foule noire des gens, un jeune homme qui lui parut fort beau; cette enfant, d'une nature libre et expansive, à la sensibilité spontanée, fut passionnément éprise de sa personne comme si c'était sous l'effet d'un philtre. C'était l'hyène muée en jeune homme. »

Au Dahomey, même les poètes sont un peu historiens, et bien souvent ils puisent dans le passé glorieux de leur pays leur inspiration. C'est le cas d'Alexandre Adandé avec *Les Récades des rois du Dahomey* [201]. Les sceptres, les emblèmes de la monarchie rappellent la victoire sur les Nagos, remportée en partie grâce aux femmes guerrières. Un poème chante la puissance du roi : « Seul le roi est le seigneur de cette forêt, / Seul le roi est le seigneur de cette forêt. / Feu ardent, toi seul es maître de cette forêt / Aucun fauve ne peut imiter la démarche du lion, roi de la forêt. / Seul le roi est le seigneur de cette forêt, / Seul le roi est le seigneur de cette forêt. / Ghézo, le tout-puissant, est maître de cette forêt / Aucun fauve ne peut imiter la démarche du lion, roi de la forêt. » On pourrait citer d'autres exemples d'un style analogue. Le ton change quelque peu, il est vrai, chez Richard Dogbeh [202], et surtout le très bon poète Paulin Joachim. Ce journaliste (éditorialiste de *Bingo*, un des mensuels les plus lus d'Afrique noire [203]) s'est fait connaître dans les lettres par *Un Nègre parle*, et aussi par *Antigrâce* [204], recueil de poèmes aux vers libres, modernes, un peu disparates, volontiers revendicatifs (« Testament », « A David Diop », « Désaccord complet », « L'invité suprême »). Que de réticente amertume trahit la « vague cabrée » qui sécrète l'anti-grâce : « J'appelle antigrâce / d'abord l'offrande de la vie / comme un conflit permanent à élucider / dans cette contrée en partage où il ne se passe rien / où nul chemin n'escalade une montagne / où le soleil même ne remonte plus jamais du creux de la mer / ce cul de basse fosse où l'histoire a cessé de respirer / et qui n'est plus peuplé que d'un peloton d'huîtres stupides / qui se laissent déguster au beurre blanc / dans la pérennité de leur exaltation iodée. » Que d'ambition aussi pour cette Afrique-là : « mais d'abord pour hisser au fin bout du mât / les couleurs épicées du plus bel athlète / qui reprend sa course interrompue par décret / des omnipotents enfants du premier lit / ses foulées invincibles désormais seront les pulsations de l'univers ses muscles saillants / les piliers de soutènement de la demeure qui s'effondre ».

La dernière citation est importante. Elle fait ressortir, au sein d'une histoire commune, les nuances du Togo au Dahomey, où la littérature d'expression française est plus complexe, plus tendue vers de grands espoirs.

5.

L'aire des Bantous du Nord et extension chez les Fangs

1) Le Cameroun

Si on retrouve dans ce pays certaines ethnies déjà rencontrées (les Peuls, les Haoussas du Niger), on n'en pénètre pas moins au sein d'un milieu noir très différent des autres. Le vaste Cameroun (500 000 kilomètres carrés), fort peuplé (cinq millions d'habitants) est un kaléidoscope de peuples divers : Arabes métissés au nord, Banums, Foulbés et Mbams au centre, Mbos et Bamilékés au sud. Le tout est compliqué par les structures des tribus (celle des Bassas, notamment), à quoi il faut ajouter la confusion des dialectes (bulu, bété, douala, ewondo). Le Cameroun tient pour autant ensemble, Zoulous compris. Il reçoit son unité de la langue la plus répandue, celle des Bantous, le swahili. Les villes principales, depuis Kribi sur la côte, Douala, Yaoundé la capitale, Mbang, Bertoua, jusqu'à Garoua et Maroua au nord, appartiennent, de même, au niveau de la civilisation, au monde bantou.

Le Cameroun a bien entendu été influencé par la colonisation, entre autres allemande; et pourtant nous y trouvons l'expression française florissante. Ainsi, les données que nous venons d'indiquer sont-elles étudiées dans notre langue par toute une série d'historiens. Les plus traditionalistes restent en même temps les plus particularistes, tel le sultan Njoya — dernier d'une longue lignée de rois — qui s'attache à décrire l'*Histoire et les coutumes des Banums* [205]. L'expression est naïve. Ici, le sultan Njoya prépare vers 1903 son peuple montagnard à découvrir à son tour cette merveille, l'écriture : « Autrefois, les Banums ne savaient pas écrire; l'écriture dont ils se servent maintenant a été imaginée par le roi Nzueya : une nuit il eut un songe, un homme se présenta à lui et lui dit : " Roi, prends une planchette et dessine une main d'homme, lave ce que tu auras dessiné et bois. " Le roi prit la planchette, dessina une main d'homme comme cela lui avait été indiqué. Ensuite, il passa la planchette à cet homme qui écrivit et la rendit au roi. Il y avait là assis, beaucoup de gens, c'étaient tous des élèves ayant en main du papier sur lequel ils écrivaient et qu'ils donnaient ensuite à leurs frères. » Et puis vient la galerie des portraits d'ancêtres. Le portrait de Kuo'tu : « De taille moyenne, gras, velu, Kuo'tu avait un long nez, un visage allongé, joufflu, une poitrine très développée. Il n'était ni noir, ni clair, plutôt clair. Il n'était pas méchant, il était doux et ne savait pas tuer. Son règne fut bon et paisible. Tel est le portrait de Kuo'tu. » Eldridge Mohamadou — un jeune savant, né à Garoua, qui travaille au centre linguistique de Yaoundé — se penche, lui, sur *L'Histoire de Tibati* [206]. C'est une ville située au nord, et dont le sort se trouve lié à celui des musulmans foulbés, envahisseurs venus du Nigeria. En 1802, Moddibo Adama devient leur grand chef. En 1825, son successeur Hamman Sambo mène les Foulbés à la conquête de Tibati. Un important royaume foulbé se constitue ainsi au nord du Cameroun, et Hamadou Arnga, à la veille de l'arrivée des Allemands, cherche à le stabiliser : « La leçon que l'Ardo de Tibati tire de ses propres actions constitue une sorte d'épilogue à son règne. Il part encore une fois en expédition contre les niam-niams de Galim, mais revient à Tibati sans avoir pu réduire leurs nids d'aigles inexpugnables. Peu après, il tombe malade et ne pourra plus quitter sa capitale. Mais avant de mourir, il voulut se réconcilier avec l'émir de Tola pour assurer à sa descendance un règne plus paisible que le sien. Il fait dire à l'émir Laouwal sa volonté de se soumettre et indique par la même occasion qu'il abdique au profit de son fils, Hamman Bouba, qui s'était déjà vu décerner le titre de lamido de Tibati par le suzerain de Yola. Hamadou Arnga s'éteint en 1871, transmettant à son fils Bouba un territoire secoué par des rivalités continuelles avec ses voisins, mais dont les frontières avaient été préservées dans leur ensemble. »

La première étude systématique de l'ensemble du pays est l'œuvre d'Engelbert Mveng. Né en 1930 à Enamounga, formé par les pères du Saint-Esprit en Belgique puis en France, ce jésuite est actuellement chargé d'enseignement à Yaoundé. Il a écrit une *Histoire du Cameroun* [207], dont il a la prudence, devant la complexité des problèmes posés, de présenter ainsi l'intention générale : « Ces pages n'ont voulu être ni apologie pour les uns, ni médisance pour les autres, ni polémique stérile autour d'enjeux imaginaires. Elles ont essayé seulement de regarder surgir des entrailles de l'Afrique et du monde, des peuples aux prises avec d'autres peuples, un pays en contact avec d'autres pays. Mille visages devaient donner à son visage sa ressemblance avec l'univers de qui il est né : du chef coutumier à la tribu, des empires africains aux impérialismes européens, de la colonisation à la tutelle ou à l'assistance technique, des sociétés secrètes aux partis politiques et aux syndicats, nous n'avons point cherché à dresser l'homme contre l'homme, ni à nous faire beaux des dépouilles des autres, ni à nous justifier pour condamner les autres, mais à nous efforcer de regarder, à travers le miroir des événements, la face multiple de l'homme que nous sommes avec ses limites, ses grandeurs, ses faiblesses, son génie aussi et ses charismes exaltants.

Le Cameroun qui vient de naître a la chance unique d'être, au cœur de l'Afrique, la récapitulation de ses peuples... Nulle terre ne fut mieux prédestiné à la fraternité. » Ce gros livre évoque successivement la préhistoire, le moyen âge, la période précoloniale (1500-1850), la période coloniale et enfin la « course vers l'indépendance ». Le Père Mveng, qui s'est aussi penché sur les *Peuples et civilisations de l'Afrique antique* [208], et prépare une *Histoire négro-africaine depuis Homère jusqu'à Strabon*, se pose comme l'historien le plus notable du Cameroun. Il ne faut pas oublier cependant, chez lui, les préoccupations religieuses et théologiques. Elles se font jour dans *Mon amour pour toi* [209] et surtout dans *Si quelqu'un* [210], où le R. P. Mveng donne, de surcroît, libre cours à sa veine poétique : « Femmes, vous êtes la voix qui monte de Ramah, / Vous êtes la voix de Rachel; / Femmes, ne pleurez pas sur moi!... / Vous filles d'Afrique, je vous nomme filles de ma Jérusalem, / Et vous êtes la palissade de la paix le long de cette voie de souffrance; / Vous êtes la palmeraie ombrageant ce lourd pèlerinage; / Je vous dis : " Enveloppez-moi de votre silence, filles de mon Afrique, / Habillez-moi de votre pitié... ". » Une fois de plus se manifeste de la sorte les liens étroits entre histoire et théologie. Enok Katté Kwayeb les confirme quand il analyse les *Institutions de droit public du pays bamiléké* [211] : « Le culte des ancêtres est en quelque sorte un des corollaires de la hiérarchie sociale. Si les Bamilékés " adorent " les ancêtres, c'est justement parce que, pour eux, les morts sont supérieurs aux vivants. Les morts continuent non seulement à participer à la vie sociale, mais ce sont eux qui règlent la conduite des vivants, ce sont eux qui rendent possible la fécondation des femmes et qui font pousser les semailles. Ils commandent au soleil et à la pluie. Toute conduite contraire à leur volonté peut faire abattre sur la communauté des fléaux et calamités de toutes sortes. » Remarquons que, chez les chrétiens, le même point de vue est défendu par Mgr Jean Zoa *(Pour un nationalisme chrétien au Cameroun* [212]*)* et l'abbé Frédéric Njougla *(Paroles de Dieu au pays du terrorisme* [213]*)*. Cependant, Mgr Thomas Mongo, évêque de Douala, s'il édicte des *Principes pour le pays* [214], se montre assez souple au point de vue politico-social : « Qu'il soit clair que les Églises ne prétendent à aucun monopole, pas même sur les enfants qui, par leur baptême, se réclament d'elle. Notre idéal n'est point d'élever les jeunes chrétiens dans un ghetto. Nous voulons des écoles chrétiennes largement ouvertes, pleinement conformes aux lois, programmes et directives de l'État, des écoles où la formation morale et civique ne laisse rien à désirer, des écoles où l'enfant fasse l'apprentissage de sa liberté en face du monde et de ses options [215]. »

La pensée théorique prend en effet peu à peu son autonomie. Trop longue serait la liste de tous ceux qui réfléchissent sur les problèmes de la cité. Soit au plan général, comme Mohaman Lamine Yérima (homme politique né en 1926), avec *Un nouvel État est né* [216]; ou comme Jean Ikillé Matiba dans *Cette Afrique-là* [217], qui décrit surtout la période de l'occupation allemande en milieu bassa; ou encore comme Ahmadou Ahidjo, dont on retient une *Contribution à la construction nationale* [218] : « Une nation ne bâtit pas... son histoire par le seul fait de son existence : il faut que sa vie soit active et féconde. Le peuple historique est celui qui trouve les règles d'un État politique et social et qui met l'ordre dans le gouvernement, la justice dans la société, qui professe une ou plusieurs religions à partir d'une certaine conception de la morale, qui pratique en outre avec habileté le travail de la main et celui de l'esprit, il a une industrie, un art, des lettres. » Mais Ahidjo exécute aussi une sorte de contrepoint, qui fait leur place aux sentiments tribaux : « Les collectivités tribales, si elles ont perdu leur raison d'être au profit de l'entité camerounaise, continuent d'être ressenties comme véritables patries. Si nous voulons faire de la nation camerounaise une réalité sociologiquement plus complète, à la fois objective et subjective, rationnelle et affective, formelle et concrète, nous devons, par conséquent, la doter d'un contenu culturel plus riche, mais fécondé par ces valeurs traditionnelles où s'enracine la vie la plus authentique du peuple camerounais. En un mot, il s'agit de rassembler et de transcender les patries tribales au sein de la nation camerounaise et de susciter ainsi une seule et unique patrie : la patrie camerounaise [219]. » D'autres théoriciens s'intéressent, en revanche, à des questions spéciales, et on doit citer, à ce propos, les travaux de Henri Bala Mbarga sur les *Problèmes africains de l'éducation* [220] : « L'analphabétisme dont ont souffert nos ancêtres doit reculer. Les nouvelles générations doivent lire et écrire. D'ailleurs, un minimum de savoir est la condition essentielle du progrès économique. L'irrigation, l'emploi des engrais, la lutte contre les maladies des plantes et des animaux domestiques, le traitement du cacao, du café, de la banane, du mil ou du riz sont des actions éminemment savantes. Elles impliquent les connaissances diverses relatives à la nature du sol, à l'espèce de maladie végétale ou animale, aux doses du remède à appliquer. L'agriculture moderne exige un ensemble de procédés et d'opérations qui ne peuvent s'acquérir que si l'on sait lire et écrire. » Encore faut-il, à toutes ces études, une orientation claire et précise. Trois hommes, en particulier, contribuent à la donner. William Etecky, ancien ministre de l'Éducation nationale, président de l'Assemblée générale de l'Unesco, qui définit une conception de la négritude à la fois ferme et ouverte. Un jeune, Thomas Melone, qui prolonge ces perspectives par un excellent livre intitulé *De la négritude dans la littérature négro-*

africaine [221], en deux parties bien développées : « La genèse de l'angoisse négro-africaine » et « Les cheminements de l'aventure négro-africaine ». Il faut, enfin, rendre hommage à Jean-Isidore Tabé qui, depuis 1956, dirige à Otilé un important centre culturel, principalement axé sur la pensée bantoue.

Ainsi se prépare un terrain favorable à l'extraordinaire épanouissement de la littérature d'expression française au Cameroun. On en trouve l'écho dans la revue *Abbia*, qu'anime Bernard Foulon, dans les activités du professeur Eno Belinga, qui cherche à remettre en honneur la traditionnelle chante-fable et dans les travaux de Basile-Juléat Fouda, professeur de philosophie à Yaoundé, essayiste *(Message à la musique négro-africaine)*, lui-même animateur d'un bulletin, *Lumina*, qui publie des énigmes, palabres, proverbes, mythes, fables, contes camerounais. Basile-Juléat Fouda est de surcroît l'auteur d'une fondamentale anthologie de *La Littérature camerounaise* [222]. Il décrit ici la tradition orale dont on est parti : « Le Noir du Cameroun n'a pas consigné par écrit un credo systématique de pensées. L'amour se passe volontiers de l'écriture. Aussi a-t-il exprimé toute sa vision du monde en représentations imagées, concrètes, scéniques et vivantes. La poésie et le symbolisme ont envahi toutes ses productions littéraires. En effet, le Camerounais traditionnel raconte surtout. Il enseigne par un credo dilué dans des récits et par des formules existentielles : proverbes, devinettes. Toute sa littérature, qui est orale, ne sépare rien. Elle n'est pas séparatiste. Elle renferme à la fois tous les éléments de la culture et de la religion : le droit, les coutumes, les rites culturels, les croyances, les œuvres littéraires proprement dites et tous les traits divers qui définissent chez l'homme son esprit, sa conception du monde et de l'homme. Cette littérature traditionnelle est donc une immense batterie aussi puissante que variée. »

Une véritable floraison de poètes commente les propos de Fouda. Choisissons, au hasard du goût, deux extraits des *Poèmes sauvages et lamentations* [223] d'une pharmacienne de Yaoundé, Jeanne Ngo Maï. L'un est tiré d'un poème intitulé « Unique seconde » : « Sous tes doigts / Mon corps a frissonné / Et vibré davantage / Quand tes lèvres ont glissé / Sur mes tempes et mes joues. / Le monde, en un tour, / s'est présenté doux, / Mielleux, enviable. / Ta main sur mon sein / Et ta tête sur l'épaule / Ont transformé en ineffable / Joie tous mes anciens chagrins. » Voici maintenant un passage, daté du 13 novembre 1966, de « La fin du Ramadan ». L'inspiration musulmane en paraît intéressante : « Tout ce que tu fais / Seigneur / Doit être juste. / Cette mort des miens / Que je pleure, / Doit être juste. / Mais ta justice m'échappe / Seigneur. / Veuille m'éclairer, / Mon Seigneur. » Abordons, à la suite, la sympathique — et encourageante — cohorte des instituteurs poètes. Luc Ekambi Borel et sa *Pirogue de Kribi*, Paul-Charles Atangana et *Au clair de la lune* [224] : « L'horizon blanchit, la vallée s'endort; / Le village grouille / De fantômes et d'étincelles d'or. » Ernest Alima, instituteur à Buéa, sacrifie aussi aux muses, et son collègue Étienne Noumé nous donne *Épitome* [225], d'une belle envolée : « A quand l'éclosion / D'un jour limpide / A la conscience? / Qui donnera aux mains / La poésie du mot / L'élan de la promesse? » Il faudrait également citer Ladislas-Réhimond Oudenlou, et bien d'autres instituteurs au Cameroun. Mais, au moment d'en terminer avec eux, arrêtons-nous à Valère Épée, jeune professeur à l'École normale supérieure de Yaoundé. Il est l'auteur d'un excellent recueil de poèmes, *Maïco*, encore inédit. La première partie en est consacrée à l'enfance, à la mère : « Bénis soient ces seins nus dont je suçai mes jours / Et le dos ferme et doux qui patient les porta! / Bénis, ces genoux noirs de cendre que l'amour / Transformait en cheval pour mes fantasias! / Ces longs doigts dépouillés de leurs pointes d'ivoire / Pour être revêtus du lourd terreau des champs, / Ces pieds durs et gercés sur les cailloux brûlants, / Bénis soient-ils un jour par l'Afrique en ses gloires! » La seconde partie, peut-être moins authentique, est un vaste poème dramatique, « Transatlantic Blues ».

Approchons, cependant, d'autres jeunes. Jean-Mirabeau Nana, secrétaire d'éditions à Yaoundé, qui repose les problèmes essentiels dans *Que donneras-tu, Afrique?* [226] : « Dans le carrefour immense des peuples / Dans le carrefour immense des pensées / Que donneras-tu, Afrique? » Puis Désiré-Essama Mbida *(Aube des temps nouveaux)*, l'étudiant Patrice Mbaya *(Message)*, et Job Nnanthoseff, directeur de kiosques à Yaoundé, qui conclut : *Car chanter est le grand trésor*. Elolongui Epanya Yondo nous touche par ses caractéristiques *Chants haoussa* et son courageux *Kameroun! Kameroun!* Jean-Marc Ndja Amang *(Prends mon cœur)*, Jean-Louis Dongmo *(Hommage à la fleur des fleurs)*, Jean Legrand Mea *(Chanson de rose* et *Histoire de ma vie)*, nous ramènent à une poésie courtoise, charmante de fraîcheur. En revanche, Evindi-Mot (auquel on doit aussi *Intimes soubresauts*, 1964) est surtout le patriote de *En l'honneur des martyrs de l'Ouganda* [227] : « Oui il est éclos / Oui il a surgi / Oui il s'est dressé / Superbe et triomphant / Le jour des rêves d'or / Le jour apocalyptique / De la gent peau de nuit. » Notons enfin, parmi ces jeunes Camerounais qui représentent l'avenir, Emmanuel Moukory, de son métier greffier à Douala *(Les Troubles de l'enfer)*, et Vincent Tsoungui Ngono, qui fait ses débuts avec *La Pluie*.

Moins jeune est Jean Métiba, un prêtre qui exprime sa très grande sensibilité dans le recueil *Choses du ciel et choses de la terre* [228] et particulièrement le poème « Ce chemin qui s'en va » : « Ce chemin qui s'en va le long de la lisière / Nul ne saura jamais les pas qui l'ont foulé ! / Nul signe n'est resté des destins écoulés, / Rien n'a subsisté que la vaine poussière ! / Jadis, sur ce sentier, ont couru les gazelles. » A ce niveau, n'oublions pas la talentueuse poétesse de *Sol* [229], Priscille Oko-Ndibi : « Sol, / Dis-lui que malgré cet abîme qui nous sépare / L'oiseau de ma pensée / Tous les jours vers lui vole... » Emmanuel Bilai, un journaliste de Yaoundé, se fait aussi un nom grâce à *La Plaie de la plèbe* [230], d'un ton un peu plus sévère : « O Dieu des miracles de nos ancêtres ! Tu conjuguas des verbes / Et tes verbes se sont accomplis / Mais il est un verbe inconjugué / Viens, ô Dieu des verbes ! / Viens rétablir l'équité de l'humanité. / Plonge le doigt dans la plaie de la plèbe / et sens-le !... » A son tour, Marcel Mvondo s'affirme grâce au très beau poème intitulé *Après ma mort* [231], d'une exceptionnelle qualité : « Au large de tes douleurs tu te rappelleras / Que la mort d'un conjoint est une entrave / Et que la solitude est la messe basse / Que fredonne l'onde du cœur. » Voilà, en vrac, ceux qui émergent. Francesco N'Dintsouna est, lui, déjà en évidence. *Heures rouges* avait déjà été remarqué, et *Fleurs de latérite* [232] a remporté un franc succès lors de sa publication. On attend impatiemment une suite à ce recueil dont nous extrayons « Elle » : « Femme maintenant laisse-moi / De mon cou retire tes longs bras de lianes / Le guerrier de jadis sans bouger / Longtemps ne saurait supporter l'affront / Maintenant femme laisse-moi / Dans mes veines le sang des ancêtres / Au grand galop des tamtams se réveille / J'ai retrouvé l'ardeur des combats. » Enfin, *Collier de cauris* [233], par François Sengat-Kuo, mérite une mention particulière. Après avoir évoqué la signification du « Masque », un des symboles de la civilisation africaine, le poète rappelle l'épopée du fameux guerrier zoulou des Zimbabwé : « Sur la terre Zimbabwé / se peut-il, ô mon Dieu ! / qu'impunément l'hyène / profane la demeure sacrée / se peut-il que nos espérances toujours / soient blé mûr offert à leur faim / que les hommes ne soient plus hommes / sur la terre zimbabwé? / Aïe! dansent les crocodiles dans mon ventre / bavent les boas dans mes veines / reviendra reviendra Chaka / un soir au milieu de vos fêtes / il reviendra fulgurant comme le sabre / il reviendra avec l'éclat du tonnerre / avec la puissance de la mer / ouragan il reviendra / comme jadis la tête haute / au galop de son cheval noir / vous tremblerez comme feuille au vent / et chaque motte de cette terre / épine deviendra sous vos pieds / et le Kilimanjaro bandera guerrier / chaque rayon du soleil d'Afrique / comme une flèche vers vos cœurs durs / et de nouveau retentira le tam-tam ancien / et le hibou hululera uhuru / et sur les débris de nos rêves / nous danserons à l'aurore / la danse libre des hommes virils. » Or, l'avant-garde poétique au Cameroun, dont la tendance surréaliste est manifeste, se rattache de quelque manière à ces prophéties. Ainsi les difficiles poèmes du recueil de Jean-Paul Nyunaï, *La Nuit de ma vie* [234], débouchent sur un portrait abstrait qui rappelle, d'une certaine manière, les visions du guerrier zoulou : « Je boirai la glace de la mort / sur les lèvres exsangues de l'océan / baiser mémorable / entre les cuisses rouillées du monde / étreinte unique / pour revivre une dernière heure / l'extase chambrée de la certitude / source unique de vie. » Il faudrait citer encore de ce volume « Suprême essence », « Les dents de nuit », « Les ailes vertes ». Mais *Pigments sang* [235], nouveau recueil de courts poèmes, tout en confirmant le talent et la tendance de Nyunaï y ajoute, spécialement dans « Ce jardin », « Kougombio », « Signes de sacre », une pointe érotique qu'il faut relever : « Les chevaux / des vents fous les chevaux des plans mous tourniquent / et retournent sans cesse / l'espace dénombré de ton ventre de ta faim de ta gorge / de ta soif concubine. » Autre poète connu de l'avant-garde, Charles Ngandé accentue cet érotisme. Donnons un bref passage de *Saison sèche* [236] : « Et l'homme courbe ses épaules asservies / Pour s'assoupir le soir dans ses chants monotones / En écoutant germer de la terre indolente / Cette chaleur humide qui parfume et console / Ce rêve pimenté de la journée d'hier / Ce plein de sève qui bout et s'obstine à revivre / Pour féconder d'une semence aux dents d'aurore / La grande gestation des vierges telluriques. » Et puis voici, quelques années plus tard, toujours érotique mais, par moments, déjà plus détendu, le charmant *Pagne des fiançailles* [237] : « Habille-la d'argile rouge / Habille-la de dents de panthère / Habille-la de crachats réincarnés / Habille-la de castagnettes / Habille-la de gris-gris et de grelots / Habille-la de tempêtes et d'éclairs / Habille-la d'humus humide / Habille-la de vin de palme / Habille-la de mimosa / Habille-la d'argile blanche / Habille-la de peau de lion / Habille-la de vert / Habille-la de rouge / Habille-la de jaune ! »

Louis-Marie Pouka M'Bagne nous introduit parmi les poètes de grande notoriété. Né en 1910 au sein de la tribu bassa, journaliste puis magistrat à Yaoundé, il a fait ses débuts littéraires en 1947 avec *Rires et sanglots* [238], que suit bientôt *Amours illusoires* [239]. Le ton de l'élégie se retrouve tout au long de *Rêveries tumultueuses* [240], recueil en trois parties dont la première (« Les larmes rédemptrices ») comprend quelques sonnets. L'un d'entre eux a pour titre « Un roseau qui chante » : « Mon âme est un roseau / Que le vent fait chanter qui passe / Ainsi la brise l'eau / Et l'hirondelle dans l'espace. » *Paroles de sagesse* [241], *Entrevue d'outre-tombe* [242] (une satire sociale) constituent, dans l'œuvre de Louis-Marie Pouka M'Bagne, des intermèdes en prose. Mais *L'Innombrable symphonie* [243] montre en 1961 les progrès accomplis par le poète. Son style devient, à la fois, plus libre et vigoureux : « Le soleil, ce matin, ainsi qu'un œil immense, / Point à l'horizon bleu, scintillant, lumineux, / Frais bouquet de clarté, lueur folle qui danse / Sur les flots argentins et l'espace poudreux. / Les parfums, les oiseaux et les fleurs en cadence / Dans un brillant concert saluent le jour radieux. / Tout bruit, tout vit, tout chante, hommage franc et dense / De la création à l'ensemble des dieux. » En 1964, c'est *Fusée* [244]; puis, en 1965, *Ce siècle est triste* [245], plaquette faite de deux importants poèmes. Nous en extrayons ce passage, où l'élégie se mêle à l'actualité : « Partout dans les cités et les lointains villages / L'homme est étreint de peur des lendemains obscurs. / Dans l'ample félonie des ententes volages / La pensée cherche en vain des traités vraiment sûrs. » *Terre d'Afrique, ma patrie* [246] — les poèmes sont datés de 1947 à 1960 — est le dernier recueil connu de Louis-Marie Pouka M'Bagne. L'auteur s'y adonne, totalement cette fois, à l'actualité patriotique : « Tes déserts sans bords aux verdoyantes oasis / Tes arbres séculaires aux blondes frondaisons : / Tes jours ensoleillés et tes nuits pleines d'étoiles. » L'autre poète consacré du Cameroun est Jacques-Mariel Nzouankeu. Le ton vigoureux de *L'immortalité* [247] — un recueil de courts poèmes nommés « Pensée », « Le chemin du retour », « Tristesse », « Impromptu », « Au sérail » — retient l'attention : « J'ai choisi au sérail deux diadèmes d'or / Car je veux devenir maître d'un grand empire. / L'un me place au sommet du trône qui expire, / Et l'autre me confie le gant de Messidor. » Un temps s'écoule, et nous retrouvons Nzouankeu en 1965, au bord de la prose, et tout animé du *Souffle des ancêtres* [248]. L'homme mbow se confronte à des dieux exigeants, qui cherchent moins son salut que son adaptation à la volonté divine. Un premier poème-conte rapporte l'histoire de Fatima. Au début, tout va bien : « Un à un, les convives entrent dans la grande salle, après s'être déchaussés au seuil, et après avoir fait leurs révérences, la face tournée vers le soleil levant. Comme d'habitude, la salle sera comble. Toutes les personnalités importantes du pays sont là : les grands chasseurs, les grands danseurs, les grands tireurs d'arc, les lauréats de la lutte; les devins et les sacrificateurs. Le roi lui-même entre le dernier, suivi de griots, de sorciers et de fétichistes. Tous se prosternent contre terre et se relèvent quand le roi l'ordonne. Lui-même s'accroupit sur une belle peau de panthère, et le repas commence. » Cependant, Fatima est trop belle pour les humains. Elle sera immolée. Le héros de « Les dieux de Bangoulap » sera, lui aussi, sacrifié, tué par un étrange serpent magique. Plus loin, « La parole de Nouankoum » montre comment In, dieu ancestral des Mbos, exécute ses victimes. Une « Dame de l'eau » — véritable déesse — apparaît la nuit accompagnée d'un monstre fluvial. Ngato, terrifié, l'aperçoit : « Il arriva bientôt près de la rivière. Tout était silence, tout était mort. Sur la rivière l'obscurité était telle que malgré les rayons éblouissants du soleil, les yeux du monstre brillaient d'un éclat limpide. On imaginait mal la forme du monstre. On supposait néanmoins qu'il avait une queue épineuse, qui avec le reste du corps, était ensevelie dans l'onde. Seule la tête émergeait, et même cette tête était informe. On croyait néanmoins qu'à chaque œil correspondait une gueule terrible, capable d'avaler un village. Mais comme aucun être vivant ne pouvait regarder fixement l'endroit trop longtemps, nul ne pouvait aussi se faire une idée exacte de ce qu'était ce monstre gardien. Ngato se tenait là, à midi, devant ce mystère. Dans sa main, il serrait quelque chose : un sachet en cuir noir. »

Ainsi avons-nous pénétré, à la suite de Jacques-Mariel Nzouankeu, dans le monde des Mbows, effrayant mais poétique car les larges fleuves de l'Afrique noire s'y reflètent. Le grand écrivain nous a de surcroît montré à quel point poésie et prose sont proches au Cameroun. Les activités littéraires d'un instituteur de Bafoussam, Patrice Kayo, en sont une preuve supplémentaire. Essayiste de *La Sagesse bamiléké* [249], il est en même temps l'excellent poète de *Hymnes et sagesse* (un inédit, datant de 1962) et de *Pluie sur la savane* [250], dont voici quelques vers extraits du séduisant « Feu secret » : « Pour toi / Je cueillerai peut-être ce soir / Ce pagne tissé de lucioles / Et tu me baigneras / Du jour de ton sourire. » Cette dualité poésie-prose est surtout sensible chez Francis Bebey. Né à Douala en 1929, journaliste, producteur à la radiodiffusion, musicien, musicologue, fonctionnaire à l'Unesco, il est l'important poète de *Embarras et Cie* [251], où huit nouvelles sont chacune suivies d'un poème. Les thèmes sont la rêverie, les palabres, la fidélité, la fantaisie, l'humour, le rire et les drames. Ainsi s'accouplent un conte et un poème dans « Le mariage d'Edda », « Le père Noël de Fauta » et « Les révélations de la chambre noire ». Un peureux a recours au magicien, qui l'exhorte : « Le masque d'Ifé pose son front bois du temps brun / sur la table encombrée de souvenirs / et dit au pèlerin attardé sur ces lieux saints : / ami, toi qui m'honores de ta visite, / regarde-moi, / admire ou me rejette, / mais de grâce, ne me juge pas, / et surtout, je t'en supplie, / ne me classe pas dans les rayons absurdes / de la science d'un autre monde. » Avec *Le Fils d'Agatha Moudio* [252], Francis Bebey, grand prix littéraire d'Afrique noire en 1968, penche franchement vers la prose. Ce conte, fort instructif des mœurs du pays, est d'un style vif, net, efficace et élégant. Mbenda, jeune homme d'un village de pêcheurs du Wouri, appartenant à la noble tribu des Akwas, est partagé entre son amour pour Agatha, dangereusement émancipée, et le respect dû à la volonté de son père, qui lui a choisi, avant de disparaître, une autre femme. Agatha se déclare hardiment : « Tu feras de moi ce que tu voudras, si tu veux me prendre pour épouse... Elle se tut. Quand une femme en arrive à ce point de son récit, elle se tait. C'est une tactique. Cela lui donne le temps de vérifier rapidement qu'elle n'est pas allée trop loin, et cela la prépare à pousser le soupir de soulagement qui, espère-t-elle, va précéder la suite du discours. Soupir de soulagement qu'elle poussera si la partie adverse se montre empressée d'accepter la proposition qu'on vient de lui faire, ce soupir peut devenir une marque d'indéniable dépit, si l'homme à qui l'on s'adresse ne répond pas favorablement à la déclaration. » Devant cette attaque, Mbenda faiblit et hésite : « Les morts n'ont pas le droit de rouvrir les yeux, sinon... Là-dessus, ma mère croisa le majeur et l'index de sa main gauche. Un acte indécent de ma part rouvrirait les yeux de mon père dormant dans sa tombe, et troublerait la paix de son sommeil éternel. Et qu'est-ce qu'un mort aux yeux ouverts, puisque le reste de son corps demeure prisonnier de la mort et ne permet pas la résurrection totale ? Non, je n'avais pas le droit de soumettre mon père à une épreuve aussi terrible. » Finalement, Mbenda épousera Agatha et sera fort malheureux. Isaac Moumé-Etia, né en 1889, doyen des écrivains d'expression française au Cameroun, appartient au même genre de conteurs. En plus d'ouvrages théoriques sur les Doualas, il a donné *Fables de Douala* [253]. Nous en extrayons « Les malices de la tortue » : « La tortue rassembla un jour tous les animaux et leur fit ce discours : " Vous qui m'écoutez, vous n'êtes guère intelligents. L'homme l'est bien plus que vous. Il prend une branche creuse, souffle et vous pique de sa fléchette dont vous mourez. Un autre jour, il creuse un trou, le couvre de fines branches et vous, pauvres sots que vous êtes, vous y tombez sans prudence. Moi, j'ai de nombreuses malices sous ma carapace. J'ai décidé, parce que je suis généreuse, de vous en donner une à chacun. Ainsi, je l'espère, vous ne tomberez plus dans les pièges, vous ne serez plus la victime de l'homme. " Ainsi parla la tortue. Bouche bée, les animaux l'écoutaient avec admiration. Lorsqu'elle eut fini, ils lui demandèrent de procéder à la distribution le plus rapidement possible. Chacun avait hâte d'échanger sa sottise contre la malice de la tortue. » Un autre conteur de talent est Benjamin Matip. Nous devons à ce protestant, né en 1932, avocat de son métier, des contes et nouvelles d'Afrique recueillis sous le titre général de *A la belle étoile* [254]. Le premier conte décrit l'atmosphère de la veillée, tandis que le grand-père parle et que les enfants écoutent : « Alors commençait la veillée, la longue et délicieuse veillée autour du feu, à la belle étoile. Autour de nous, les dix cases du village, d'où l'on voyait rougeoyer les dernières bûches de bois, ayant servi à la cuisson du dernier repas du jour. Derrière les cases et les jardins, la forêt, noire, mystérieuse, d'où l'on entendait les cris des singes, les glapissements des léopards et le hululement des hiboux. » Défile ensuite la ronde fantastique des humains (chasseurs, paysans) mêlés aux animaux de toutes sortes, des reptiles aux vaches. Dans « Le drapeau du sourire », une grenouille, adoptée par un ménage âgé et pauvre, fait des prodiges, va à la cour du roi, épouse une princesse et revient avec un enfant mi-homme mi-grenouille. Tout aussi étrange est « Le vieil homme et le singe ». Ce dernier, adopté par un vieillard, le rajeunit, l'emmène chez le roi et assure sa fortune. Citons encore, dans l'ordre des conteurs, Bihina-Bandolo. Sa charmante nouvelle, *Le Petit porc épic* [255], a obtenu le Prix des tempêtes 1970.

L'auteur dramatique le plus notable du Cameroun est Guillaume Oyono Mbia, né en 1939 à Mvoutessi, au sein d'une famille de cultivateurs. Il est actuellement professeur au collège évangélique de Libamba. Sa pièce, *Trois prétendants — un mari* [256], donnée une première fois en 1960, remaniée en 1968 (notamment par l'adjonction de rôles féminins) a pour thème la condition féminine, le système de la dot. Dans un village de la tribu bulu, la touchante Juliette aime le charmant Okö. Mais le grand-père de Juliette, Abessolo, vend sa petite-fille à un riche personnage. La résistance de la fiancée, contraire à la tradition, stupéfie Abessolo : « *(Au public) :* Vous entendez ? Elle veut voir le grand homme avant de consentir à l'aimer ! *(A Juliette) :* Ne sais-tu pas que ce fonctionnaire-là va nous verser beaucoup d'argent pour t'épouser ? Qu'est-ce qu'il faut faire en plus pour être aimé d'une fille ? *(Ton soupçonneux.)* Tu n'essaierais pas, par hasard, d'imiter ces filles d'aujourd'hui qui vont épouser des jeunes gens pauvres comme des mouches, sans voiture, sans argent, sans bureaux ni cacaoyères, et qui laissent leur famille aussi pauvre qu'auparavant ? » Heureusement le grand-père, trop âpre au gain, prend des engagements supplémentaires et contradictoires auprès de deux autres prétendants. Il se rend ridicule, et l'amour triomphe. Plus récemment, Guillaume Oyono Mbia a donné *Notre fille ne se mariera pas* [257], pièce radiophonique en deux actes primée en 1969 au concours théâtral interafricain. Grâce aux sacrifices de toute sa famille, Charlotte a pu terminer ses études et obtenir une belle situation. Elle aide à son tour ceux qui l'ont aidée. Cependant, si Charlotte se mariait, ne réserverait-elle pas son argent à ses enfants, son mari et elle-même ? Voilà pourquoi : « notre fille ne se mariera pas ». Un autre jeune auteur dramatique, Patrice Ndedi-Penda, vient lui aussi d'être récompensé. Sa première pièce, *Le Fusil* [258], conte les aventures de Ndo qui, ayant obtenu la médaille du meilleur planteur de cacao, est parti pour Douala acheter un fusil avec l'argent de sa récolte. Échappera-t-il, naïf paysan, aux périls de la grande ville ?

Voià donc trois pièces de mœurs — d'ailleurs très vivantes, très pittoresques — qui sont autant de pièces à thèse aux intentions didactiques manifestes. Comme l'explique volontiers Iwiyé Kalabobé, professeur à l'université de Yaoundé et lui-même écrivain, toute la littérature d'expression française au Cameroun est, au fond, animée des mêmes préoccupations. Ainsi en est-il de l'œuvre de René Philombé. C'est le pseudonyme littéraire de Philippe-Louis Ombelé, né en 1930 à Baschenga et, dès 1948, secrétaire du tribunal coutumier de Saa. Il y fonde une association culturelle qui prendra beaucoup d'importance. En 1960, il est l'initiateur et le secrétaire général de l'Association des poètes et écrivains camerounais. En 1964, il est lauréat des poètes camerounais, prix Interallié de la nouvelle et couronné par l'Académie française (prix Mottart) Telle est la trace que laisse la brillante carrière littéraire de René Philombé. Un de ses mérites est d'avoir établi, à la veille du Premier festival des arts nègres de Dakar, un excellent panorama des poètes de son pays [259]. Philombé a d'ailleurs été, d'abord, un poète. *La Passerelle divine* (assez proche de la légende) puis *Au premier président* le font connaître en 1960. En 1961, il se consacre dans *Harmonies internes* [260] au sonnet classique. Voici, justement, un passage du « Sonnet à une Camerounaise » : « Regarde !... Le soleil des hommes est impur. / Cherche d'autres soleils au-delà de l'azur / Et vole vers ce limbe où dansent les déesses. / Comme un ange fuyant d'obscures vanités, / Oui, plane, belle Alice, à travers des ivresses / Et goûte, comme moi, d'autres félicités. » *Le Hibou* [261], qui s'inspire de souvenirs d'enfance (le poète se rappelle avoir vu cet oiseau, craint et détesté au Cameroun, capturé et brûlé vif en sa présence) confirme la tendance au sonnet rigoureux : « Le hibou, cet oiseau des funestes augures, / Est fait pour apeurer les plus fermes esprits. / Sa tête perforée de grands yeux ahuris / Renferme des pensées et des sciences obscures. » Atteint d'une soudaine et grave maladie, qui l'immobilise,

René Philombé écrit alors *Lettres de ma cambuse* [262], réflexions d'un reclus sur le monde extérieur. Enfin, le prosateur, et plus précisément le romancier, s'épanouit avec *Sola ma chérie* [263]. Ici réapparaissent au premier plan les préoccupations sociales et didactiques. Le roman reprend le thème de la dot, qui aboutirait à la prostitution, au mariage forcé. Une jeune citadine est éprise de Tsango. Il est pauvre, et on la marie au riche — et vieux — planteur Nkonda. Combien est triste la vie de la nouvelle mariée : « Elle devait puiser de l'eau, en réchauffer une quantité pour les ablutions de son mari, elle devait balayer la grande maison, la case-cuisine et la cour; elle devait apprêter un maigre déjeuner, mettre les moutons au pâturage derrière la maison. Ce n'était pas tout. Elle devait aller au champ et en revenir vers trois heures, affamée, épuisée de fatigue, le corps envahi par mille démangeaisons!... Elle devait préparer les aliments, se coucher tard et attendre que le formidable concert des perdrix et des coqs lui fassent lire ponctuellement ses tâches quotidiennes sur l'affreux tableau noir du jour qui se lève. C'était bien pitié de savoir que la faible et belle Sola devait affronter tout cela. » Pour s'encourager, elle regarde la photographie de Tsango : « A force d'être maniée, contemplée, vénérée par Sola, cette photo quelque peu souillée semblait toute empreinte de l'aura de la jeune femme. » Mais un jour elle s'enfuit rejoindre son amant. Le mari désespéré abandonne tout à son tour, et vient se perdre à Douala.

Telle est la sévère leçon de René Philombé, le romancier, de qui on annonce encore *Peuple debout, monstre sans visage*. Joseph Owona (un fonctionnaire du ministère de l'Agriculture, né en 1920 d'une famille protestante) s'intéresse, lui aussi, à la condition féminine, et il faudrait lire, à ce propos, *Tante Bella* [264]. Mais il est pour les romanciers camerounais d'autres problèmes sociaux à étudier. Alexandre Bihyidi, sous les pseudonymes de Eza Boto, Mongo Beti, Mbu Ewondo, va s'y attaquer. Bantou, né en 1932, à Yaoundé dans une famille aisée de religion animiste, il a été tôt converti au christianisme. Bihyidi poursuit ses études juridiques et littéraires à Paris (où il s'intéresse particulièrement à Nerval... et à Alexandre Dumas père), et donne ensuite un enseignement à Aix-en-Provence. Ses débuts littéraires remontent à cette dernière époque. Il publie une nouvelle, *Sans haine et sans amour* [265], au ton gai et humoristique. *Ville cruelle* [266] se fait cependant bientôt l'écho de premières inquiétudes. Le héros, Banda, gagne la ville de Tanga avec l'espoir de vendre sa récolte de cacao. Il oublie vite sa fiancée du village natal, se laisse séduire par Odilia, résiste à l'autorité coloniale, et le double drame de Banda est dès lors celui du paysan désorienté et du Noir que les Blancs humilient : « A peu près à mi-chemin entre la ville et Bamila, Banda s'arrêta. Il n'y avait aucune case en vue : à gauche, à droite ce n'était que la brousse ou la forêt. Il s'assit sur le talus peu élevé qui bordait la route et souffla. Il lui semblait qu'il se retrouvait en pays ami. Des gouttes de sueur perlaient à son visage : il l'épongea à la paume de sa large main qu'il essuya ensuite sur sa culotte kaki. On se sent bien dans la forêt ! songea naïvement le jeune homme. Mais alors, il se demanda pourquoi il voulait aller à la ville, plus tard ? Et peut-être qu'il avait tort de vouloir aller à la ville plus tard ? A maintes occasions auparavant, il avait déjà éprouvé combien la ville était cruelle et dure avec ses gradés blancs, ses gardes régionaux, ses gardes territoriaux et leurs baïonnettes au canon, ses sens uniques et ses " entrée interdite aux indigènes ". Mais cette fois, il avait lui-même été victime de la ville : il réalisait tout ce qu'elle avait d'inhumain. » *L'action du Pauvre Christ de Bomba* [267] se déroule en 1938 et reflète le drame personnel de l'auteur, que sa conversion oppose, au fond, à son milieu d'origine. Un des principaux personnages, le R.P. Drumont, arrive d'Europe en mission. Ses premières impressions sont plutôt dubitatives : « A mon arrivée dans ce pays, j'ai éprouvé une impression étrange, savez-vous? Devinez ce que m'a rappelé la forêt? La mer! Oui, exactement la mer!... Oh! pas la Méditerranée, bien sûr! Mais une vraie mer, brumeuse, bouillonnante, rageuse, effrayante, sauvage... tiens, l'Atlantique par exemple... buissons immobiles et menaçants, forêt statique et qui semble pourtant moutonner, cases accrochées à la forêt dans laquelle rôdent les fauves... » Le père procède à des conversions hâtives. Toute la région de Bomba est, un moment, à ses yeux, gagnée au christianisme. Quelle déception — à l'occasion d'une visite à Tala, ville voisine — de constater la réalité : les Noirs sont restés, au fond de leur âme, animistes. Le père Drumont, découragé, finit par quitter le pays, où tout redevient comme devant : « J'ai bavardé avec un des gardiens. Il m'a dit qu'aucun prêtre n'avait paru à Bomba, depuis le départ du R.P.S. et du vicaire Le Guen. Les deux dimanches qui avaient succédé, les fidèles étaient venus, croyant qu'il y aurait une messe. Naturellement, il n'y avait pas eu de messe et la sacristie grouille de rats et de lézards. » *Le Roi miraculé* [268] va plus loin encore. Un jeune chef, Essomba Mendonga, vit heureux au milieu de ses femmes, et notamment auprès de la dernière venue, la vingt-troisième : « Son village... Plus près de sa maison, presque contiguë à elle, il y avait cette petite case menue, si jolie, si neuve, si fine qu'elle faisait penser à quelque antilope, où, pour éviter des jalousies, était censée vivre la dernière venue parmi ses épouses, Annaba, la vingt-troisième. Une belle femme, surtout une jeune femme, une toute petite fille fraîche comme il les aimait. En réalité, elle vivait constamment tout près de lui, pour ainsi dire dans son orbite, et ne l'avait guère quitté depuis son arrivée il y aurait bientôt un an et, en ce moment même, il l'entendait aller et venir au-dessus de lui, au seul étage de son palais. » Mais Essomba tombe malade, attribue sa guérison à un miracle, et se convertit au christianisme. Au milieu des équivoques que provoquent ces événements, tout se désagrège alors dans la tribu des Essagams. Plus détendu — au fil de l'œuvre militante d'Alexandre Bihyidi — est l'excellent roman *Mission terminée* [269]. L'auteur revient (en compagnie du narrateur) aux charmants souvenirs d'enfance : « Une autre fois, en vacances chez mon oncle maternel et m'étant éloigné dans la forêt en compagnie de jeunes garçons de mon âge, nous entendîmes chanter cet oiseau qui débite une rengaine toujours plus étrange et qu'on appelle chez nous, vous savez, la fille-des-revenants. Son chant, échappé d'un buisson non loin de nous, s'éleva tout à coup, un chant triste à en mourir, humide de nostalgie, précis comme s'il avait été entonné à notre intention, comme s'il nous avait été adressé spécialement. C'était une mélodie étale et sans remous, comme un fleuve au sortir d'une crue. » Puis l'humour — il rappelle celui qui animait *Sans haine et sans amour* — l'emporte, et le narrateur se lance à la poursuite d'une cousine en rupture de mariage. Quelques fêtes ponctuent ce récit picaresque : « Le roulement des tam-tams et des xylophones redoubla, atteignant une tension inimaginable. Un troupeau de femmes montait les marches; toutes les femmes du troupeau qui gravissait pesamment le perron s'appliquaient à arracher à leurs gorges les youyous les plus stridents. Au centre, marchait une fillette du même âge peut-être qu'Edima, une gosse gênée, étonnée, comme honteuse. Les femmes pénétrèrent dans la salle, sans cesser ce vacarme d'enfer. Puis, entrèrent à leur tour les joueurs de tam-tams et de xylophones, jouant toujours de leurs instruments. Un moment, je crus sincèrement que j'allais voler en éclats sous ce fracas envahissant. La bande de jeunes filles qui, tout à l'heure, dansaient au clair de lune, fit irruption à son tour, les seins en bataille. »

Ferdinand Oyono, de trois ans l'aîné de Bihyidi, est également romancier, également bantou, et il a également été marqué par les troubles que provoquent parfois les conversions. Né au fond d'une province éloignée, à Ngoulmakong, il est bientôt déchiré entre sa mère, catholique, et son père, un personnage important, traditionaliste, qui pratique la polygamie. La mère quitte le domicile conjugal et devient couturière ambulante, tandis que le jeune Ferdinand entre chez les missionnaires. Plus tard, son père l'envoie poursuivre ses études au lycée de Provins, puis à Paris, où Ferdinand Oyono fait son droit, prépare l'E.N.A., devient un moment comédien amateur, tout en s'intéressant à la littérature (Maupassant, Zola, Balzac, Caldwell). Rentré au Cameroun — sans avoir jamais, donc, subi l'influence allemande — Oyono y dirige un bureau d'études et fait de la politique. Délégué par son pays auprès de l'O.N.U., il est ensuite envoyé comme ministre plénipotentiaire à Bruxelles. Cet homme aux activités si diverses, d'une grande culture générale, est un excellent écrivain. Il a débuté avec *Une Vie de boy* [270], prétendu journal intime, retrouvé rédigé en ewondo, d'un jeune domestique qui a pris la fuite. Placé, vers 1948-1950, à la veille de l'indépendance, auprès de Blancs à Dangan (probablement Ebolowa, chef-lieu du Sud-Ouest camerounais), Toundi, le petit Noir dont les sens s'éveillent, contemple sans amertume ni illusions la société qui l'entoure. Les chefs traditionnels, le commissaire de police et sa maîtresse, une belle mulâtresse, et le couple qu'il sert : un commandant et sa blonde épouse — le narrateur en tombe amoureux —, laquelle trompe son mari fort librement, presque sous ses yeux : « Emmitouflée dans son peignoir éponge, elle attendait le commandant sur la véranda. Elle esquissa un pâle sourire et vint à sa rencontre. Mon maître l'embrassa sur la bouche. Pour la première fois, Madame ne ferma pas les yeux. » Les scènes courtes, un peu hachées, sont très enlevées. Mais si Toundi reflète quelques-uns des sentiments éprouvés par Oyono au cours de son enfance, *Le Vieux nègre et la médaille* [271] met peut-être en scène son père. C'est en effet l'histoire d'un Noir traditionaliste et polygame : « Une tristesse indéfinissable plissa son front. Il se remémorait ce bon vieux temps où il avait succédé à son père. Il était riche alors et on disait à Zourian " être riche comme Engamba ". En mourant, son père lui avait laissé dix jeunes femmes et sa mère. Kelara avait alors des seins gros comme des citrons. Engamba passait des journées dans la case à palabres, assis entre les jambes de l'une de ses femmes, en discutant des mille choses dont est faite la vie d'un polygame africain. C'était une vie facile, oisive, où il était le grand bénéficiaire de l'émulation qui opposait ses femmes. » Engamba est un « bon nègre », totalement aliéné par la colonisation, et que l'annonce d'une décoration transporte de joie. Oyono décrit avec humour tout ce qui précède la cérémonie, les appréhensions du récipiendaire, les remous au village : « Tête nue, les bras collés au corps, (il) se tenait immobile dans le cercle dessiné à la chaux où on l'avait placé pour attendre l'arrivée du chef des Blancs. Des gardes maintenaient à grand-peine ses congénères massés derrière lui. » Viennent ensuite les déceptions, les désillusions, et l'amertume que provoquent les rivalités. Oyono donne en 1958 une courte nouvelle, intitulée *Un Lépreux sur une tombe* [272], puis en 1960 un roman, *Chemin d'Europe* [273]. Le héros — Aki Barnabas — place aussi mal son ambition que le pauvre nègre à la médaille. Tout jeune, il ne rêve que d'une chose : aller en Europe. Que de détours avant d'y parvenir ! Un emploi chez un marchand grec, des répétitions à une petite Française — Aki est amoureux de la mère de son élève —, et puis tout à coup la chance se présente sous la forme d'une secte chrétienne farfelue, « La Renaissance spirituelle », qui offre le voyage à qui saura le mieux se livrer à une confession publique : « En Europe ! Mon cœur se mit à battre. Je m'écartai de la foule pour aller récupérer, accoté contre un mur, songeant que j'avais enfin ma chance ! Je m'approchai et entendis par-dessus la foule la confession d'une femme... Mais elle n'avait aucun talent de conteur. J'avisai des nègres bien nourris, derrière la table ; j'allai émerveiller cette foule hurlante avec mon histoire, quel roman ma vie ! La Renaissance spirituelle ! Je souris et marchai, illuminé, contre la foule qui s'écarta spontanément et, tandis que je voyais venir à moi l'un des quatre Blancs qui avaient organisé la réunion, celui dont le visage était si dilaté qu'il donnait l'impression d'être sur le point de décharger quelque chose, la première phrase qui allait m'ouvrir le chemin de l'Europe me vint à l'esprit... »

Ferdinand Oyono annonce un *Pandemonium*. Telle sera la note un peu acide — trop acide, sans doute — sur laquelle se terminera ce tour d'horizon à propos de la littérature d'expression française au Cameroun.

2) Le Tchad

En un sens le Tchad est, à la fois, la suite et le commencement du Cameroun. Jouxtant ce pays, l'immense territoire que délimite le Niger à l'ouest, la Libye au nord, le Soudan à l'est et le Centrafrique au sud, est en effet l'habitat originel des Bantous. A une époque très ancienne ceux-ci quittèrent les rives du lac Tchad — véritable mer intérieure, de 22 000 kilomètres carrés, réservoir hydraulique et centre de gravité de toute une partie de l'Afrique — et émigrèrent vers le Centrafrique, le Cameroun, le Gabon, puis le Congo et la Rhodésie. Les dynasties Sao ont présidé, à partir du IXe siècle de notre ère, à l'épanouissement au Tchad du royaume de Kanem-Bornou. Le royaume de Baguirmi lui succède, qui est une féodalité guerrière dominée par l'ethnie Bang. Elle sera islamisée au XVIe siècle. Ainsi le haut lieu historique qu'est le Tchad regroupe-t-il finalement aujourd'hui — exception faite des Arabes, à l'est — une constellation de races, toutes proches des Bantous : au nord les Toubous et les Saos (métissés d'Arabes et de Noirs); les Gaogas, Tedjous, Toubous, Zaghaouas occupant le reste du territoire.

Haut lieu historique, le Tchad — saisissant de beauté à la saison des pluies, quand la brousse se couvre de fleurs sauvages couleur émeraude — est de surcroît un des hauts lieux spirituels et littéraires de l'Afrique. Notamment quant à l'expression française, où de jeunes talents, comme Lionel Lubin, commencent à se faire connaître. La personnalité qui domine le plus nettement la vie culturelle du pays est cependant Joseph Braïm Seïd, à la fois en responsabilité politique — ministre de la Justice, garde des Sceaux — et auteur de deux livres capitaux sur le Tchad, livres qui font étonnamment ressortir son caractère de carrefour entre l'animisme, l'islamisme et le christianisme. *Au Tchad sous les étoiles* [274], publié en 1962, est un recueil de contes et légendes dont la trame est l'histoire du pays. Elle commence avec les douze tribus qui ont fondé le royaume, et la naissance, superbement fêtée, d'un fils chez le sultan Godeh : « Par une belle journée de saison sèche, un enfant naquit à Ouarra, dans la maison du sultan Godeh. La nouvelle vola de bouche en bouche, sauta de village en village, rebondit de colline en colline et atteignit ainsi les bornes du pays. Aussitôt, tout ce qu'Ouadadaï avait d'habitants, hommes, femmes, jeunes et vieux, pauvres et riches, se précipitèrent à Ouarra pour honorer le nouveau-né. L'or, l'argent, les pierres précieuses coulèrent en cascades dorées, en vagues étincelantes, en flots d'émeraude et de béryl. Pour fêter cet heureux événement, le sultan Godeh offrit un immense banquet. Plusieurs milliers de convives s'en donnèrent à cœur joie. Pendant que des jeunes filles au teint d'ambre et d'ébène chantaient la gloire du petit prince, de nombreux griots, aussi célèbres les uns que les autres, composaient des poèmes merveilleux. » Viennent ensuite les amours contrariées de la princesse Aïcha et du prince Tchouroma. Puis nous courons de merveille en merveille jusqu'à la princesse Am-Sitemps, la plus belle fille de la terre : « Am-Sitemps était une femme aussi pieuse que belle. Aussi refusa-t-elle de répondre à toutes les demandes en mariage que lui adressaient les nombreux prétendants de son village. Pour mieux adapter sa vie à ses conceptions, elle aménagea autour de sa case un magnifique jardin où elle installa plusieurs cages à oiseaux. On y voyait le merle à reflets métalliques, la tourterelle au plumage gris tacheté de carmin, la pie noire à longue queue, le serin jaune, le gobe-mouches aux couleurs de l'arc-en-ciel. » Finalement cette princesse, afin d'échapper aux galants, se cachera sous une peau d'ânesse. Qui la découvrira ?

Le second livre de Braïm Seïd, *Un Enfant du Tchad* [275], est consacré au pays aujourd'hui. D'abord est dressé le vaste et somptueux décor : « Sur la hauteur d'Om-Durman, deux fleuves se rejoignent. Le Nil blanc, venu des grands lacs Victoria et le Nil bleu d'Éthiopie mêlent leur cours et roulent ensemble des eaux boueuses, limoneuses... Les premières pluies sont tombées. La terre assoiffée a tout bu d'un trait. Dans les fissures du sol, quelques ramures pourrissent. Les futaies sont humides. Des plantes grimpantes s'enlacent déjà autour des branches de certains arbrisseaux. Il fait lourd. L'atmosphère est moite. C'est l'époque des premiers travaux champêtres. » Là vivent les Tchadiens des diverses ethnies et conditions : « Tout le monde se déplace en cette saison. Les paysans regagnent leur village, les citadins désertent la ville pour la province où ils possèdent un lopin de terre. » Joseph Braïm Seïd — admirateur de Lucrèce, de Ronsard et aussi de Lamartine — décrit le Tchad dans le sillage d'un jeune homme aventureux, qui entraîne le lecteur à travers localités, forêts et brousse. Ainsi le livre, sorte d'autobiographie romancée, donne-t-il l'occasion d'un tour d'horizon fort complet. Il s'effectue grâce au meilleur ouvrage d'expression française de la littérature du pays.

3) La République Centrafricaine

En descendant au sud, nous arrivons en République Centrafricaine. Son territoire — six cent mille kilomètres carrés — est beaucoup plus petit que celui du Tchad. La capitale est Bangui, la rivière Oubangui — dont l'Ouaka, principal affluent, traverse tout le Centrafrique — formant la frontière avec le Congo. La population est de deux millions cinq cent mille habitants, comprenant, entre autres, les Mangias à l'ouest et les Bandas au sud. Toutes les ethnies restent, cependant, profondément marquées par l'ancienne prépondérance des Nzakaras, à la rigide organisation sociale, aristocratique et monarchique. Ils repoussèrent les envahisseurs arabes en 1870, mais accueillirent favorablement Belges et Français. La langue des Nzakaras, apparentée au zandé, est fort riche, et elle sert de support à la savante littérature traditionnelle, dédiée principalement à la poésie. Cette poésie a pour thème la vie des grands, les potins. Elle met en scène le sorcier (méchant), le devin (bon), les femmes (très diversifiées et raillées : la paresseuse, la mièvre, etc.), le Banga (tout ce qui est mauvais et menaçant), tandis que le poète lui-même (obligatoirement un homme) est le gardien des oracles. A vrai dire, celui-ci commence par être un simple musicien, et c'est seulement pour compléter les séances à la veillée, sur les places de villages, qu'il apprend à chanter et compose des textes. Le style, en langue archaïque, est très complexe, coupé d'ellipses, d'antiphrases et de catachrèses.

Voilà — fond et forme — ce qu'on retrouve aujourd'hui dans la meilleure littérature centrafricaine d'expression française. Et d'abord chez Makombo Bamboté, duquel la plaquette de vers, *Le Grand État central* [276], évoque la vie des reines, des princesses, des rois, et les événements capitaux : « Le roi Bangassou / Chargé de dignité / De traditions ancestrales / Et de guerre, le roi / Bangassou dit un jour / Sur le bord droit de / Kotto tumultueuse / Descendant à l'Oubangui / Cette Majesté dit un jour : / Nous avons passé Kotto / Nous sommes sur cette rive / Et non sur l'autre / Rien ne nous empêche / Boomerang contre boomerang / Balles contre balles rien / Ne nous empêche d'aller / De passer la Ouaka / Marchons encore plus loin ! » Conformément à la tradition nzakara, la moquerie, la drôlerie ne perdent jamais leurs droits. Après l'épopée, la détente : « Le roi Bangassou dormit. / Quand le soleil fut bas / Il respira un coup et / S'éveilla. Oui le roi / S'était bien reposé. »

Pierre Bamboté, lui, a débuté dans un genre assez proche en 1962 avec *Chant funèbre pour un héros d'Afrique* [277]. Le livre s'ouvre sur une mélodie populaire — dont l'harmonisation est due à Sembène Ousmane — et présente en exergue un beau texte intitulé « Don ». Ce poème d'un anonyme, écrit en lingala à l'occasion de l'assassinat de Patrice Lumumba, est remarquablement adapté par Pierre Bamboté : « Je suis natif de vastes horizons vêtus d'arbres d'où s'écoulent d'innombrables ruisseaux intarissables gainés de fourreaux verts. Né d'un pays riche je suis pauvre. Ma terre se vide et ma peau se dessèche. Des cieux à la terre d'un œil je les embrasse et ne vois que désolation. Chaque respiration est un clou qui me fixe. Chaque jour est une haine qui s'enfonce dans mon être. » Vient ensuite le chant funèbre lui-même, en trois mouvements, que Pierre Bamboté a rédigé directement en français. Du premier mouvement, tirons ce passage : « Si peu de soleil ici qui est pourtant / ici / un océan / une mer avec ses zèbres, ses éléphants, / ses panthères qui dévorent notre savane / ne tenant pas compte de la terre brûlée / par le soleil / par le fer des intérêts, / houle de loin en loin, / un flamboyant, / c'est midi au pays des fleurs / la danse / pour cette nuit au moins, une nuit très claire. » Parfois l'auteur s'éloigne assez nettement de la tradition nzakara. On le voit à cette citation du troisième mouvement : « J'aime les promenades un peu avant l'aube, / j'imagine des oranges, les coqs, les oranges / chantent. / Il faut chaque fois s'imaginer des choses qui ne sont rien. »

Mais si Pierre Bamboté est un poète, il est aussi le délicieux conteur des *Randonnées de Daba* [278]. Nous y retrouvons un peu la manière de Joseph Braïm Seïd, et de nouveau partons à l'aventure reconnaître bêtes, choses et gens. Le jeune Daba quitte Bangui, la capitale, en camion avec des amis. Bientôt, on pénètre au sein de la forêt, où les singes jacassent tandis que volent haut de grands oiseaux noirs. Daba mène la bande hardiment : « Daba marchait toujours devant, le coupe-coupe dans la main droite, taillant les branches épineuses, préparant le chemin pour ses amis qui le suivaient. Daba taillait sec, sans bruit et reposait la branche gênante sur les herbes hautes. Il se baissait, glissait une épaule, puis l'autre, et passait sans bruit entre les herbes. » Alertés par des traces de lions, les amis reviennent bien vite vers la piste. On arrive enfin au bord de l'Ouaka. Le soleil brûle. Avant la baignade, les enfants chassent les caïmans, puis poursuivent les antilopes. Cependant, chaque soir, la petite troupe regagne un village afin de passer la nuit à l'abri : « Devant la maison aux murs de terre battue et au toit pointu, le seuil est ombragé par le feuillage d'un arbre à caoutchouc. Au début de la saison des pluies, les feuilles d'un vert tendre sont légères, légérissimes : on a envie de les manger. » Parfois l'étape est particulièrement joyeuse et les camarades s'attardent : « Les gens dansèrent jusqu'au matin; mais à peine la première journée de danse venait-elle de s'achever que déjà, à partir de midi, la seconde journée commença. Les tam-tams abandonnés dans la cendre éparpillée sous le soleil commencèrent d'annoncer la fête. Des bandes d'enfants et de femmes descendaient à la rivière pour s'y baigner joyeusement. »

Ainsi, grâce à Pierre Bamboté — qui somme toute par son œuvre fait le lien entre les traditions culturelles du passé, spécialement la poésie nzakara, et la littérature contemporaine — apprenons-nous à bien connaître les principaux aspects de cet intéressant pays.

4) Le Gabon

Le Gabon — trois cent mille kilomètres carrés et pour capitale l'important port de Libreville — nous ramène vers la côte occidentale de l'Afrique, immédiatement au sud du Cameroun. Les liens ethniques et historiques entre les deux pays sont d'ailleurs évidents. Ils tiennent aux Fangs. Ceux-ci, venus des bords du Nil, ont en effet d'abord gagné le Cameroun, où, guerriers fameux, ils ont longtemps été prédominants. Les tribus camerounaises ewondo et bulu sont les derniers témoins de cette ancienne grandeur des Gangs, car la poussée des Bassas les a obligés, peu à peu, à se réfugier au Gabon, au sein duquel ils jouent maintenant un rôle important, notamment culturel. D'autre part, l'histoire du Gabon a été profondément marquée par le célèbre roi Denis (Denis Rapontchombo : 1783-1876), qui a régné soixante-six ans sur l'ensemble du pays, l'a unifié et a amené les Fangs, nouveaux venus, à une collaboration fructueuse avec les autres ethnies, collaboration qui se poursuit encore. Voilà l'origine des structures gabonaises actuelles. Les Fangs au nord, les Bavilis au sud de la côte; les Mpongwés et les Mitsogos donnant les deux principales langues vernaculaires du Gabon. D'autres ethnies contribuent chacune pour leur part. Entre autres les Balumbus (dont les masques sont remarquables), Apindjis, Badumas, Bakeles, Banzabis, Bapunus, Bavungus, Bengas, Enengas, Eshiras, Galoas, Iveas, Masangos, Mindumus, Ngowes, Nkomis, Orungus et les Sekyanis.

Les Fangs ont apporté du Cameroun ce qui est devenu, au Gabon, une des bases essentielles de la littérature orale traditionnelle : le *mvett.* Qu'est-ce que le mvett? Le mot désigne, à la fois, le récitant, l'instrument de musique — sorte de harpe-cythare — dont il s'accompagne, et le récit qu'il fait, parfois quarante-huit heures durant, devant un auditoire fasciné. Nous sommes dans le domaine de la démesure, des exploits magnifiques et héroïques. Pourtant, le récit mvett est bien différent du panti de la littérature peule, qu'Amadou Hampaté Ba nous a fait connaître au Mali. *Kaïdara*, par exemple, transportait en plein au-delà, alors que le mvett reste affaire d'hommes, même si ceux-ci sont confrontés à l'étrange, au merveilleux. A l'inverse, le mvett se distingue aussi nettement de la poésie nzakara, rencontrée au Centrafrique, qui, elle, se maintient toujours au niveau quotidien et anecdotique. Somme toute, le mvett est à mi-chemin de ces deux traditions. Il montre, selon la philosophie fang et le *byéri* — culte des ancêtres —, l'homme en lutte pour sa survie. Responsable et libre, gagnera-t-il, au cours des aventures qu'on nous conte, l'immortalité? Le fondateur — quelque peu légendaire et probablement camerounais — du genre mvett est Oyono Ada Ngono, et ses plus illustres héritiers furent Zué Nguéma, Ndong Essono Eworo, Mvome Eko, Edou Ada, Eko Bikoro et Ndong Engonga.

Le récit mvett a toujours sa place au Gabon — cette fois en littérature écrite d'expression française — grâce, notamment, à Tsira Ndong Ndoutoume. On vient de publier de cet auteur, précisément sous le titre de *Le mvett* [279], un fort beau texte rédigé directement en français. C'est l'histoire d'une guerre entre deux tribus. Celle des Flammes a pour chef Oveng Ndoumou Obame. Il s'est mis en tête que le fer est la cause de tout le mal à travers le monde, et il a décidé de détruire partout ce métal. La paix universelle est à ce prix. Mais la tribu des Orages et son chef Nkabe Mbourou résistent. De surcroît, le chef des Flammes est amoureux d'Eyenga Nkaba, fille du chef des Orages, et ce dernier envoie la belle dans la ville d'Engong, afin qu'elle y épouse le chef d'une troisième tribu, celle des Immortels. Après mille péripéties, tout finira fort bien par le mariage des amoureux. Voici, au début, le chef des Flammes qui fait appel, en vue de la lutte, à la protection des dieux : « Tandis que les magiciens œuvraient, Obame Ndong chantonnait : " Je suis Obame Ndong, je suis Obame Ndong, / Je suis Obame Ndong, de la tribu des Flammes / O esprits invisibles, écoutez-moi / Puissances naturelles, regardez-moi / Fleuves grondants, cessez de mugir. / Foudre du ciel, arrête ta colère. / Je vous convie, ô mystères des mystères, / à faire d'Oveng Ndoumou Obame / Une force, une énergie, un immortel. / Que sa richesse soit illimitée / Et sa puissance invincible ! " Après cette incantation, Obame Ndong se tut. » Nous arrivons maintenant chez les Immortels, où la séduisante Eyenga Nkaba est attendue. Les préparatifs d'accueil battent leur plein : « Entrant dans une grotte rocheuse, ils s'asseyent en rond. Au milieu du cercle le sorcier Angoung Béré dispose les crânes de quelques ancêtres morts au temps où le peuple d'Engong n'avait pas encore découvert le secret de l'immortalité. Ces crânes sont peints en rouge. Angoung Béré égorge une vingtaine de moutons dont il verse le sang sur les crânes. Ensuite il répand une poudre magique sur le tout tandis qu'Akoma Mba macule de rouge une statuette d'ébène coiffée de plumes d'oiseaux multicolores. Angoung Béré entonne un chant que les autres reprennent en chœur : " Nous sanctifions ! Nous sanctifions ! / Nous sanctifions les mânes de la tribu ! / Nous sanctifions le vent et la parole ! / Nous purifions ! Nous purifions ! / Nous purifions nos femmes et nos enfants ! / Nous purifions ! Nous purifions ! / Nous purifions le peuple d'Engong ! / Sanctifions ! Purifions ! / Opérons des miracles ! " » Tout à coup, le chef des Flammes lance son attaque contre le fer : « Brusquement, retentit à ce moment un coup de sifflet strident au milieu du village : les sagaies, les lances, les cognées, les fusils, tout ce qui contenait du fer, depuis la bague de cuivre d'Engouang Ondo jusqu'au sabre de Ntoutoume Mfoulou encore fiché en terre, tout disparut, volatilisé ! Ela Minko M'Obiang de la tribu des Flammes, Ela Minko M'Obiang l'émissaire d'Oveng Ndoumou Obame, Ela Minko M'Obiang qui avait vaincu Mfoulou Angong Ondo de la tribu du Brouillard, Ela Minko M'Obiang avait sifflé. " Que les oreilles écoutent ! / Qu'elles écoutent le mvett ! / La tête du ciel luit, la tête du ciel luit, / La tête du ciel luit pour tout le monde. / Elle luit pour les pauvres, / Elle luit pour les riches. / Elle luit pour tout ce qui est inerte, / Elle luit pour tout ce qui respire ". » Cependant, le chef des Immortels oublie, à Engong, tous ses devoirs, et se laisse aller à des amours fugitives et parallèles avec une certaine Eleng Akana : « Un sourire engageant illumina le visage d'Eleng Akana. Elle prit doucement la main d'Engouang Ondo et la caressa imperceptiblement. Ce geste eut le don de ranimer chez lui l'instinct naturel de l'homme devant le beau sexe. Un instant il oublia Eyenga Nkaba, Oveng Ndoumou Obame et toute la tribu des Flammes. Il oublia ses frères Angone-Zok et Ntoutoume-Mfoulou qui, torturés par la faim, l'attendaient patiemment là-bas, de l'autre côté de la montagne. Il oublia tous les soucis que lui avaient créés ses devoirs de chef. Il n'avait plus qu'une idée : saisir cette jeune fille et la serrer agréablement contre sa poitrine. Mais Eleng Akana lui échappa et s'enfuit en une course excitante à l'autre bout de la salle. Guidé par la lueur de ses bracelets, il la poursuivit. Légère et souple, elle se déplaçait avec la vélocité d'une nyctalope. L'autre la suivant, infatigable. Ils firent plusieurs fois le tour de la salle. Des gouttes de sueur perlaient sur la figure d'Engouang Ondo. A le voir dans cette posture, on eût eu de la peine à se persuader qu'il était le chef vénéré du peuple le plus puissant du monde. Ainsi quelle que soit sa grandeur, l'homme, devant une jolie femme, ne peut être qu'un homme. Il la rattrapa. Disons plutôt qu'elle se laissa rattraper. » Ces écarts arrangent nos deux amoureux, Oveng et Eyenga. L'atmosphère n'est plus au drame. La joie se répand jusqu'au fond de la brousse, chez les animaux : « La joie s'était également emparée des animaux sauvages. Dans la brousse, des singes, que le sommeil avait épargnés par respect pour la fête des hommes, jouaient à saute-mouton sur des branches. Des éléphants, dans un marécage, pataugeaient dans la vase en une danse grotesque. Avec des gestes comiques, des chimpanzés se dandinaient en rond au pied d'un kapokier. Sur le faîte d'une colline un troupeau de buffles sabotait puis, dans un galop bruyant et vertigineux, dévalait la pente buissonneuse. » Finalement, les grandes fêtes de la réconciliation et du mariage se préparent : « Inutile de vous dire que toutes les cuisines du village se mirent aussitôt en transes. Les commentaires allaient bon train et les nouvelles circulaient de bouche à oreille avec une célérité incomparable. Dans nos villages tout se sait, sauf la source de renseignements. On parlait des hommes d'Engong et de l'homme d'Okü. On disait que Ntoutoume Nfoulou avait le postérieur aussi volumineux qu'une cohue de belles-mères gravissant une colline, un lourd panier de victuailles sur le dos ! Qu'Angone-Zok avait les jambes arquées comme le dessous d'une pirogue : Qu'en beauté, Engouang Ondo et Oveng Ndoumou Obame pouvaient se confondre comme deux gouttes d'eau ! Parmi ces femmes, cependant, aucune ne pouvait affirmer avoir bien contemplé ces hommes pour en faire un portrait aussi exact. »

Les origines exceptionnelles d'André Raponda-Walker expliquent sans doute sa vie et son œuvre. Fils d'un explorateur britannique de confession catholique, sa mère est une Gabonaise de l'ethnie mpongwée. Élevé par les spiritains, ordonné prêtre en 1899, Raponda-Walker opte complètement pour le monde noir et le Gabon où il va poursuivre, durant sa longue vie, une action missionnaire continue. Parallèlement, il étudie de manière approfondie les croyances, l'histoire et la littérature de l'ensemble du Gabon. Car, avec André Raponda-Walker, l'horizon s'élargit. Ayant par son père des origines étrangères, il ne peut se limiter à la considération d'une seule ethnie, fût-ce celle de sa mère. Aussi intitulera-t-il son pénétrant ouvrage d'anthologie et de théologie *Rites et croyances des peuples du Gabon* [280]. Croyances et rites de tous les peuples du pays y sont, en effet, systématiquement scrutés sous l'aspect des « agents et accessoires des rites », des « pratiques rituelles » et des « rites initiatiques ». Et Raponda-Walker saisit du premier coup d'œil, au-delà de ce qui divise, ce qui unit les Gabonais : « Des divers territoires de l'Afrique noire, le Gabon est un de ceux qui recèlent le plus grand nombre de coutumes et de rites que les diverses tribus de la grande forêt pratiquent depuis des temps immémoriaux. Sur ce territoire règne presque partout la forêt dont la profondeur facilite le séjour des esprits en même temps que l'imprécision de leurs demeures. Tout concourt d'ailleurs à cette croyance ancestrale : la lumière atténuée des sous-bois, inquiétants, le lourd silence qui vous enveloppe, la hauteur impressionnante des voûtes végétales qui ne fait qu'accentuer le mystère des cieux étoilés que l'on aperçoit noirs et pesants entre ces arbres de toutes tailles, aux divers aspects, qui, tantôt s'éparpillent, tantôt se serrent pendant des heures, des jours de pistes, sur des centaines de kilomètres... De plus l'épaisseur des nuits en forêt, le scintillement des lucioles, les cris étranges de certains oiseaux nocturnes ou de quelque mammifère arboricole, les diverses maladies qui apparaissent, sans qu'on sache pourquoi, les hallucinations produites par l'absorption de certaines plantes ont aussi contribué à faire naître et développer chez les indigènes cette notion de surnaturel et de mystère. » Le même esprit anime l'auteur en tant qu'historien. Ses *Notes d'histoire du Gabon* [281] sont en partie consacrées à quelques tribus, mais l'essentiel est dédié aux éminentes figures nationales du pays. Et bien entendu, avant tout, à celle du grand unificateur que nous connaissons déjà, le roi Denis. A son propos, voici une anecdote : « Il fut tellement affecté par la mort de son épouse préférée, Agnouré-Babé, qu'il résolut de perpétuer le souvenir de la défunte par un salut que chacun de ses sujets lui adresserait en l'abordant. Le visiteur devait lui dire : " Quel est le mal que Dieu a fait? " Denis lui répondait : " La mort " et le visiteur devait ajouter : " Oui, la mort, c'est le mal que Dieu a fait. " C'était, dans un sens, une parole blasphématoire. Mgr Bessieux alla trouver le roi Denis et lui proposa de changer ce salut injurieux à Dieu qui l'avait créé et ne cessait de le combler de ses bienfaits. Le roi se montra docile à ces remontrances, et immédiatement il porta un ordre qui obligeait tous ses sujets à lui à le saluer en l'abordant par ces autres paroles : " Quel est le bien que Dieu a fait? " Et il répondait : " La vie! " " Oui, que Dieu te donne la vie! " devait ajouter le visiteur. C'est de cette manière qu'il fut ensuite toujours salué. » C'est pourtant le Raponda-Walker littéraire, celui des *Contes gabonais* [282] qui embrasse le plus énergiquement les permanences d'une tribu à l'autre. Ainsi met-il partout en évidence, dans les fables où hommes et animaux vivent de concert, le réalisme qui sous-tend l'affabulation et la stabilité des caractères attribués à tel personnage ou animal. Par exemple, la femme acariâtre (souvent la première épouse, de surcroît peu féconde), la femme bonne (souvent la dernière épouse, et féconde), l'homme sage, l'homme « à la tête légère », les serviteurs fidèles; et chez les animaux : le léopard solitaire, l'éléphant brise-tout, le gorille sournois, l'antilope peureuse, le héron pessimiste (on ne l'écoute guère), et l'araignée, cet animal déjà souvent rencontré par nous, et qui, ici, est sorcier. *Contes gabonais* d'André Raponda-Walker présente beaucoup de fables fangs et mpongwées (une d'entre elles, particulièrement intéressante, est « La tourterelle »), mais l'ouvrage fait connaître aussi un échantillonnage en provenance des autres tribus. Citons à cet égard un conte apindji (« Le magicien et la calebasse », un baduma (« Le léopard et le caméléon »), un bakelé (« Le léopard et la tortue »), un balumbu (« Le fou et l'homme sensé »), un banzabi (« La panthère et le caméléon »), un bapumu (« La mère poule et l'épervier »), un bavili (« Où peut conduire le caprice d'une femme »), un bavungu (« Le chat et le chien) », un benga (« Les quatre prétendants de Komba »), un énenga (« L'éléphant et la gazelle au campement de pêche »), un eshira (« L'abeille et la mouche chassent ensemble »), un galoa (« La mort du Rer'Agnambié »), un ivea (« L'enfant et le nain »), un masango (« Le chant d'oseille »), un mindumu (« Les quatre frères et leur sœur »), un mitsogo (« La chouette et le toucan »), un ngowe (« Le serpent noir et la grenouille »), un nkomi (« Le mariage du léopard »), un orungu (« La pintade et le caïman »), un sekyani (« Le voleur de viande »). Parmi les nombreux contes fangs, il faut retenir « L'homme, le léopard, le singe et le chien », très caractéristique de l'art fang et en même temps du style de tout le Gabon. Ce conte évoque en effet l'aventure humaine, depuis l'âge d'or, féerique et toujours regretté : « En ce temps-là, et c'est il y a longtemps, que les grands-pères de nos grands-pères ne l'ont pas connu, que le père du gros arbre que vous voyez là-bas n'était pas encore une graine d'arbre, tous les animaux vivaient ensemble dans un grand village, et ce grand village c'était aussi le village des hommes. Le chef des hommes était aussi le chef des animaux, et c'est lui qui réglait les palabres. Parfois il disait : " Il faut que celui-là meure. " Et celui-là mourait. » Nous apprenons ensuite comment le léopard est devenu l'ennemi des hommes après avoir été puni pour avoir mangé un enfant; pourquoi le singe a le derrière nu (on a fouetté ce menteur); et ce qui fait du chien l'esclave de l'homme : n'avoir pas su défendre l'enfant de la maison. Une justice distributive préside à un monde des vivants situé entre le monde des ancêtres et l'immortalité à laquelle chacun aspire, et qu'il lui faut mériter.

Telle est la littérature d'expression française au Gabon, dans le vaste cadre des Bantous et particulièrement des Fangs. Afin d'être tout à fait complet, il faudrait encore citer quelques essayistes de mérite, comme Ndouna Depenaud, Pounah, Meye, et surtout Jean-Hilaire Aubame pour son ouvrage assez technique, mais fort bien écrit, le *Programme de regroupement des villages* [283]. L'inspiration de l'auteur domine d'ailleurs nettement le sujet qu'il s'est donné : « Peut-on envisager loyalement la mise en valeur d'un pays, l'exploitation de ses richesses si l'on néglige pour ce faire de se pencher sur l'homme qui en est la cellule fondamentale afin de connaître ses besoins, ses aspirations et ses exigences les plus légitimes ? »

6.

Les Bantous du Centre, le Congo et extensions

1) *La République populaire du Congo (Brazzaville)*

D'une superficie à peu près équivalente à celle du pays que nous quittons — soit environ trois cent mille kilomètres carrés — le Congo-Brazzaville s'enfonce dans les terres, à partir de la côte occidentale de l'Afrique, en longeant à l'est le fleuve Congo puis son affluent l'Oubangui, à l'ouest le Gabon, jusqu'au sud du Cameroun et de la République Centrafricaine. Ce territoire assez peu peuplé — aux alentours d'un million d'habitants — représente partie de l'ancien grand empire du Benin-Gao, et il se rattache directement au complexe congolais et bantou. Nous retrouvons ici, bien entendu, les Zoulous, et nous découvrons quelques ethnies importantes comme les Bakotas et — au sud-est du pays, près de la capitale, Brazzaville — les Batékés.

Sous l'impulsion, notamment, de M. Pierre Nzé, ministre de la Culture et de M. Henri Lopez, ministre de l'Éducation nationale, la littérature française s'est régulièrement développée au Congo au fur et à mesure que la langue française gagnait de nouvelles couches de population. D'entre les jeunes poètes, retenons Jean-Baptiste Tati-Loutard. Né en 1939 à Ngoyo, il a poursuivi ses études à Brazzaville puis à Bordeaux, où il a obtenu un doctorat ès lettres à la suite d'une thèse sur *La Littérature africaine d'expression française*. Le poète a déjà donné *Poèmes de la mer* [284], *Les Racines congolaises* [285], et *L'Envers du soleil* [286]. Le lyrisme s'élargit en invoquant tous ceux qui, désespérément, tournent le dos à la lumière. Le liminaire présente « des chômeurs dans la nuit » : « C'est une nuit opaque comme un brouet noir / Dans la grande écuelle du ciel; / C'est une nuit qui traverse la terre / Sans son monocle lunaire / Et se brise aux rares lampes du chemin / En fragments jaunâtres dont les noctuelles / Font leur miel et leur feu de joie. » La partie consacrée à « La vie des eaux » est fort belle. C'est la mer, puis le fleuve africain : « Mais nous avons d'autres eaux plus douces et plus courantes, / Où le sel n'oxyde point le rêve des poissons. / Elles voyagent : elles savent où elles vont! / Elles tiennent l'Est et le Sud, flairant la mer parmi les pistes de brousse; / Et fendant villes et villages à coups de flots / Avec leurs citadins, leurs tribus ou leurs clans. / C'est un monstre de fleuve muni de soies vertes / Debout sur son corps tout au long de son cours, / Et de cascades d'où perpétuellement / Il se verse à lui-même un vin mousseux. » « La part des sentiments », « Matière de foi » poursuivent la quête de la douleur. Pourtant, ici et là, une éclaircie; et l'auteur se laisse finalement aller, au cours du « labyrinthe de la vie », à une « Chanson » : « Mais ce pays n'est point triste / Malgré le ciel orageux / Qui lui couvre les épaules / Aux trois quarts de l'année. / Le soleil joue sur les gosiers des oiseaux / Des chants clairs à éclipser / Les plus sombres des peines. » Mais il est temps d'en venir, après le jeune Tati-Loutard à la notoriété naissante, à la vedette internationale qu'est le grand poète Tchicaya U Tam'si. Celui-ci, de race bantoue, est né en 1931 à Mpili, un village kioulou, et le pseudonyme littéraire qu'il s'est donné veut dire, dans cette langue, «petite feuille qui conte le pays ». Le poète — de ses vrais prénom et nom Gérald Félix-Tchicaya — est le fils d'un important parlementaire de la IVe République, ancien vice-président du Rassemblement démocratique africain. Envoyé à Paris en 1946 continuer ses études, Tchicaya U Tam'si se révolte contre son père et plus généralement son milieu, quitte le lycée Janson-de-Sailly, et fait un peu tous les métiers (garçon de ferme, porte-faix, portier d'hôtel) pendant quelques années. En 1957, nous le retrouvons à la radiodiffusion, où il est producteur, avant d'être nommé, en 1960, chef de la délégation de la République populaire du Congo auprès de l'Unesco, poste qu'il occupe toujours.

Dès son adolescence, Tchicaya U Tam'si est passionné de littérature (Balzac, Baudelaire, Rimbaud), et lors de son arrivée à Paris il commence à écrire. Peu à peu, il entre en contact avec les milieux littéraires. On le rencontre dans le groupe « Radar », où il fréquente Alain Bosquet, Maurice Fombeure, Robert Sabatier, Bruno Durocher. Enfin, une lecture publique de ses poèmes décide, en 1955, de la publication d'un premier recueil, *Le Mauvais sang* [287]. Œuvre complexe, où bien des influences sont perceptibles. L'auteur, devenu très parisien, non seulement répudie la négritude en tant que théorie de sa culture, mais il paraît oublier quelque peu le balafong et la cythare des griots de son enfance. Le style est rigoureux, exigeant, presque classique. Une première partie du volume, intitulée précisément « Mauvais sang », regroupe en une sorte d'andante quelques poèmes de présentation. Voici un extrait de « Pousse ta chanson » : « Pousse ta chanson — mauvais sang — comment vivre / l'ordure à fleur de l'âme, être à chair regret / l'atrocité du sang fleur d'étoile, nargué / Des serpents dans la nuit sifflaient comme des cuivres / Cotillon mille soleils ressac pour un chant d'orgues / mon sang s'est dispersé car un preux demain / dira sur ma ville tout comme un beau destin / nous n'irons plus pleurer sous le ciel gris des morgues /

Je serai la mouette la morte par déveine / Un grand gibet levé remise pour les peines / m'emporte haut et fier en habits festonnés. » Le poème « Caprice » débute à son tour ainsi : « L'air sentait l'huile de ricin / L'herbe était onctueuse et douteuse / Je revis la folle diseuse / Et notre joueur de buccin. » Il semble que « Jadis » fasse écho aux vers qu'on vient de lire : « Calice ocre et blanc et chairs fortes / Des mains tendues par déchéance / cœur où se dévêt mon enfance / Le vent chacal ricane aux portes... » La seconde partie du recueil porte le titre de « Les crépusculaires ». L'auteur y effectue un retour sur lui-même. C'est ce qu'exprime le long poème « Le mal » : « Ils ont craché sur moi, j'étais encore enfant, / Bras croisés, tête douce, inclinée, bonne, atone. / Pour mon ventre charnu, mon œil criait : aumône ! / J'étais enfant dans mon cœur il y avait du sang. / Dans mes mains d'enfant public il y avait le temps, / La nuit, ma voix, au ciel, faisait les astres jaunes; / J'enfermais mon chant cru dans le fût d'un cyclone, / Je peignais des signes bleus sur les talismans. » Dans « Retour », Tchicaya U Tam'si s'affirme plus positivement : « Mon signe est le cœur vert d'un soleil éraillé / livré pour offrande à tous ceux qui vivaient nus / plus bas que le destin qui fit mon sang têtu / plus têtu dans le roc où la mer s'est raillée. » Enfin, « Le signe du mauvais sang » tente de livrer le secret de toutes les contradictions qui parcourent encore cette œuvre de jeunesse : « Je suis le bronze l'alliage du sang fort qui gicle quand souffle le vent des marées saillantes / Le destin des divinités anciennes en travers du mien est-ce raison de danser toujours à rebours la chanson ? / J'étais amant à folâtrer avec les libellules; c'était mon passé — ma mère me mit une fleur de verveine sur ma prunelle brune. / Je sentis mon sang allié sourdre des cadences rauques où bâillaient des crapauds pieux comme des amis. / Très pur le destin d'un crapaud ! »

Il ne faudra pas deux ans à Tchigaya U Tam'si pour atteindre la maturité de son talent. *Feu de brousse* [288], qui obtient un grand succès et remporte le prix de l'Association des écrivains d'Outre-Mer, en témoigne éloquemment. A la fois, l'auteur se retrouve plus authentiquement lui-même et il l'exprime plus librement dans une forme sans contrainte. L'ouverture de *Feu de brousse*, « poème parlé en dix-sept visions » (c'est-à-dire en dix-sept poèmes) s'effectue « A travers temps et fleuve » : « Un jour il faudra se prendre / marcher haut les vents / comme les feuilles des arbres / pour un fumier pour un feu / qu'importe / d'autres âges feront de nos âmes / des silex / gare aux pieds nus / nous serons sur tous les chemins. / Gare à la soif / gare à l'amour / gare au temps / nous avons vu le sable / nous avons vu l'écueil / qui l'ignore / nous avons les fleuves et les arbres / qui le dira. » Et la vision finale de « Feu de brousse » ressuscite tout le monde noir : « Le feu le fleuve c'est-à-dire / la mer à boire en suivant le sable / les pieds et les mains / au-dedans du cœur pour aimer / ce fleuve qui m'habite me repeuple / autour du feu vous ai-je seulement dit / ma race / il coule ici et là un fleuve / les flammes sont le regard / de ceux qui le couvent / je vous ai dit ma race / elle se souvient / de la teneur du bronze bu chaud. » Entre-temps, « Présence », « Chant ininterrompu », « Danse aux amulettes » confirment cette marche en avant. Elle se prolonge avec le recueil de poèmes publié en 1960, *A triche cœur* [289]. Ici, à travers une langue riche, abondante, le véritable surréel de l'africanité noire s'épanouit : « Rire du même rire / que les vivants ne fait / le soleil plus étroit / que cette main tendue / à tous les étiages / pour demeurer un frère / au cœur de ceux qu'on tue. » Même impression de plénitude dans « Équinoxiale » : « La lune répandit / tout le sang d'une femme / en guise d'holocauste / aux étoiles de mer / la lune prit l'enfant / d'une femme / crêpant de sa lumière / bleue de mort les cheveux / de cette femme mère. » Cependant, Tchicaya U Tam'si aborde un problème qui va longtemps le retenir : la confrontation du Noir et de la chrétienté. On le voit dès « Agonie » : « Il n'y a pas de meilleure clé des songes / que mon nom chantait un oiseau / dans une mare de sang / la mer tout à côté dansait / vêtue de blue-jeans / embouchant déchirée des mouettes criardes / un batelier noir / qui disait tout savoir des étoiles / dit qu'il guérirait avec la boue de ses yeux / tristes / les lépreux de leur lèpre / si un amour tonique lui déliait les bras. » Sans aucun doute, l'inspiration principale du recueil suivant, *Epitomé* [290], est-elle du même ordre. Au fur et à mesure que le poète s'équilibre autour de sa négrité — sinon de la négritude — la préoccupation se renforce chez lui, parallèlement à l'attirance, d'un autre pôle, le pôle chrétien, qu'accompagne un contexte de civilisation judéo-chrétienne fort différent. « Au sommaire d'une passion » se fait l'écho de ces nouveaux déchirements : « Ils sont morts / Afin que nulle herbe mauvaise ne vienne / afin que nulle essence de teck ou d'okoumé / ne laisse de cendre / aux flammes de ce feu qui n'est feu lare / afin que la mer ovulant à chaque promontoire trop galbé / ou phallus au vif de sa chair d'eau séminale / afin que la mer ovulant / livre des mouettes ô mer ô mer / afin que ces lèvres de mon oubli congénital / récitent un credo immémorial. » Un autre poème, « Le contempteur », met en revanche vigoureusement l'accent sur l'humiliation commune du Noir et du Christ de la Passion, rapprochement qui peut aider le nègre chrétien à retrouver son unité : « Je bois à ta gloire mon Dieu / Toi qui m'as fait si triste / Tu m'as donné un peuple qui n'est pas bouilleur de cru / Quel vin boirai-je à ton jubilate / En cette terre qui n'est terre à vigne / En ce désert tous les buissons sont des cactus / prendrai-je leurs fleurs de l'an / pour les flammes du buisson ardent de ton désir / Dis-moi en quelle Égypte mon peuple a ses fers aux pieds / Christ je me ris de ta tristesse / ô mon doux Christ / Épine pour épine / nous avons commune couronne d'épines. » Léopold Sédar Senghor a préfacé *Épitomé*, qui recevra d'ailleurs, en 1966, le grand prix de poésie du Festival mondial des arts nègres de Dakar. *Épitomé* est un véritable témoignage congolais. *Le Ventre* [291], paru deux ans auparavant, l'est tout autant. Le poète s'enfonce en effet, pendant cette période, dans son Afrique, et en 1963 il participe activement au Colloque des écrivains africains d'expression française. Pourtant, si le thème du *Ventre* est très africain, la technique subit l'influence d'Aimé Césaire, avec ce que cela comporte non plus de surréel mais de surréalisme. En voici quelques exemples; le premier étant tiré des « Corps en friche » : « Le ruissellement / obstinément lent du sang / partout où l'homme est passé / montre que tous viscères dehors / le signe augural tue d'être vu. » « Les corps et les biens » met en scène un devin, un arpenteur, un poète, un soldat. Écoutons ce que dit le devin : « Je ne sais plus sous quelle terre / protéger mes morts / contre la précipitation / de ma course au bonheur / afin d'être comme eux / immobile des membres / prêt au pardon, comme eux / docile à ma mort. » Enfin, un « Chant pour pleurer un combattant » précise l'engagement : « Ne pleure pas. / Marche debout! / Il est mort le dos au vent : / Retourne-lui le ventre : / s'il a le ventre dur / c'est qu'il est mort debout! / Ne pleure pas. / Marche debout! »

A ce stade, et à la suite de tous les revirements que nous avons rapportés, Tchicaya U Tam'si éprouve le besoin de mieux connaître le milieu dont il est issu. *Légendes africaines* [292] entreprend un tour d'horizon sur les conteurs du continent, depuis Ousmane Socé Diop, du Sénégal, Djibril Tamsir Niane, de la Guinée, jusqu'à Thomas Mofolo, de l'Afrique du Sud. Du remarquable ensemble ainsi présenté ressort une saisissante impression d'unité, que

Tchicaya U Tam'si recherchait probablement, et qu'il commente au cours de sa préface en évoquant son enfance : « Il ne m'est pas difficile de me souvenir des veillées d'enfance qui furent en fait la première école que j'aie fréquentée. Les légendes enseignaient à être braves, les contes à mieux se conduire, les devinettes et les proverbes à savoir tenir une conversation — dans une certaine mesure, d'ailleurs. En effet, c'est sous l'arbre à " palabres " — fromager ou manguier — que s'apprenait le reste : " le grand savoir " — jurisprudence et rhétorique, politique aussi. » L'enfance de tous les conteurs de l'Afrique noire n'a-t-elle pas été à l'image de celle-là ? Ils ont donc tous bu à la même source et ils sortent tous de la même école. Tous, sauf, bien entendu, les plus jeunes, et c'est un grand problème. Mais, tandis qu'il rassemblait ainsi ces textes importants, Tchicaya U Tam'si préparait déjà une nouvelle étape, peut-être justement pour la jeune génération. *Arc musical* [293] paraît en 1970. On y retrouve mis à nu — à l'occasion de voyages imaginaires à Cuba, à Dachau, en Louisiane — la totalité des problèmes de l'auteur, qui sont, précisément, les problèmes de la jeune intelligentsia noire. Une race humiliée : « Tenu pour reste / le reste d'une somme d'ossements / naguère en charpente sans étais / mais tenu pour reste / quand certains rêves de pâmoison / empoisonnèrent qui l'on sait / et fit baisser le ciel jusqu'où l'on sait / même pas sous le gosier d'un crocodile / perdu de courtoisie / dans tel salon / de telle marquise! » Une race qui retrouve l'espoir (« Communion II ») : « Quand l'homme sera plus féal à l'homme / la femme plus attentive à la lune / l'enfant docile à la caresse du père / mes mains décalquant une aube / la vie réinventera mon corps / et ma mémoire soudain de silex / ne pétrira plus l'argile du crime / sur le dos d'aucun de mes frères. » Une race sensible, avec « Chanson II », à toute poésie :

« Ce visage a les fleurs / d'un automne flamboyant / A Dieu ne plaise / que ma joie / lui donne des fruits mûrs / ou l'enchaîne / à d'autres climats / de nébuleuses / promises au cœur. » *Arc musical* — ultime contribution à ce jour de Tchicaya U Tam'si — constitue au total une mise en question : l'auteur, repris par sa terre, se sent, comme il l'écrit expressément, prisonnier d'une langue française à laquelle il a — ne l'oublions pas — tant donné.

Ainsi arrivons-nous aux prosateurs du Congo-Brazzaville. Et d'abord à l'excellent et habile conteur qu'est Jean Malonga. Celui-ci est connu — en dehors de son étude sur *Trois écrivains noirs* [294] — par *Légende de M'Pfoumou ma Mazono* [295]. L'histoire romanesque de la belle Hakoula permet une analyse des intrigues, des alliances qui se mènent et se nouent entre tribus voisines. La première partie du livre s'intitule, effectivement, « La rançon d'une alliance ». Hakoula, femme favorite d'un chef (il a dix autres épouses), se prépare en même temps que tout le village à accueillir son père, attendu en visite : « Enfin, annoncé par les aboiements agressifs des chiens et le caquetage craintif de la volaille suivis d'un strident coup de gong, Mi N'Tsembo, vénérable vieillard aux cheveux blancs, aux restes et à la carrure imposants, entre majestueusement au village, sa longue canne à la main, pour aller prendre place sur la grande natte qui l'attend. Il est suivi d'une escorte impressionnante. Les porteurs, esclaves pour la plupart, déposent à terre dix calebasses de vin traditionnel de palme, cinq cruches de liqueur d'ananas et les divers cadeaux destinés à la fiancée présumée et aux nombreux parents. » Mi N'Tsembo souhaite obtenir, selon l'usage, des femmes pour ses neveux en contrepartie de la fille qu'il a donnée. Le fil conducteur du récit s'enchevêtre autour des amours nombreuses d'Hakoula, qui est, semble-t-il, laissée fort libre. Au début de la seconde partie, elle attend un enfant, et les nouvelles fiançailles, les alliances entre les deux clans paraissent au point d'être célébrées : « Le repas est terminé. Les invités ont été copieusement servis. La vraie fête va enfin commencer. Des feux sont allumés en plusieurs endroits pour réchauffer et étendre la peau des tam-tams qui s'accordent. Les danseuses sont en train de donner la dernière touche à leur toilette compliquée, tandis que les médiums se maquillent et ajustent leurs " instruments " de précision : vérifier si la corne d'antilope n'est pas obstruée, si la poudre noire est suffisante pour les incantations de tout à l'heure, si les " M'Piya " n'ont pas perdu des plumes et les " Madibou " leurs battants. La piste de danse, très spacieuse, est éclairée avec des flambeaux dont la résine répand une fumée qui empeste l'air d'une senteur piquante. » Tout finira au plus mal à cause de l'inconduite d'Hakoula et des intrigues qui s'y mêlent. Mais, avant d'en venir à cette conclusion funeste, Jean Malonga sait décrire la nature, la vie rurale, les coutumes mystérieuses : « Pendant que les vivants s'amusent, on voit les sommets des montagnes se couvrir d'une lueur phosphorescente. De temps en temps, des ombres rougeâtres sortent du cours d'eau et, après avoir donné la réplique aux chants et aux cris des hommes de Bidounga, vont se perdre dans la lueur que nous venons de signaler. Une pluie opaque de perles se met à tomber pour former un pont vaporeux et flottant sur le paisible cours d'eau. Les sorciers et les voyants accrédités lancent aux quatre vents les accords cabalistiques de leurs instruments, pour amadouer les esprits, ou remercier les mânes venus manifester leur coopération à la cérémonie. » *Cœur d'Aryenne* [296] saute enfin le pas du conte romancé au roman proprement dit. Le thème en est les amours d'une jeune fille blanche, Solange, avec Manbeké, un jeune Noir. Amours dramatiques, qui finissent par un double suicide devant la désapprobation des familles et de la société locale. Un sujet délicat, comme on voit.

Guy Menga, un autre romancier, nous entraîne vers la ville. Nous y suivons le héros de *La Palabre stérile* [297], qui a fui son village à la veille de l'indépendance en abandonnant une femme incapable de lui donner des enfants. A travers discussions, disputes, s'opposent les mentalités, les mœurs si différentes de la campagne et de Brazzaville. Tout se termine par un procès : « La case du chef Kitengué était sise rue Jeanne d'Arc au quartier Dahomey. C'était un parallélépipède strictement régulier élevé en briques sèches et recouvert d'un toit en tôle. Quatre grands arbres : deux manguiers et deux safoutiers assuraient son ombrage et sa protection contre les vents du sud. Derrière la façade principale s'étendait une cour immense qui abritait, dans le fond, un poulailler et s'ornait, vers le centre, de quelques bancs encadrant une table rudimentaire dont les pieds s'enfonçaient dans le sol : c'était la " cour " de justice, où le vieux chef réglait les palabres. C'est là qu'un dimanche matin on retrouva Vouata, sa sœur et quelques amis d'une part et Loutaya, son cousin, son père et un de ses oncles venus du village d'autre part. L'affaire avait fini par échouer là. Le vieux chef, assis dignement sur une chaise longue et caressant sa canne en bois sculpté, attendait que son secrétaire vînt s'installer à sa table. Et le procès se prolonge presque toute la nuit sur le cas de la femme stérile. » Mais Guy Menga, né en 1935 au sud du pays, membre de l'enseignement, journaliste, puis directeur des programmes à la radio-télévision, est aussi l'auteur de *La Marmite de Kota-Mbala* [298], pièce représentée au Festival de Dakar et dont le thème est le conflit des générations. L'action se déroule dans la cité de Kota-Mbala, capitale d'un des petits royaumes qui morcelaient le Congo. A l'époque, la loi frappait les jeunes gens des deux sexes qui avaient des relations coupables. On les jetait au fond d'une marmite pleine d'eau bouillante. Le roi Bintsamou tenta de supprimer la condamnation à mort des jeunes délinquants. Son conseil, épouvanté, le destitue, et il ne sera sauvé que par miracle. On doit encore à Menga, dramaturge, *O Wena* (soit : tu es courageuse), qui chante la révolution, et *Baba*, qui traite de la polygamie et de la jalousie. Enfin, *L'Oracle* [299] (donné en 1968 à Brazzaville et, la même année, au Théâtre des Champs-Élysées de Paris) raconte l'histoire d'une fille à marier que son père veut vendre au plus offrant. C'est, une fois de plus débattu, le problème de l'émancipation féminine et de la dot.

Ainsi Guy Menga nous introduit-il auprès du théâtre congolais. Antoine Letembet-Ambily prend sa suite avec *L'Europe inculpée* [300], pièce à réminiscences bibliques qui rappelle l'épisode de Noé et de ses trois enfants. Japhet, père de l'Europe, ayant appris que sa fille est accusée auprès du juge Humanité par l'Afrique, fille de Cham, exhorte Noé — revenu sur terre — d'intervenir pour arrêter le déroulement du procès. Finalement, au quatrième acte, Cham et Japhet se réconcilient dans l'allégresse générale et la paix revenue. *L'Enfer, c'est Orféo* [301], pièce d'un autre jeune auteur dramatique, Martial Malinda, est une critique acerbe des privilèges de la nouvelle société noire. Orféo, riche médecin, qui mène une vie de plaisir, saura-t-il y renoncer? Ce sont là des débuts, mais prometteurs. D'autre part, Henri Lopez présente *Le Président* [302], première pièce de Maxime N'Debeka. A vrai dire, celui-ci, né à Brazzaville en 1944, est déjà fort connu comme poète (il est l'auteur du fameux chant patriotique intitulé *980 000*), et on retrouve d'ailleurs le poète, son éloquence tout au long de cette satire, vivement menée en trois actes, des intrigues, des bassesses de ceux qui entourent le pouvoir. Avant la chute finale du rideau, le président de cette république africaine fictive, profondément découragé, s'interroge : « Peuple et foule, foule et peuple, qu'y a-t-il de changé ? J'ai cherché à atteindre l'impossible le plus aigu pour déchirer le voile des yeux. Mais l'homme ne se découvre pas. Rien, rien de ce monde n'est à la mesure de l'homme. Tout ici ne convient qu'à des animaux aveugles. Où sont les peuples dans ce monde sans horizon ? Vient quelqu'un qui crie que la terre pue, c'est un monstre. Vient celui qui dit aux pauvres : vous êtes riches, vous n'avez pas faim; aux vieux : vous êtes des jeunes; aux voleurs : c'est bien; qui nomme les animaux aveugles : peuple ! Celui-là est un " héros ". Un héros qui a le droit de faire la guerre, de célébrer des fêtes, de trafiquer, de flatter, de se montrer arrogant, soupçonneux et cruel, de conspirer, de thésauriser, pourvu qu'il le fasse pour son compte, au nom du peuple. Mon fils, mon fils, dis-moi si ton monde est celui des hommes. »

Telle est la hardiesse et la liberté dont fait montre et dont dispose, en République populaire du Congo, cette jeune littérature d'expression française que nous venons, rapidement, d'évoquer.

2) La République démocratique du Congo (Kinshasa) *

Une superficie de deux millions trois cent quarante mille kilomètres carrés fait du Congo-Kinshasa un des plus vastes pays de l'Afrique noire, et quinze millions d'habitants en font un des plus peuplés. Nous pénétrons vers le centre de l'Afrique et du monde proprement bantou, habitat des ethnies ekonda et, tout à fait dans la partie orientale, simba. Kinshasa, la capitale, est en revanche située sur la frontière ouest, au bord du fleuve Congo. En plus des dialectes de tribus, les principales

* Depuis peu de temps le Congo-Kinshasa est appelé Zaïre, cependant pour faciliter la compréhension, nous conserverons son ancien nom.

langues vernaculaires sont le kikongo, bien entendu, le swahili et le tshiluba ou lingala.

Les liens historiques et culturels qui lient les deux Congo sont évidents. Ainsi, un des meilleurs sociologues de Kinshasa, Mathieu Mounikou — également critique littéraire — est l'auteur d'une excellente étude [303] sur Jean Malonga, le conteur et romancier de l'autre rive du Congo. Kinshasa est, d'ailleurs, bien pourvu en sociologues. Un des plus notoires est Joseph Iyandza-Lopoloko, auquel on doit un ouvrage tout à fait magistral, *Bolongo* [304]. C'est le nom d'une danse renommée des Ékondas, Bantous de la région du lac Léopold II. Les danseurs, au cours d'une sorte de cérémonie en l'honneur des morts, miment une bataille entre les guerriers de la tribu et des léopards, sangliers, éléphants, tortues ou crocodiles. Voici le triomphe final des hommes : « Les danseurs se rangent en carré ou en rectangle selon leur nombre. Bientôt le maître de ballet entonne un long et mélodieux solo qui doit témoigner de ses exceptionnelles qualités artistiques. En même temps, tous les instruments de musique se font entendre. Emportés par un rythme qui ne fléchit pas, les meilleurs sujets de l'équipe se déploient, fiers, l'œil fixé sur le maître de ballet. Armés, peut-on dire, de leur binsanswà (chasse-mouches) à droite et de leur basàngà (hochet double) à gauche, les danseurs tracent dans l'air, devant eux, des demi-cercles horizontaux : dans un ensemble impeccable, soulevant tantôt une jambe, tantôt l'autre, ils avancent, reculent, glissent à droite, à gauche, se séparent apparemment en désordre, se reforment en quinconce, pour recommencer à bondir, à tourner, à s'agenouiller. » Dans une ligne de recherche analogue, mais plus proche de la linguistique que de l'ethnologie, Clémentine Faïk Nzuji s'est fait, de son côté, une réputation. On connaît, particulièrement, ses études sur les genres littéraires traditionnels, tels les énigmes et les anciens chants claniques cumunas que le R.P. van Caeneghem avait recueillis et fait transcrire voici environ trente ans [305].

Sous son seul nom de jeune fille — Nzuji —, Clémentine est aussi une poétesse fort appréciée. Elle se rattache à la lignée des fondateurs de la poésie d'expression française au Congo, Léopold Caroyble (*En plein soleil*, 1900), le métis Marian (*Poèmes et chansons*, 1930), Lamani Tshibomba (*Nganda*, 1950). Ce dernier marque le début de la poésie revendicatrice, engagée, qui s'inspire des contradictions entre Noirs et Blancs. *Parallélisme des temps reculés* et *Visions humaines* de Nyanga Natabis sont d'un genre plus savant, abstrait. Clémentine Nzuji elle-même s'est révélée, en 1968, par son recueil de poèmes *Murmures* [306], où l'expérience poétique s'insère merveilleusement au sein de la vie quotidienne. Les tout premiers émois d'une adolescente jaillissent d'abord de « Gestes » : « Un arbre surgit / dans l'eau / de tes yeux / Je me penche / sur l'arbre / sur ta bouche / dans tes yeux / Sur l'eau se dressent / les branches / de tes doigts / Je brise l'arbre / et touche ta main / sur l'eau / de tes doigts... » Voici, maintenant, « la fureur des tendres violences » : « La fureur des tendres violences / La violence des douces folies / piétinent / D'un bout à l'autre mon être. / Ce soleil menaçant la pluie / Et ces rayons cruels et câlins / Semblent tout briser. / De mon tourment / Je ferai la certitude / De l'inquiétude / La joie, les charmes de l'espérance. / Et l'ennui et l'angoisse / Paradoxale essence de la vie / M'accompagnent pour me comprendre / Mais jamais ne m'ont comprise. » Enfin, avec « Rien qu'une fleur », l'homme apparaît : « Je n'aime qu'une fleur / poussant dans le pré / Le nom de mon ami / et sa couronne de larmes / et le bruit qu'il fait / en planant sur ma vie / Je saute la prairie / Le soleil rougit l'horizon / Je marcherai encore trois pas ou cinq / Et quand la nuit croîtra /

Je m'étendrai sur l'herbe. » *Impressions* [307], qui obtient le prix Léopold Sédar Senghor, est bientôt suivi de *Kasala* [308], un « chant tribal qui raconte l'histoire du clan ». Ce nouveau recueil de poèmes est, en effet, plus tourné vers la tradition. Ici, une jeune Noire se présente : « Je suis une fille à la peau noire / fine et luisante / Je suis une négresse au grand cœur / Cœur d'eau fraîche / Cœur d'hirondelle en vol / Cœur souffrant et pleurant / Cœur timide d'un oiselet malade. / Je viens de ce pays étrange / qu'on ne peut définir / Ce pays étrange où l'homme / est l'être suprême de l'univers sensible / Ce pays où l'animé parle à l'inerte / et l'esprit à l'ombre / par le vent crépusculaire / Je viens du pays noir et lumineux / pays du soleil et des eaux. » Le livre est en partie bilingue, Clémentine Nzuji faisant de la traduction des textes anciens une véritable œuvre littéraire. On le verra à cet extrait de « Mwetu Mundela » : « Venez voir où je suis née / comment le crocodile s'endort dans les eaux / comment se prélasse l'hippopotame dans les marais / combien le buffle se sent le droit de vivre. / Venez voir où je suis née / là où l'épervier plane dans les airs / où le léopard aime se battre / où le lion ne se laisse approcher. / Venez voir où je suis née / où les hommes et les femmes adorent les défunts / où les vieux et les jeunes se donnent conseil / là où les amants peuvent s'aimer. / Courez voir venez ici / Cela vaut la peine d'être vu. » Grâce à la version française de « Katende », nous faisons la connaissance d'un charmant petit oiseau : « Petit oiseau prudent / Qu'aucun caillou ne peut atteindre / Oiseau voyageur / A ton approche les bananiers applaudissent / Et se balancent à ton passage / Toi le prudent / Toi le voyageur / Accueilli à l'arrivée par un coq / A peine es-tu assis / Qu'un collier de poissons t'entoure le cou. / Petit oiseau prudent / Ta prudence est celle d'un poisson / Qu'aucun hameçon ne peut prendre / Et ta majesté celle du bélier altier / Qui ne connaît que la savane. » Avec le recueil intitulé *Le Temps des amants* [309], nous retrouvons toute la spontanéité de la poétesse devenue femme. Son épanouissement est sensible jusque dans le style, plus riche et dense : « Je me penche dessus la mer / Dans mes yeux je vois les siens / Sur mon ombre se glisse son corps / Enflammé ! / Dans un tourbillon de pure folie / Nos corps siamois s'enlacent / Puis s'envolent, enivrés / La mer enfin se retire / Sous nos pieds s'écroule l'univers / De nébuleuses joies abolissent le temps / Des amants ! / Dans les délices de douce furie / Nos âmes siamoises s'étreignent / Puis s'éteignent, évanouies. » Les magies de l'amour se déchaînent : « Frôlement magnétique / Et frissons. / Magie de ses doigts palpitants / Sur les pétales de ma poitrine. / Envol du regard ébloui / Par mon ventre dénudé. / Et cet air éperdu / De ses yeux / qui chavirent. » Vient l'apaisement du couple parfait, ou, comme dit l'auteur, sa « jubilation » : « J'ai éteint dans la nuit / La lumière du chevet / Pour sentir à mes côtés / La chaleur de ta nudité / Illuminées de nos joies / Les ténèbres de minuit / Attendent pour jubiler / L'harmonie sublime des amants. / Et tes doigts qui minaudent / Dans le néant de la nuit / Noire comme moi-même dévêtue / Me parcourent de part en part / Dans la quiétude et le frisson. »

Parmi les poètes congolais, Léopold Sédar Senghor a distingué le chantre de la négritude, Antoine-Roger Bolamba, dont il écrit, dans une préface à *Esanzo, chants pour mon pays* [310], qu'il « n'est pas un universitaire. Il ne sourit pas. Il rit comme une orchidée ». Bolamba est en effet resté intégralement Bantou, et son recueil de courts poèmes est directement inspiré de la tradition. Un *esanzo* est un instrument de musique qui se joue en pinçant des lamelles d'acier. L'auteur présente d'abord sa conception de la « Beauté » : « Jour qui descend dans le gouffre du soir / passe-moi ton miroir / il me le faut pour contempler la terre / peignant le corps de l'aventure. » Mais, toujours accompagné de l'esanzo, écoutons le *lokolé*, sorte de gong qui sert à transmettre les nouvelles de village à village : « Sur la cime des monts / dans les bas-fonds / les vallées / les plaines / au plus profond de la forêt / on écoute ta voix / Lokolé / lokolé des amoureux / lokolé des musiciens / lokolé des conteurs / lokolé des guerriers. » Enfin, le fleuve, personnage majestueux du paysage de l'Afrique noire, apparaît dans « Une tempête » : « Le fleuve s'agite Ngoho le fleuve / la pirogue glisse sur l'échine de la vague / Viens mon amour Ngoho viens dans mes bras / la pirogue nous emporte en un lieu sûr / Le fleuve s'agite Ngoho le fleuve / le frisson parcourt l'échine de la vague / labourons de la pagaie le champ de l'eau / voguons / voguons jusqu'au petit matin. » Martial Sinda, né en 1930 au Moyen-Congo au sein d'une vieille famille chrétienne, élevé par les Pères du Saint-Esprit avant de poursuivre ses études en France, est un poète plus élaboré. Il se tourne, certes, vers Senghor, auquel un poème de *Premier chant du départ* [311] est dédié. Mais un autre texte, « La daba », est aussi bien dédié à Aimé Césaire. De surcroît, l'influence chrétienne et la culture européenne sont ici sensibles. Que de fraîcheur spontanée, cependant, au long de ces courts vers libres, dont quelques-uns sont encore adressés à Jean Malonga ! Notamment dans la première partie du recueil, où le rôle de la mère est magnifié : « Aux festins de la terre / Tu portes ton couteau de cuisine / Et tes petites cuillers. / Aux festins de la terre / Je porte mes dents blanches / Et mes pleines mains noires. » Viennent ensuite « Age des pierres », « Cahiers » et « Magie » : « Tu tiens de hautes magies / Mais tu n'as plus de réponse / Pour les voix de la terre. / Tu n'as plus de mesure / Pour la hauteur des vies, / Et plus de résonance / Pour le flux de ton sang. » De la deuxième partie du recueil, « Chants pour une jeune Congolaise », extrayons ce délicieux portrait : « Vêtue et croisant les bras derrière ton dos, / O jeune femme noire à la belle coiffure, / Montre-leur donc / Ton léger resserrement des lèvres et des joues / Traduisant ta jubilation, / Ton amour chaud et doux comme le miel. » Sinda est encore proche du tam-tam. Que dire des nouveaux venus? Par exemple de Metala Mukadi avec son recueil *Réveil dans un nid de flammes* [312], qui recherche auprès d'Aimé Césaire des échos plus complexes. « La foudre et le feu », première partie du livre, lui est d'ailleurs dédié : « Manzambi, / L'esprit du soir remue la cendre. / La foudre et le feu, / Carbonisent ton corps malingre. / Sur ton visage hâve se lit la misère. / Tes yeux disent adieu à la case fuligineuse. / Ton regard enflammé m'envoie la furie / qui te brûlait en sourdine / Et consumait le Kongo de ma joie et de ma peine. » La même inspiration court au long des « Méandres de l'enfer rythmique » et de « A quand » : « A quand l'allaitement de l'enfant / en toute quiétude? / à quand le chant de la petite veuve / au plumage renouvelé? / à quand le retour de la paix / dans nos pays livrés aux convoitises? /... à quand le départ de la pirogue au long cours / vers nos propres destinées? » La troisième partie invoque « Le cri amer ». D'un même mouvement, citons « La veuve africaine » et « Exode » : « Flux / Reflux / Au pays légendaire du roi Salomon / déferle une calamité / Est-ce une irruption volcanique / Sont-ce les dieux affamés / Du Muhabura en courroux / Qui aux vivants des nourritures réclament / D'horribles meuglements emplissent / La vallée / Où hier encore l'entente / Était reine. » Un autre nouveau venu, parmi les poètes du Congo-Kinshasa, est Isidore Ndaywall. Son « Premier chant [313] » pose des problèmes analogues : « Mon Congo / voici l'aurore / qu'elle franchisse ton seuil / dans la clarté de ses soleils / J'aperçois lion / sortant des bois / les griffes saignantes / blessées par le repentir / Je vois même un fils / qui jaillit d'un esclave / comme un jeune papillon / d'une vieille chenille / Dehors le bananier t'attend / vêtu de la soie / de sa plus jeune feuille / Dehors la fleur s'impatiente / plus prompte que l'aurore / elle a bondi hors du bourgeon / Dehors les filles de la danse / colorent de leurs pagnes / l'impatience du tam-tam. »

La nouvelle revue *Dombi* (soit « argile », en dialecte régional) apporte un début de réponse à ces questions sur l'évolution de la poésie au Congo, entre beaucoup d'autres touchant les arts et les lettres. Cette revue est dirigée par Philippe Masegabio, lui-même poète [314], et elle présente de nombreux inédits de débutants. Prenons le plaisir d'en lire quelques-uns. David Tshiombo (né en 1944 à Tielen) nous donne « Nostalgie [315] » : « Route qui descend / Vers le désert / Quelles nouvelles là-haut ? / Dis-moi si les palmiers / Et les vents / Font toujours l'amour / Au clair de la lune / Si dans la nuit dorée / Les filles et les garçons / Jouissent comme jadis / Assis dans le sable / Au bord de la route / Du feu vert de leur jeunesse / Dis-moi si les cigales chantent / Dans les arbres / à l'orée des forêts / Route qui descend / Vers le désert / Quelles nouvelles là-haut ? » Des *Ignames et piments* d'Alexis Mwamb'a Musas (né en 1947), retenons un passage de « Et c'était notre indépendance » : « Et maintenant la joie fervente, toute la saison au clair de lune / Se penche un peu plus chaque soir sur les gazons flambés / De nos vieilles cabanes suspendues dans le buisson montent ces voix d'initiation / Et perchés aux nuées d'hivernage de ce petit matin touché / L'oncle et le petit-fils, pères, mères, frères et sœurs s'appellent à l'unisson / Et le souffle de la saison fécondée visite le chemin où surgiront princes et souverains. » Une jeune femme, Élisabeth Mweya (née en 1948 à Kinshasa), fait entendre grâce à *Dombi* ses « Cris perdus » : « Ce soir / Le souvenir du sang sur l'eau / Le sang rouge et gras de mes frères / Le souvenir des corps délaissés / Sur la place déserte / A la faim des chacals et des aigles / Le souvenir des enfants égarés sur la berge / Encore rouge du sang frais des innocents / Le souvenir d'un petit être jeté / Comme un paquet / Dans le fleuve aux remous écarlates / Le souvenir du couteau qui s'enfonce / Dans la gorge de cette jeune fille ma sœur / Le souvenir des combats sanglants / Des cris de panique, du choc des corps et des armes / Des pleurs dont retentissent forêts et plaines / Des clameurs d'un village pris au dépourvu / Le souvenir des résistances vaines de jeunes filles / Que l'on viole. » Il faudrait citer d'autres jeunes collaborateurs de la revue *Dombi :* Paul-Olivier Musangi (né en 1946 à Panga) pour « Feu de brousse », Grégoire-Roger Bokeme (né en 1948 à Kinshasa) pour un texte extrait de *Ginette.* Retenons ces lignes attachantes de Philippe Elebe [316], bien qu'elles aient déjà fait l'objet de publication en volume : « Petite étoile, / Depuis des jours / J'attends toujours / Que tu viennes me couvrir de ta chaleur. / Après toi, / Les jours se glissent / Silencieux, mornes, / Les uns après les autres, / Ayant perdu la sonorité, / La gaieté la clarté et / La couleur qu'ils ont / Lorsque tu es là près de moi. » Rendons enfin hommage aux chroniques de critiques littéraires de *Dombi.* Tenues par Philippe Masegabio, Gabriel Kabongo et Georges Ngal, elles sont fort intéressantes. Ngal, né en 1933, à Jdiofa Nubunda, professeur de littérature africaine et française à l'université de Lovanium (Kinshasa), nous retient particulièrement car il est, par ailleurs, l'auteur d'une importante thèse de doctorat sur « L'évolution psychologique et intellectuelle d'Aimé Césaire [317] ». Elle contient — à propos du grand poète antillais auquel, on l'a vu, se réfèrent plusieurs des jeunes espoirs du Congo-Kinshasa — des réflexions qui éclairent les tendances stylistiques et fondamentales actuelles : « L'esthétique ne nous est pas apparue comme un exercice gratuit de l'imaginaire. Enracinée dans l'expérience personnelle du poète, prolongeant le drame collectif de sa race (ouverte) dans la double dimension historique (passé, présent et futur à construire) et spatiale, elle est elle-même drame; soit qu'on l'envisage dans ses sources d'inspiration (niveau objectif), soit qu'on la considère au niveau de l'acte créateur. C'est l'aspect polémique de l'œuvre au sens où nous l'avons entendu... Aussi l'idée d'enracinement, telle qu'elle nous est apparue, recèle-t-elle une ambiguïté : enracinement dans la race, dans l'Afrique; recherche du nègre, d'une " culture nègre ", etc. Mais quelle race? quelle Afrique? quel nègre? quelle culture nègre? Si l'identification par la recréation d'un temps paradisiaque permet au poète de se rééquilibrer, la race, l'Afrique, le nègre, la " culture nègre " n'étaient pas toujours des personnages de l'histoire, mais d'avant l'histoire, tel ce moment où le poète recrée le temps mythique dogon. Il y a évasion de notre monde — et quel poète y a vraiment échappé? — pour s'enraciner dans un univers mythique où il rencontre une race, une Afrique, une " culture nègre " situées hors du temps historique. »

Ces réflexions s'appliquent aussi bien aux prosateurs, et notamment à Thomas Kanza, un ancien professeur, fonctionnaire et homme politique, à la fois essayiste et romancier. L'essayiste de *Congo, pays de deux évolués* (1956), *Propos d'un Congolais naïf* (1959) et d'*Éloge de la révolution* [318], dont nous livrons ces quelques lignes : « Le nationalisme congolais, qui n'est qu'une des expressions du nationalisme africain, n'est pas à confondre avec du tribalisme, du régionalisme, du chauvinisme ou de la xénophobie. Il s'agit d'un état d'âme, d'un sentiment affectif profond et naturel, d'un amour souvent idéalisé et magnifié de la patrie " Congo " en particulier, " Afrique " en général, avec tout ce que le sentiment amour peut entraîner comme conséquence, surtout quand il est idéalisé, magnifié et qu'il est brimé ou frustré d'une façon ou d'une autre. » Kanza est le romancier de *Sans rancune* [319] où le narrateur, secrétaire en Afrique noire d'un gouverneur belge, nous fait assister aux dissensions qui déchirent les fonctionnaires blancs. Le récit se déroule partie en Europe, le principal épisode mettant alors en évidence les difficultés de la vie commune avec une Blanche. De ces contradictions se dégagent peu à peu, à travers de fines analyses psychologiques, une philosophie mélancolique, assez désabusée et un désir de retour au pays des femmes noires : « Leurs épaules, nues, très droites luisaient par la sueur; leur démarche, harmonieuse, était devenue nonchalante, par la chaleur accablante. Elles balançaient gracieusement les bras, à l'unisson du corps. Blotti au creux du dos de leur mère, plus d'un enfant dormait à poings fermés. »

3) Le Burundi

Entre la frontière orientale du Congo-Kinshasa et la frontière occidentale de la Tanzanie, le long du lac Tanganyika, voici le Burundi. Avec ses vingt-huit mille kilomètres carrés, il est un des plus petits pays de l'Afrique noire. Mais aussi relativement un des plus peuplés, avec ses trois millions cinq cent mille habitants, qui appartiennent soit à l'ethnie hutu — depuis toujours originaire de la région —, soit à l'ethnie tutsi, venue des bords du Nil.

Nous restons dans l'aire bantoue et de l'ancienne colonisation belge. A ce dernier titre l'expression française est vivante au Burundi, au moins à Bujumbura, la capitale. Faisons connaissance d'un des écrivains, André Makarakiza. Père blanc, docteur en philosophie de l'université pontificale grégorienne, il est l'auteur d'un très remarquable ouvrage intitulé *La Dialectique des Barundis* [320]. On y étudie les méthodes employées chez les Barundis pour accéder au vrai et en communiquer la connaissance à autrui. Somme toute, l'art du raisonnement, la démarche de l'analyse et de la synthèse, avant d'en venir aux conceptions fondamentales de ces peuples sur l'homme, le monde, les esprits et l'Être suprême *(Imana)*. Tour d'horizon qui décrit une civilisation très spiritualiste. Fait surprenant — sur lequel il est bon d'insister — les principes juridiques constituent ici tout autant la base que la source de la véritable sagesse : « Les principes juridiques des Barundis règlent la vie sociale, les rapports d'homme à homme. Tous ces principes n'ont pas la même valeur philosophique : certains sont absolus, étant l'expression même du droit naturel; d'autres ont un caractère plus positif souvent discutable en soi. Mais si on ne raisonne pas avec un esprit prévenu, ou avec un certain anachronisme (si on garde bien présentes à l'esprit les circonstances historiques dans lesquelles les Barundis ont élaboré ces principes), on est obligé de reconnaître que ceux-ci, excepté l'une ou l'autre coutume introduite par un abus de pouvoir, représentent une véritable sagesse et un grand sens social. »

4) *Le Rwanda*

Le Burundi nous introduit efficacement auprès du Rwanda, du fait que les territoires sont limitrophes, et leur superficie, la densité des populations, les ethnies approximativement analogues dans les deux pays. La capitale du Rwanda, Kigali, a subi l'influence belge, et ainsi se sont développées, à partir de la culture en langue rwandaise, une culture et une littérature d'expression française.

M. Adalbert Bayigambea, secrétaire général du ministère de l'Information, et M. Timothée Ntaweza, directeur des Informations scolaires y ont — chacun pour sa part et dans son domaine — beaucoup contribué, et l'œuvre de l'abbé Alexis Kagame, né au Rwanda en 1912, constitue le témoignage le plus éclatant de ces développements. Grâce à lui nous élargissons notre connaissance de la philosophie-théologie bantoue, dont le Burundi a donné un premier aperçu. A ce propos, le livre d'Alexis Kagame, à la fois le plus général et le plus exhaustif, est *La Philosophie bantoue-rwandaise de l'être* [321]. Mais il faut aussi aborder les aspects particuliers de ce grand ensemble, et c'est ce que fait notre auteur — du point de vue historique — avec *La notion de génération appliquée à la généalogie et à l'histoire du Rwanda du Xe siècle à nos jours* [322]. Kagame y raconte comment il a eu accès aux premiers textes, jusque-là tenus secrets : « Lorsque, en 1945, le roi actuel, Mùtära III, parvint finalement à décider les " dépositaires du code " à m'en dicter le texte, ils étaient dix à le déclamer. Ils le récitaient en chœur, telle une formule de prières ou une leçon de catéchisme. Certains d'entre eux me dirent leur satisfaction d'avoir enfin pris connaissance, à cette occasion, des poèmes qu'ils avaient ignorés jusque-là. Avant de venir me les dicter en chœur, les plus vieux leur avaient dit : " Puisque le roi nous a convoqués sans distinction, c'est qu'il nous laisse libre de tout vous apprendre. " Et ils avaient commencé par en instruire les plus jeunes. » Alexis Kagame s'étend ensuite longuement sur le code cérémonial ésotérique de la dynastie royale.

Ainsi voyons-nous déjà — et le parallèle s'impose à

nouveau avec ce que nous avons appris au Burundi — à quel point les règles juridiques sont partie maîtresse du système. Ces impressions se précisent, d'ailleurs, à la lecture du *Code des institutions politiques du Rwanda précolonial* [323], de *Milices du Rwanda* [324] et surtout de *L'Histoire des armées bovines dans l'ancien Rwanda* [325]. Ce dernier ouvrage de Kagame décrit l'administration d'un pays longtemps divisé en armées bovines, c'est-à-dire en unités où un précieux troupeau de vaches et de taureaux se substitue à l'habituel département géographique. Chacun des troupeaux était placé sous l'autorité d'un chef qui relevait directement du pouvoir royal et lui devait des redevances en produits laitiers. Voici comment prenait naissance et perdurait une de ces armées bovines : « Après avoir créé son armée-bovine, Mibambwe Ier la confia aux descendants de son fils Forongo, qui était entre-temps mort en libérateur dans la lutte contre les Banyoros envahisseurs. Le monarque décida que cette corporation bovine serait attachée à perpétuité à ladite famille des Abaforongo, dont le chef patriarcal devait résider à Remera. Cette localité, qui était alors résidence royale, devint lieu-cimetière des rois titulaires du nom Mibambwe. Dix générations plus tard, le Bugesera fut conquis par Mibambwe III Sentabyo. Il s'empara finalement des vrais Inshyas et de leur taureau Rushya, de la dynastie vaincue du Bugesera. Il les envoya aux Abaforongo rejoindre leurs homonymes au symbolisme désormais réalisé. »

L'abbé Alexis Kagame s'est intéressé aussi à la poésie. Elle est de trois ordres : pastorale, guerrière, dynastique, et cette dernière catégorie fait l'objet du remarquable ouvrage intitulé *La Poésie dynastique au Rwanda* [326]. Parmi les mille informations dont fourmille la première partie de ce livre — informations qui font souvent ressortir, une fois de plus, le juridisme des Rwandais — donnons ici ce qui concerne l'organisation générale de la profession de poète : « De temps immémorial les rois groupèrent les poètes dynastiques en une corporation officielle, dénommée *Umùtwé w'Abàsizi :* armée des poètes dynastiques. Elle se composait de familles s'honorant de compter des compositeurs dans l'ascendance, et donc officiellement reconnues comme familles d'aèdes. A la tête de la corporation était placé un fonctionnaire, aède pour l'ordinaire, portant le titre : le président (ou préfet) des poètes dynastiques. D'abord réservée au clan des Basingas, cette fonction à une époque relativement récente passa à l'aède le plus en vue de la cour. Elle était devenue pratiquement héréditaire, puisque les trois derniers titulaires se l'étaient léguée de père en fils depuis le règne de Yuhi IV Gahindiro, soit durant plus d'un siècle. » La deuxième partie du livre propose des traductions littéraires fort belles de toute une série de poèmes dédiés à chacun des rois. S'agissant de poésie, on trouverait d'ailleurs dans *Proverbes du Rwanda* [327] de Laurent Nkongori d'autres textes littéraires importants et curieux. Ils mettent une note brillante à l'issue de ce périple à travers le Congo et le monde bantou.

7.
Le monde noir africain oriental et sa périphérie

1) *La Somalie*

D'un saut il nous faut cette fois gagner la Somalie, sur la côte orientale du continent, le long du golfe d'Aden et de l'océan Indien. C'est un pays relativement vaste (plus de six cent mille kilomètres carrés), duquel la capitale — depuis la réunion de l'ancienne Somalie anglaise et de l'ancienne Somalie italienne — est Mogadiscio. La population, d'environ deux millions cinq cent mille âmes, rappelle celle de la Mauritanie. On retrouve en effet chez les Somales l'influence réciproque de l'Arabe et du Noir qui nous avait frappé à la pointe opposée du vaste croissant que décrit, en somme, l'expression française à travers toute l'Afrique.

D'où en Somalie un ton littéraire très particulier, qu'analyse de façon pénétrante Léopold Sédar Senghor en présentant *Khamsine* [328] (en arabe : vent chaud qui souffle du désert), le beau recueil de William Syad, un des principaux poètes du pays. Senghor remarque le caractère marginal de la négritude de l'auteur, et en revanche les apports orientaux qui en font un véritable « nègre d'Orient », descendant de la reine de Saba, aux échos lointains du Cantique des cantiques et même de Tagore.

En vers à la fois libres et savants, de facture moderne,

Syad — cette orchidée parfumée, dit Senghor — restitue parfois toutes les nostalgies du passé : « Une oreille / penchée / Vers des siècles / somnolents / sur le chemin / obscur des temps / Oh ! Naftaye / tu m'as conté / le passé de ma culture / Pensée ivre de ma race / Somale. » Pourtant, dès la première partie du recueil, symboliquement intitulé « Du sable au creux d'une main », nous sommes en plein temps d'aujourd'hui, chantant le combat des amants, l'amour : « Comme / le khamsine / du désert / Tu as passé / dans ma vie / et pour toute / trace / Tu n'as laissé / que des sillons / vagues / et ce répit / de grâce. » Au cours de la troisième partie (« Crépuscule »), le poète s'interroge. « Qui suis-je ? » : « Je suis / pour toi / ce que tu voudrais être / au fond de toi-même / à l'instant / où ta pensée arrête / sa course. » Mais de quelle énergie — aux accents animés d'une vigoureuse pensée philosophique — William Syad ne se tourne-t-il pas avec son « Ange aux ailes brisées » face à l'avenir : « J'ai rêvé / que dans l'antique légende / de mon pays natal / existait un ange / banni à jamais / du néant vibrant / aux ailes brisées / par le feu du Mal / Depuis ce jour lointain / cet instant / qui s'est arrêté / dans l'infini céleste / il erre / de par l'univers / sidéral et concret. »

Le grand poète somale d'expression française (il écrit d'ailleurs également en anglais) se fait ainsi finalement l'écho — entre hier, aujourd'hui et demain — des contradictions qui agitent en même temps son pays et l'ensemble du monde noir africain.

2) *La République malgache*

La grande île de Madagascar (cinq cent mille kilomètres carrés — capitale Tananarive) est, d'une certaine manière, un morceau de Somalie transporté au milieu de l'océan Indien. Même complexité des ethnies chez ces cinq millions de Malgaches placés à la croisée des chemins : à l'ouest, les Sakalaves ou Comoriens, Noirs immigrés d'Afrique; au centre les Hovas ou Merinas, peut-être d'origine malaise; à l'est les Betsimisarakas, probablement d'origine analogue; au sud, les Antaïmoronas, arabisés. Même caractère oriental, la négrité tendant cependant à fondre plus encore et à se sublimer sur cette sorte de voie royale vers les Indes.

La présence française s'est affirmée ici à la fin du XIXe-début du XXe siècle. Comme souvent quand plusieurs courants se sont localement recoupés, créant une situation complexe, chacun apportant sa contribution, l'expression française a développé un large secteur culturel consacré à l'histoire, l'ethnologie, la linguistique, la philosophie, et, généralement, à toutes les questions nationales (sociales ou autres). En certaines de ces disciplines l'abondance est telle qu'il faut faire un choix. Retenons la fondamentale *Contribution à l'histoire des Malgaches* [329], de Louis Razafindrazaka, qui explique très classiquement par les guerres et les mariages de princes l'évolution du pays. Parfois une anecdote égaie le récit. Celle du roi Ralambo, qui fait procéder par jeu à un large rassemblement de bœufs. Deux d'entre eux viennent à se battre. Le roi goûte la chair de celui qui est tué, enrichissant ainsi la cuisine malgache d'un mets succulent jusqu'alors inconnu. Razafindrazaka met l'accent sur les dynasties et leurs fondateurs : « Ambohimalazabe, colline boisée dominant les environs, est située à trois kilomètres au sud d'Ambohimalaza. C'est là, dans un mausolée antique et modeste, mais historique et original, que reposent les restes mortels d'Andriantompokoindrindra. A droite et à gauche de ce mausolée se trouvent les tombes de sa mère, de ses deux femmes et de ses enfants. » A propos de mausolés, il faut citer l'excellente étude de Victoire Ravelonanosy-

Razafimbelo [330] qui montre à quel point l'histoire de l'art et l'histoire proprement dite sont inextricablement liées : « Une place à part doit être faite ici aux monuments funéraires qui sont souvent un mélange d'architecture et de sculpture. C'est en Imerina que les tombeaux atteignent leur maximum de faste et de richesse. Le plus beau, qui fut construit de 1844 à 1852, appartient à la famille de Rainiharo à Tananarive. C'est un véritable monument, entouré d'une large galerie à arcades d'une vingtaine de mètres de côté et dont les colonnes sont à chapiteaux finement sculptés dans le granit. »

Qui dit dynastie et peuples pense aux diverses ethnies. Dans ce domaine Rakoto Ratsimamanga et Ralajmihiatra font autorité avec leur ouvrage très documenté *Madagascar*. Une thèse particulière est défendue par le R.P. François-Xavier Razakandrainy dans son travail sur *La Parenté des Hovas et des Hébreux* [331]. Son principal argument est, d'ailleurs, moins ethnologique que linguistique, le malgache étant, selon le Père, une langue sémitique plus proche de l'hébreu que de l'arabe. S'agissant de linguistique, le principal auteur est Désiré Ramandraivonona. Il faut lire son *Précis de morphologie malgache* [332], qui rejoint les points de vue de François-Xavier Razakandrainy : « Le peuplement de l'île par des Orientaux a commencé bien avant l'ère chrétienne. A l'endroit du malgache, l'hébreu aurait eu surtout deux influences : une bonne, celle d'avoir enrichi le vocabulaire; une mauvaise, celle d'avoir retardé l'épuration de la langue par la trop grande interchangeabilité des voyelles dans les mots de même famille. » Les livres suivants de Ramandraivonona, *Le Malgache, ce qu'il révèle* [333], et surtout *Le Malgache, sa langue, sa religion* [334], sont d'une inspiration plus générale : « L'homme, face au monde illuminé à la lumière du soleil, a commencé par en faire la photographie analytique par l'intermédiaire des sens. A chaque perception correspondait une réaction intelligente en concordance étroite avec l'appareil respiratoire : toute réaction tendant à s'extérioriser par sonorisation. » A vrai dire, la philosophie est alors à portée de main, et les Malgaches y brillent, particulièrement en logique. Leur conception est cependant très différente des normes européennes. Dans son ouvrage *Le tsiny et le tody* [335], Richard Andriamanjato s'en explique : « La pensée malgache est intuitive et, partant, saisit d'une manière globale les êtres et les choses, d'une manière qui n'est basée ni sur l'analyse, ni sur les faits d'expériences positives de relation avec le monde extérieur. Cette pensée saisit les êtres et les choses au-delà de leur manifestation apparente et il y a lieu de se demander la nature ou la réalité de l'objet de cette saisie. Est-ce une idée toute faite entièrement subjective? Est-ce une réalité existant en fait? » Mais, qu'est donc le tsiny? C'est le blâme, la censure, que risque chacun s'il ne respecte pas envers autrui et envers les ancêtres telle ou telle coutume. Le flou du lien logique, la menace perpétuelle d'une critique entraînent finalement un comportement qu'Andriamanjato décrit : « La personne du Malgache est en perpétuel mouvement, c'est-à-dire qu'apparemment elle n'a pas de fixité de caractère ou une unité d'attitude. Elle se voit tout le temps obligée pour éviter le " tsiny " de se mettre à la place des autres et là, de se juger. Et c'est dans la mesure où elle réussit à se dédoubler de cette manière qu'elle pourra agir en toute bonne conscience. » Quant au tody, c'est la situation de celui qui a surmonté les obstacles, les divers tsiny sur sa route, après être arrivé à bon port, au succès. Tant de diversité amène à se poser, avec Guillaume Andriamanohy, la question : *Y a-t-il une personnalité malgache* [336] *?* Comme on va voir, Andriamanohy répond positivement : « Lorsque, dans la vie d'un groupe humain, au cours des siècles, il existe une unité de " style " dans les différents actes, gestes et entreprises, alors on peut dire qu'il existe une personnalité nationale. Être Malgache consisterait donc à agir " en malgache " et surtout à la malgache. La personnalité malgache, ce ne serait donc pas les traits caractéristiques d'une tribu déterminée. Non! Ce serait un style de vie, " le style malgache de vie " qui fondrait les races les plus diverses dans une unité authentique, se présentant à elle-même et aux autres comme un être *sui generis*. Tout ce qu'il y a, tout ce qui se fait à Madagascar, le territoire avec ses cultures, les tribus avec leurs caractères, leurs gestes et leurs préférences, les modalités des cultes religieux, la langue avec ses mots, ses tournures, ses proverbes, le chant avec ses rythmes, — bref toutes les activités matérielles, spirituelles, religieuses et artistiques, devraient avoir un " air de famille ", un caractère commun impalpable, indéfinissable, quelque chose comme une sève qui court de la racine vers la fleur, en nourrissant toutes les cellules individuelles au plus intime d'elles-mêmes. » Oui, une véritable unité s'est formée autour des Hovas, du royaume d'Imerina. Elle ne consiste, néanmoins, qu'en une somme de diversités au sein d'un style commun, dit malgache. Cette opinion est partagée par deux autres éminents essayistes, Dama-Ntsoha (*Les Temps nouveaux* [337], et Laye Amo (*Le Citoyen dans la nation* [338]).

Le style malgache se manifeste dans la littérature traditionnelle. Celle-ci se divise en deux branches : les *hain-tenys*, poèmes savants et souvent érotiques, dont Jean Paulhan a recueilli un certain nombre sous le titre de *Hainteny Merinas* [339]; les *kaharys*, proverbes populaires, discours et proclamations royales, telles celles de la reine Ranavalona (1827-1883). Or, la littérature d'expression française à Madagascar se rattache à ces genres, et il en est ainsi pour son principal fondateur, Jean-Joseph Rabearivelo. Celui-ci est né à Tananarive en 1903 dans une famille noble, mais complètement ruinée depuis 1896 et l'abolition de l'esclavage. De mère protestante, de père catholique, Rabearivelo est élevé par les Frères des écoles chrétiennes. Un temps secrétaire, interprète, saute-ruisseau chez un notaire, dessinateur en dentelle, employé d'un grand cercle mondain, il devient finalement correcteur chez un imprimeur, se marie et a cinq enfants. Vie incertaine, à la fois frivole, aristocratique et misérable, qui se termine en 1937 par un suicide. Mais vie frémissante des passions intellectuelles et des ambitions du créateur. Tout jeune, il apprend le français, lit Baudelaire, Rilke, Hugo, Mallarmé, Moréas, et entre en correspondance avec André Gide. En 1923 la revue autrichienne *Anthropos* — décidant ainsi de sa vocation littéraire — publie de Jean-Joseph Rabearivelo une étude sur la poésie malgache. Il collabore au *Journal de Madagascar*, et les revues ou hebdomadaires *Zodiaque*, *Le Divan*, *Les Cahiers du Sud*, *Les Nouvelles littéraires*, *Esprit* prennent de ses poèmes. Rabearivelo fait paraître en malgache un premier recueil, *Lova*. Puis en français, *La coupe de cendre* [340], qui révèle déjà ses qualités de spontanéité, d'émotion, son don d'affabulation pour traduire la vie profonde. Quelques lignes de « La nouvelle tombe » apportent leur témoignage : « Ma tombe est toujours ma tombe, mais mon cœur en est une autre. / C'est ma tombe en dehors de la terre; c'est ma seconde tombe. / Ce ne sont pas des herbes qui la cachent, ni non plus une pierre mâle. / C'est ma chair pleine de souci qui la dissimule. / Mes vibrants soupirs, mes larmes et mes sanglots incontenus y jouent les revenants et me hantent sans cesse. » En 1927, Rabearivelo publie *Sylves — Nobles dédains* [341], duquel nous extrayons ce passage du poème « Iarive » : « Salut, terre royale où mes aïeux reposent, / grands tombeaux écroulés sous l'injure du temps : / et vous, coteaux fleuris, que des fleuves arrosent / avec leurs ondes d'or aux reflets éclatants! » Enfin, les progrès stylistiques de l'auteur sont sensibles dans *Volumes — Vers le bonheur* [342], comme le montre « Aux arbres » : « Arbres sur la colline, où reposent nos morts / Dont l'histoire n'est plus, pour ma race oublieuse, / Que fable, et toi, vent né des zones soleilleuses / Qui ranimes leur sein d'ombre humide et le mords. » Pourtant, l'ensemble de ces premières œuvres est encore trop marqué de l'influence baudelairienne pour que la personnalité de l'auteur s'épanouisse complètement. Rabearivelo est si impressionné par sa culture européenne qu'il se livre avec *Enfants d'Orphée* [343] au jeu d'interpréter les paysages malgaches à travers tel ou tel poète français. Ici, le prétexte est Robert-Jules Allain : « Le paysage désertique et paisiblement farouche de Madagascar; son ciel, rose ou bleu selon l'heure, où, tout comme le monde nonchalant qui regarde d'en bas leur fuite sans y penser, simultanément, sans aucun dynamisme, se prépare et se fait l'éternel exode des nuages; et vous, sœurs diverses de mon sang, dénommées si justement, de par l'adoption d'une de nos plus pures muses, les filles du regret, anachroniques pour les yeux étrangers, perverties pour les miens... Paysage, ciel et filles si lourds d'ailleurs, si inconnus — quel chant puissant jailli d'un cœur compréhensif et d'une âme sensible, en ces temps nouveaux, dira vos charmes sans négliger les grâces que vous portiez en vous et qui forment votre royauté abolie ? »

Senghor, qui voit en Jean-Joseph Rabearivelo un poète majeur, date de la parution en 1934 du beau recueil *Presque songe* [344] les retrouvailles par l'auteur de ses racines malgaches. Il prend toute sa mesure, et transfère dans la tradition secrète, hautaine, des haintenys, ce qui subsiste en lui de surréalisme. Voici la définition que Rabearivelo donne alors du « Poème » : « Paroles pour chant, dis-tu, paroles pour chant, / ô langue de mes morts, / paroles pour chant, pour désigner / les idées que l'esprit a depuis longtemps conçues / et qui naissent encore et grandissent / avec des mots pour langes — / des mots lourds encore de l'imprécision de l'alphabet, / et qui ne peuvent pas encore danser avec le vocabulaire, / n'étant pas encore aussi souples que les phrases ordonnées / mais qui chantent déjà aux lèvres / comme un essaim de libellules bleues au bord d'un fleuve / salue le soir. » Et voici la femme malgache à la fête : « Chuchotement de trois valiha, / son lointain d'un tambour en bois, / cinq violons pincés ensemble / et des flûtes bien perforées : / la femme-enfant avance avec cadence, / vêtue de bleu — double matin! / Elle a un ïambe rose qui traîne, / et une rose sauvage dans les cheveux. » L'année suivante, *Traduit de la nuit* [345] confirme, en de courts et brillants poèmes non titrés, ces inspirations et ces règles nouvelles. Le Noir apparaît : « Le vitrier nègre / dont nul n'a jamais vu les prunelles sans nombre / et jusqu'aux épaules de qui personne ne s'est encore haussé, / cet esclave tout paré de perles de verroterie, / qui est robuste comme Atlas / et qui porte les sept ciels sur sa tête, / on dirait que le fleuve multiple des nuages va l'emporter. » Et encore revient la femme, dans le cadre enchanteur de l'île : « Tu dors, ma bien-aimée; / tu dors dans ses bras, ô ma dernière-née. / Je ne vois pas vos yeux lourds de nuit / qui d'ordinaire s'irisent / comme des perles authentiques, / ou des raisins mûrs. / Une bouffée de bon vent entrouvre notre porte, / fait gonfler vos robes légères / et trembler vos cheveux, / puis emporte un papier sur ma table / que je rattrape près du seuil. » Jean-Joseph Rabearivelo se consacre vers la fin de sa vie à sa chère ville natale. Il la décrit, amoureusement et minutieusement, tout au long de *Tananarive — ses rues, ses quartiers* [346], rappelant — semble-t-il avec quelque nostalgie — les coutumes, les richesses, les prestiges d'autrefois : « A l'époque où Andrianampoinimerina y installa de nouveau la royauté de l'Imerina, chaque Hova possédait entre cinq et cent cinquante esclaves, même plus parfois. Si on y ajoute les andrianas, les esclaves royaux et toutes les femmes et enfants, une ville de mille Hovas pouvait représenter, dès sa formation, plus de cinquante mille âmes. » En 1937, année même de sa mort, Rabearivelo écrit *Imaitsoanola, fille d'oiseau*, et recueille ses *Vieilles chansons des pays d'Imerina* [347]. C'est la sagesse résumée du tsiny et du tody : « Si les grands garçons, dit-on, sont vite enclins au remords, c'est qu'ils savent lever les yeux vers le ciel quand on les réprimande; si les petits garçons ne sont guère sujet au remords, c'est qu'ils s'obstinent à ne considérer que la terre quand on les réprimande. » Avant de se tuer, il détruit son journal intime, tenu depuis 1933. Cinq volumes, dit-on : en tout près de deux mille pages manuscrites. Ceci a pu être sauvé entre autres : « Le bruit, le bruit humain — vaines rumeurs de coquillages / pour les marins endormis du sommeil de la terre! / Le bruit, le bruit humain, toujours le même à travers les âges / et qui ne se dépouille que chez les morts d'un peu de vos misères. »

Le second grand poète malgache d'expression française est Flavien Ranaïvo. Né à Arivonimano en 1914, fils d'un gouverneur, il appartient à la plus authentique noblesse merina. Resté orphelin très jeune, Ranaïvo est élevé par une tante traditionaliste, et après le lycée prépare Saint-Cyr. L'enseignement privé, la participation aux Forces françaises libres, la direction d'un journal lui ouvrent une carrière d'homme politique et de haut fonctionnaire au ministère du Tourisme puis de l'Information. Ces succès s'accompagnent d'une intense vie intellectuelle. Ranaïvo lit et admire Alphonse Daudet, aussi Jean Paulhan, et après la guerre, en 1946, il donne à la *Revue de Madagascar* un premier texte : « Recommandation à de jeunes mariés ».

Dès lors, les activités littéraires de Flavien Ranaïvo

s'orientent de deux manières. Le prosateur prend la direction d'un *Grand Dictionnaire de Madagascar* [348], évoque *Les Hainteny* (1949), et fait paraître un essai intitulé *La jalousie ne paie pas* (1952). Quant au poète, il se révèle en 1947 avec *L'Ombre et le vent* [349]. Un bref recueil où — bien qu'il se dise disciple de Rabearivelo — Ranaïvo en diffère considérablement. On s'en rend compte à la lecture de « Chanson de jeune femme », de « Chercheuse d'eau » : « Colombe est-elle celle / qui dévale / le sentier rocailleux / et glisse telle / une pierre capricieuse / sur la pente abrupte / vers la fontaine? / Chercheuse d'eau. » Poète de l'introspection, de l'intimisme, certes. Mais à l'inspiration primesautière, populaire et branchée directement sur le monde malgache. Lisons encore « Vieux thème merina » : « Germent les plantes / poussées par les racines, / et je viens jusqu'à vous poussé par mon amour. / Aux cimes des grands arbres, chérie, / l'oiseau termine son vol : mes courses ne s'achèvent que ne sois près de vous ». Du point de vue stylistique, Flavien Ranaïvo va plus loin que Rabearivelo dans le maniement des temps forts, de l'antithèse; et le reste de l'œuvre va confirmer ces impressions. *Mes chansons de toujours* [350] (1955) comprend trois parties. La première est entièrement malgache, avec « Séparation », « Rencontre », « Chant pour deux valiha » (dédié à L. S. Senghor), « Entretien familier » : « Flamboie ce feu de brindilles : / un filet de fumée médite en secret; / craque ce feu de roseau : / le soupir du soir s'évade. » De « Monodie », deuxième partie du recueil, retenons « Regrets » et ces quelques lignes de « Nuits d'Afrique » : « L'ébène fausse de la nuit s'incruste / intégrale / dans le deuil du silence. » Enfin, l' « Adieu » à un ami qui quitte Madagascar : « Entends / le vent du soir / — les soirs bleus que vécûmes — / chanter la chanson tue / de l'île de ton rêve. » Robert Mallet, alors recteur de l'université de Tananarive, préface en 1962

Retour au bercail [351]. Le style en est encore plus rigoureux, net, habile dans l'utilisation des inversions, des ellipses. Voici « Si vous m'aimez », « Palmier » : « Palpitent / entre le soir et la brise / des nues océanes / ses mains aux doigts centuples; / non pas fantôme tremblant / mais ombre frileuse / qui se fait mal aux fraîcheurs d'Imerne. » Il faudrait lire également « Poème simple », « Les pêches », et « Anniversaire » qui semble résumer assez bien — à ce stade — la robuste philosophie de l'auteur : « Manguier je voudrais être : / vert dans les vents d'hiver, / opulent au cœur de l'été. »

Jean-Joseph Rabearivelo et Flavien Ranaïvo sont, d'une manière ou d'une autre et grâce à leurs différences mêmes, les introducteurs de la plupart des poètes d'expression française à Madagascar. Les uns, comme Randriamarozaka avec son *Illusoire ambiance* [352], sont proches de Rabearivelo et de la forme classique du hainteny : « Pas trop de tendresse, je vous en prie. / J'en mourrai certainement, / Je m'en rendrai fou, absent, / possédé, léger comme la feuille / au souffle pur de l'air automnal. » Regis Rajemisa-Raolison se rattache à cette même lignée. Son recueil *Les Fleurs de l'île rouge* [353] lui acquiert en 1948 une certaine notoriété. Il faut lire, parmi ces courts poèmes regroupés en deux parties (« L'amour de mon pays » et « Au fil du rêve »), « Le vannage », « Le bambou », « La nuit », « Méditation », « Mon seul bonheur », et « A une enfant », duquel nous extrayons ces lignes : « Ce soir avant que l'ombre ait fermé mes deux yeux, / Je voudrais, belle enfant, te fixer un instant, / Lire dans tes yeux bleus la vie au train joyeux / Que jadis j'avais, lors de mon printemps. » Michel-François Robinary est certes moins authentique. Les influences européennes (Sully Prudhomme, Musset) sont chez lui évidentes. On ne peut cependant ignorer *Sous le signe de Razaizay* [354] et *Les Fleurs défuntes* [355]. Stances et poèmes, annonce l'auteur, qui divise le recueil en quatre parties où alternent, en effet, des textes courts et longs. Nous retiendrons de la première partie (« L'amour ») les poèmes « Tout est clarté » et « A une passante ». « Amours emyrmiennes » (deuxième partie) est plus proche avec sa pointe d'érotisme du vrai hainteny de pure inspiration malgache. Afin de bien comprendre le passage suivant, souvenons-nous que l'acte d'amour est supposé se faire loin du rivage, à la montagne : « La fille d'Iarive au sourire moqueur / Se rend à la fontaine auprès de ses compagnes. / Les filles d'Iarive y répètent en chœur / Les hymnes recueillis au sommet des montagnes. »

La tradition hainteny inspire encore *Une Gerbe oubliée* [356] de Paul Razafimahazo. Mais déjà se remarque chez l'auteur toute une série de réminiscences romantiques, notamment dans « Coucher de soleil » : « Je suis assis devant le portail : le jour fuit, / Le disque lumineux va frôler l'horizon, / Dorant encore le haut sommet de nos maisons / Et les cimes aiguës des bois remplis de bruit. » Même coloration chez Fidelis-Justin Rabetsimandranto (*La Nymphe dorée* [357]) et surtout chez Jean-Louis Ranaïvoson. *Nostalgie* [358] fait de ce dernier le « poète du silence » (comme il dit lui-même), et de son recueil nous choisissons ces vers : « Pourquoi douter, mon cœur, / D'un lendemain meilleur / Après la nuit d'orage ? / Incessamment pleurer ? / ... Pourquoi désespérer / Sur ta riante plage ? » D'une tout autre étoffe — en revanche — est *Anarchiserie* [359], de Louis Sumski. Un des plus beaux poèmes du livre, « Mangeurs de bœufs », reprend un thème connu des légendes populaires kahary (le roi qui, le premier, a mangé du bœuf, et en a fait un aliment national) : « Le rassasiement est atteint avec la rosée matinale / et le bœuf se lève avec elle / dans les corps tachés d'herbe sale / ayant servi à essuyer la vaisselle / qui se brise sous leurs pieds nus et vifs / à quitter leur festin devenu tardif, / le ciel ouvrant brusquement ses portes / pour voir ce qu'il reste de chair morte. » Mais, bien vite, la dérive devient forte, qui nous emporte jusqu'à « Troubles » : « Dans le ciel on voit des extravagants / quand rasée, la tête se promène / dans la chaleur plombée de midi. / On voit la route pleine de doigts crispés / et les femmes qui sucent leur haine. » Plus loin encore des normes malgaches s'aventure « Les hommes » : « Les doux, les grands, les méchants fous se promènent / Et vivent de leurs folies / Comme chantent les oiseaux / Dans leurs arbres, au printemps. / Ils vont, fils des temps, / Marchant dans les cieux, sur les eaux, / Mangeant la terre, buvant les pluies, / L'esprit libéré de rênes. » A cette tendance de Sumski, et à ces tentatives, s'associe Paul Rakotonirina. C'est évident à lire son dernier recueil (*Seuil d'éternité* [360]). Cela ne l'est pas moins avec *Qu'importe* [361], qui est d'ailleurs signé conjointement par Sumski et Rakotonirina : « Regardez l'oiseau / Qui regarde l'eau / Où un poisson regarde / L'hameçon où ça barde / Car plein de petits sots / Tournent autour de l'asticot. »

Faut-il voir dans *Premiers visages* [362], recueil de poèmes publié en 1961 par Paul Randrianarisoa, un certain retour? Retour à l'inspiration proprement malgache, ainsi qu'il semble à lire « Terre rouge » : « Mes pieds étaient nus / et mon cœur / rouge / comme le sol que je foulais / Mes pieds étaient nus / et mon cœur / propre / pour marcher sur la Terre-Rouge / La grande terre de mes ancêtres / d'un noble pourpre / semblable à mon sang / en signe de nos pactes. » Retour au hainteny, avec « L'ombre que j'aime » : « Sur l'horizon saupoudré d'or et de rubis, / paille sèche de moisson / le jour naît. » En tout cas Jacques Rabemananjara, qui représente sans conteste à Madagascar l'actualité littéraire, est plutôt de ce côté-là. Il se réclame d'ailleurs ouvertement du hainteny et de son dernier représentant notoire, Jean-

Joseph Rabearivelo. Quelles différences, pourtant, dans la formation et la vie des deux écrivains! Rabemananjara est un homme moderne, engagé dans l'action politique et qui y réussit. Né en 1913 au sein de l'ethnie betsimisaraka, élevé chez les jésuites, licencié ès lettres de l'université de Paris, administrateur au ministère des Colonies, appelé très tôt à la politique par son sens national aigu, élu député en 1947, il est arrêté peu après et restera huit ans en prison. Ces épreuves et cette détermination font de lui une des principales personnalités de l'île, plusieurs fois en responsabilité gouvernementale, et actuellement vice-président de la République.

Les débuts littéraires de Jacques Rabemananjara datent d'avant 1940 et la deuxième guerre mondiale, quand il collaborait à la *Revue des jeunes*, de Tananarive. Déjà on remarque les images simples et splendides, la phrase harmonieuse — dira Senghor — « comme la marche des dieux et des princesses ». Telle est, en effet, la voie royale que suit le poète avec *L'Éventail de rêve*, *Aux confins de la nuit* et *Sur les marches du soir* [363]. Peut-être sentira-t-on se dégager de ces premières œuvres quelques effluves baudelairiens. Elles sont — par exemple dans « Intermèdes », « A l'orée du bonheur », « Symphonie lunaire », « Ranavalona III », « Le fleuve » — un héritage de Rabearivelo, auquel, d'ailleurs, un poème est dédié : « L'ange exilé des cieux qui porte le silence / se mire dans le fleuve où se fane le soir. / Et sur le bord tranquille où la paix vient s'asseoir / La nuit répand, suave, un vent de confidence. » Treize ans plus tard, lorsque paraît *Rites millénaires* [364], le poète atteint, dans la même veine, sa pleine maturité. Elle s'épanouit en de courts textes intitulés « Préludes », « Tourments », ou « Rien que message » : « Je t'apporte, déesse, un salut blanc comme la neige. / Un salut nouveau comme le printemps. / Je te l'apporte / riche de tous mes souhaits, de tous mes vœux inavoués. /

Mais quel message inédit / récitera l'oracle du Nord? » *Lamba* [365], paru peu après, s'infléchit, au long d'un poème presque parfait, des grandioses perspectives jusqu'ici évoquées à l'humaine tendresse : « Dans la courbe des longs sourcils / j'ai appris à l'apprivoiser, le vif hiéroglyphe, / qui d'un coup de paraphe a garanti pour nous les pages / blanches du bonheur. » Enfin, les deux derniers volumes de poèmes que nous connaissons, *Antsa* [366] et *Antidote* [367], ont ceci de commun de rassembler des textes relativement récents et d'autres plus anciens, dont certains écrits en 1947, à la prison Antanimora de Tananarive. *Antsa*, qu'a préfacé François Mauriac, présente une série de courts textes, non titrés, animés par la négrité et ses revendications : « Le vent souffle : / Liberté! / Le ciel vibre : / Liberté! / Le sol tremble : Liberté! » Quant à *Antidote*, édité en 1961, c'est un recueil de poèmes titrés, presque tous tournés vers les souvenirs de captivité. Tel est le cas, notamment, de l'important « Conte pour Bakoly » (rédigé en 1947), d' « Acrostiches de captif », et de « Complainte ». Voici l'éblouissante impression que ressent le prisonnier à la fenêtre de sa cellule : « Bleu, si bleu cet œil du ciel / derrière la vitre! / La vie en fleur entre mes cils. / L'azur entier dans mes paupières. / Bleu, si bleu cet œil du ciel, / derrière la vitre! »

On voit la perfection qu'atteint alors le poète. Mais, depuis longtemps déjà, s'affirmait parallèlement l'auteur dramatique. Proche du poète, d'ailleurs, comme le montre *Dieux malgaches* [368], dont il existe une version à lire et une autre destinée à la scène. L'action se déroule à Tananarive, au printemps 1863. Nous sommes à la cour du roi Radoma II. A la veille du débarquement des Blancs, la situation de l'île est troublée. Un drame familial contribue encore à l'agitation, le roi étant pris entre une princesse otage, sa maîtresse, le petit prince bâtard qu'il a eu d'elle, et les obligations de sa charge, que lui rappellent tour à tour un premier ministre roturier et un noble, devin de cour. La pièce est pleine de mouvement, de grandeur. Alentour murmure le peuple hova, inquiet, et quand le roi est tué, la catastrophe nationale, la perte de l'indépendance sont imminentes : « A quoi sert maintenant cet acier dont la lame / Brille du sang des bœufs tués en votre honneur ? / La race est régicide et son déclin est proche. / Déjà du Dieu des Blancs sonne la haute cloche. » *Les Boutriers de l'aurore* [369], écrit par Jacques Rabemananjara directement pour la scène, en 1951, pendant sa captivité, est tout aussi proche de la forme poétique. L'auteur utilise le vers libre, et la légende qu'il évoque retrace l'histoire supposée de son propre clan, d'origine malaise. Celui-ci aurait débarqué dans l'îlot de Nosy Mangabé, au nord-est de Madagascar (où Rabemananjara est effectivement né), et y serait resté fort longtemps avant que la mousson ne permette d'atteindre enfin la terre ferme, au fond de la baie d'Antongil. Les sentiments des uns et des autres pendant la période d'attente, la jalousie qu'éprouve la princesse Amanda à l'égard de la fabuleuse Madagascar à laquelle tous les hommes rêvent, sont les ressorts de cette belle pièce. Un voyant commente les événements à la manière des chœurs antiques : « L'homme est un animal à espoir, c'est ce qui fait aussi sa supériorité sur toutes les créatures. Les anges eux-mêmes ne connaissent point la vertu de l'espoir. » La dernière pièce de Jacques Rabemananjara, *Agapes des dieux* [370], se passe, dit l'auteur, « dans une petite souveraineté malgache, près du lac Tritriva, aux temps anciens. » Le site est célèbre, magnifique, et les amours de la jeune princesse Hanka avec le prince Ratrimo — un moment contrariées par des préséances familiales, sauvées enfin par l'esprit large et généreux de la reine — atteignent une exceptionnelle élévation. Un des protagonistes s'écriera : « Ce globe-ci est fait de boue. Il ne peut pas ne pas éclabousser qui le foule.

On ne peut même pas parler de divorce. C'est beaucoup plus grave. Le mal réside dans le fait même de l'existence terrestre. L'homme est le sanctuaire de l'esprit, mais il est aussi un réservoir d'immondices. »

Telles sont les passions qui animent Jacques Rabemananjara dans la force de son talent. Encore faudrait-il évoquer ce qu'écrit l'essayiste dans *Nationalisme et problèmes malgaches* [371]. Rabemananjara éprouve pour sa patrie un amour profond, et c'est volontiers qu'il rappelle une vieille coutume du pays : « Au moment de quitter l'île, il est de coutume de recueillir pieusement une parcelle de l'humus ancestral, de la mettre dans un sachet et de la porter toujours sur soi. L'espace n'aura pas raison de l'union physique entre la mère silencieuse et son fils séparé; le contact est assuré. » Le livre — et cela est significatif — sans évacuer les graves problèmes de l'heure (sous-développement, indépendance), justifie le patriotisme malgache comme fondement de la culture. Jacques Rabemananjara est sensible à toutes les composantes de la grande île : aux mystères cachés de la côte est, tout autant qu'à la négrité et à la chrétienté, à ses yeux complètement intégrées.

Ainsi se dessine, entre l'Afrique noire et l'Orient, sur cette voie royale dont nous avons parlé, la silhouette du particularisme malgache qui est l'inspirateur direct de la littérature d'expression française dans ce pays.

3) L'île Maurice

Cette petite île située à l'est de Madagascar, en plein océan Indien, si elle fut longtemps rattachée à la France, est d'obédience anglaise depuis 1810. Pourtant, aujourd'hui encore, sur les six cent mille Mauriciens — desquels cent mille vivent à Port-Louis — près de cent cinquante mille ont pour langue maternelle le français.

Tel est le milieu — à l'orée du monde noir et de l'expression française [372] — où s'épanouit le bel écrivain et poète Édouard Maunick. Chrétien et métis, Maunick est un Noir par choix, par option. Possédé — dira justement Pierre Emmanuel — des vertus nocturnes de l'homme (imagination, rythmes, affectivité, instinct prophétique, esprit d'enfance), il est pénétré aussi de symbolisme, de surréalisme, et manie une langue savante, moderne. Rien d'étonnant à ce que l'œuvre de cet écrivain marginal apparaisse de prime abord un peu disparate. Le critique littéraire donne des études sur *Aimé Césaire, poète noir de l'Amérique française* [373] et sur *Tchicaya u Tam'si, poète du Congo* [374]. Le poète débute avec *Ces oiseaux de sang* [375], et beaucoup plus tard publie des *Poèmes pour une femme noire* [376]. Il appartenait à Pierre Emmanuel de révéler la signification profonde des œuvres principales et d'abord de *Manèges de la mer* [377]. Une femme, Neige, dont la présence est partout ressentie parmi le jeu des sonorités : « Je suis mort avant toi / avant le signe du dedans de nous / j'avais contre la peau la preuve du printemps / mais qu'ai-je fait de vivre / sinon aborder la larme exacte / et l'exacte présence / qu'est-ce donc sinon solitude / maintenant que mon visage a fait le tour de ta main / la raison de parler assassine la raison de dire / tu trouveras à la place la clarté des draps morts. » Et un lieu de solitude exactement placé — aux yeux de l'insulaire qu'est l'auteur — entre terre et mer : « une année déjà que le langage se défend / j'ai jeté la mer à sa face en tentation / mer nue déshabillée de sa couleur / une année de manège en contre-feu tournant. » Des onze poèmes qui composent le volume retenons « Aborder la larme exacte », « Ayant pris force de mer », « Soleil noires feuilles », « Mer orfèvre », « Lettre d'hiver », « Essentiel d'un exil ».

Édouard Maunick s'y confirme l'admirable, le pathétique poète de la mer : « — Je t'écris de ce pays de janvier / où les oiseaux sont fous / pour confondre l'homme que je suis devenu / tu me lies à cette terre / la mienne est d'eau et d'herbe brûlée / rien ici n'appareille vers la Croix du Sud / — terre noire source claire / qu'importe la terre la source portera juste nom / le mur entre nous / n'a chair ni entrailles sentinelle veillant à genoux / je lui donne à vivre / ce que j'ai de peur le temps de tuer la couleur / de dire un nom d'arbre / lilas técoma tamarinier des soirs sorciers / car pour toi je sais / il n'est pas d'ombre qui ne soit feuillage assermenté / pour nous délivrer / en cette île là-bas qui voyage sur mon corps d'ici / je suis de la mer. »

Ces inspirations se retrouvent dans *Mascaret, ou le livre de la mer et de la mort* [378], préfacé par Jacques Howlett. Un ensemble d'importants poèmes, tous titrés, où la mystérieuse Neige est encore omniprésente : « elle gardait le même visage inexact d'avant mon rêve. Elle était NEIGE : enfin la permission que je souhaitais. Les cadrans brûlés ne l'inquiétaient aucunement. Au contraire, elle aimait presque cette mise à mort du temps. Elle lisait les poèmes de l'originel, m'assurait que je les avais écrits un jour de terrible cyclone, là-bas, sur mon île natale : c'étaient le vent, le feu, la pluie qui me les avaient dictés. Pourtant, ils étaient des mots tranquilles, sans bourrasque : c'était la vie vivante, me disait NEIGE qui faisait croire à leur tourmente. Je les relisais pour croire. Et je croyais. » Le thème de la mer, en une sorte d'approfondissement, revient, lancinant : « c'est ainsi chez moi ce besoin de vivre au bord des légendes de la mer / mais où donc leur commencement et quels chemins magiciens empruntés / qui ne sont pas terre de brillance ports anonymes et de crucifiements. » « Christ en l'île » apporte sa mesure métaphysique : « Ce que je vous avais cédé au nom de moi, sur cette terre difficile à prendre : paroles ouvertes sur la mer, tumultueux silences : mon amour d'être avec vous solidaires en lui, sinon en toutes choses belles : l'île, ici et l'universel. / Vous étiez témoins / je vous fais héritiers : / le don ira jusqu'à plus parole. Aplanissez les chemins du verbe, le poème indivise dépasse la promesse : il a porté la seconde naissance. » Enfin, le poète semble conclure par un texte où se mêlent prose et vers, et qu'il intitule, à la façon d'un testament, « Au bout de tout, la mer » : « Je pense aux choses vaines qui cherchent leur chemin sur la terre. Sorties de nous, elles s'en reviennent, n'ayant pas trouvé le sel : cette grâce seulement accordée à ceux coupables d'avoir démesuré le malheur d'être prisonniers de la mer : car la mer nous défend / au lieu-dit de nous-mêmes / n'étaient la prochaine rade / et l'anse ouverte comme ventre / l'exil nous manquerait / le huitième sacrement. »

La dernière œuvre d'Édouard Maunick, *Fusillez-moi* [379], est fidèle à ces prémices. Ce long poème est mouvementé comme la mer, qui pénètre jusque dans les maisons : « Maison / aux planches frottées de sable de bonne espérance / — on m'a raconté que les arbres étaient montés / des grands fonds le premier soir de leur solitude / (on m'a raconté ou est-ce la clé de l'enfance?) / depuis ils foncent vers le ciel abysse inverse / grands nostalgiques de caresses de corail-étoile. / ... Moi / Seul responsable de n'avoir pas de maison / parce que la voulant ouvrant sur l'innombrable / sans treize au repas de la mer exorcisée / sans sept au fronton de la mer déjà parfaite / parce que voulant demeure où pouvoir crier / éclater de ce rire métis qui ne tue pas. » Et l'île est une fois de plus magnifiée : « Il ne suffit plus de travestir chaque syllabe / pour désorienter la mort mais aussi incendier / ton île imbibée / de décalogue / d'ossement / de distance / de cicatrice / d'incertitudes / de mémoire / ton île en religion / elle promène temples mosquées pagodes basiliques / en laisse comme les seuls cerbères de ses horizons. » L'auteur prévient cependant que « ce poème n'a pas été écrit pour raconter l'Ile Maurice mais pour qualifier le pays natal : partir est une violence parfois insupportable. » Et en effet, moralement, Édouard Maunick quitte le pays natal et se dirige vers l'Afrique où des événements dramatiques l'appellent. Ainsi confirme-t-il — au moment de notre propre départ vers d'autres rivages — l'unité du monde noir au sein de la diversité, de la Mauritanie jusqu'à l'île Maurice, et plus loin encore.

8.

Le monde noir des Antilles et de l'Amérique du Sud

1) La République d'Haïti

Notre première étape à la recherche de l'expression française en diaspora noire est Haïti, l'une des Grandes Antilles. Plus précisément, puisque cette île est divisée en deux États, dans celui situé à l'ouest, avec pour capitale Port-au-Prince, près de vingt-huit mille kilomètres carrés de superficie, et trois millions et demi d'habitants. Ces Noirs et ces métis sont les descendants des esclaves africains déportés ici depuis le début du XVIe siècle. Ile à sucre, Haïti fut tout de suite très disputée entre les grandes puissances. Le sort de l'actuelle République d'Haïti s'est décidé en 1697, quand l'Espagne a cédé par le traité de Ryswick ce territoire à la France, et quand, environ un siècle plus tard, en 1804, le soulèvement de Toussaint Louverture a préparé les voies de l'indépendance. Les Haïtiens sont, dans leur immense majorité, chrétiens ou adeptes du Vaudou, religion qui vient de l'Afrique et, comme nous savons, particulièrement du Dahomey.

La situation de la négrité se définit ici à nouveau — d'une manière d'ailleurs en gros valable pour la Guyane, la Guadeloupe et la Martinique. Maurice Lubin fait appel à l'universalité de la notion de négritude : « La négritude n'est pas un fait limité, réduit au cadre restreint d'un pays, ou aux frontières d'un continent.

C'est d'abord un mouvement qui ne se localise pas, puis une doctrine dont les dimensions s'étendent à travers le monde [380]. » René Depestre — un poète dont nous reparlerons — cherche à caractériser cette négritude et à préciser ses origines : « Quant au mouvement de la négritude, il a jeté un regard profond sur le passé du Noir d'Amérique. Il est le fait d'une prise de conscience de la situation historique des Noirs. Il fait partie de l'effort global de la décolonisation, et d'un souci conscient de détruire les mythes et les stéréotypes du nègre. La négritude a trouvé son expression dans la littérature et l'art de deux et même déjà trois générations d'auteurs afro-américains et même africains. L'effort de reconnaissance et de valorisation de l'héritage africain date des années qui ont suivi le triomphe de la révolution haïtienne de 1804. Cette révolution victorieuse d'esclaves (la seule qu'ait connue toute l'histoire de l'humanité) fut en soi un acte de civilisation qui montra au monde entier que la liberté et la dignité humaine ont aussi un visage noir. Elle dégagea dans l'histoire universelle la personnalité de l'homme noir et permit à celui-ci, à travers une expérience sociale libératoire, de prendre une nouvelle perception de lui-même. » Depestre remarque, par surcroît, qu'à Haïti — où n'existe pas de langue vernaculaire proprement africaine ou américaine — il y a copénétration du Blanc et du Noir dans ce qu'il appelle un marronnage du français : « Dans certains cas, comme le prouve l'existence de la langue créole en Haïti, le marronnage linguistique (a) été couronné de succès. La résistance culturelle du Noir d'Amérique a remporté des victoires indiscutables dans la religion, le folklore, la musique, la danse... Sur le plan religieux le marronnage a donné des résultats très importants. Les travaux des ethnologues permettent de voir qu'il s'est établi tout un réseau clandestin et fécondant de correspondances et de complicités mythiques et rituelles entre les gestes et les représentations du christianisme et ceux des cultes yoruba, fon, fanti-ashanti, etc., originaires d'Afrique. Par ce vaste mouvement syncrétique de marronnage religieux " un masque blanc a été mis sur des dieux noirs "... Naturellement ces transmutations du Noir à travers le marronnage ne se sont pas exprimées dans des faits sociologiques et anthropologiques interchangeables et superposables, c'est pourquoi il y a autant de " négritude " que de sociétés afro-américaines [381]. » Les *Fables* de La Fontaine ont été traduites en créole sous le titre de *Cric-Crac*. Bien plus, certains poètes haïtiens, tels Tertullien Guilbaud, Massilon Coicou, Etzer Vilaire, Damoclès Vieux, Georges Sylvain, Duraciné Vaval se sont exprimés directement en créole, et cette langue a même donné naissance à quelques œuvres fort importantes, comme *Choucoune* d'Oscald Durand et *Haïti chérie* d'Othello Bayard. Parallèlement, au fur et à mesure que se répandait la culture, naissaient de véritables écrivains noirs d'expression française. Au début, ils restaient dénués de tout cachet particulier, s'efforçant simplement d'imiter les maîtres de la métropole. Ce fut le cas, entre autres, de Cariolan Ardouin (1812-1835) et de Charles-Seguy Villevaleix (1835-1923). Le premier à tenter de se singulariser fut Léon Laleau, né en 1892 à Port-au-Prince. Homme politique et diplomate, il est l'auteur de nombreux ouvrages d'inspiration proprement noire (*A voix basse*, publié en 1920 — *La Flèche au cœur* [382] — *Le Rayon des jupes* [383] — *Abréviations* [384] — *Orchestre* [385]), qui rendent le badinage à la mode créole.

A la vérité, tout tendait à changer depuis 1861, car la défaite de l'empereur Soulouque a remué profondément le peuple haïtien. La légèreté créole et le mimétisme blanc se mirent à reculer, et dans les lettres apparaît une « école patriotique » à laquelle se rattachent Alcibiade Fleury Battier (1841-1883.- *Sous les bambous* [386]) et Vendenesse Ducasse (1872-1902. — *Toussaint au fort de Joux*). Frédéric Marcelin (1848-1917) se distingue au sein de ce courant par son naturalisme à couleur locale (*La Vengeance de Mama* [387]). L'œuvre la plus considérable du naturalisme haïtien est *Mimola* (1906), d'Antoine Innocent (1874-1960). Une mère de sept enfants les voit disparaître les uns après les autres. Le dernier est lui-même mourant. Il n'est sauvé que par la conversion de sa mère au culte vaudou. Haïti est alors prête, semble-t-il, pour qu'une nouvelle école voie le jour et apporte un contenu positif à ce qui était resté jusque-là imprécis, accidentel ou velléitaire. Le véritable initiateur de cette nouvelle école, qu'on appellera indigénisme, du nom de la *Revue indigène* (1927-1928), est Jean Price-Mars (1876-1969). Sa forte personnalité — médecin, il devient ethnologue, ministre, ambassadeur, sénateur, recteur d'université —, et le succès de son ouvrage le plus connu : *Ainsi parla l'oncle* [388] (1928), lancent le mouvement, qui ne cesse de progresser de 1915 à 1934. C'est une prise de conscience de la vie populaire afro-américaine, le début du retour à la mère Afrique. Bien des hommes de talent s'y associent, chacun apportant à l'édifice sa contribution originale. Notamment Louis Morpeau [389], Émile Roumer (né en 1903), dont le recueil *Poèmes d'Haïti et de France* [390], publié en 1925, anime d'une langue populaire des images hardies, piquantes. Philippe Toby-Marcelins (né en 1904) accentue le courant exotique et anticivilisateur : « Ma joue appuyée contre la fraîcheur de l'aube, / jurant un éternel dédain aux raffinements européens / Je veux désormais vous chanter : révolutions, fusillades, tueries, / Bruit de coco-macaque sur des épaules noires, / mugissement du lambi, lubricité mystique du vaudou; / vous chanter dans un délire trois fois lyrique et religieux, / me dépouiller de tous les oripeaux classiques / Et me dresser un, très sauvage / Et très descendant d'esclaves. » Mais il faudrait tout citer du *Canapé vert* et de *La Bête de Mousseau*. Ce roman conte l'histoire dramatique d'un ivrogne que poursuit, partout, la « bête » vaudou [391]. Carl Brouard, dans *Le tam-tam angoissé* (non publié) et *L'Hymne à Erzalie* — qui est la déesse vaudou de la fécondité — prolonge ces recherches sur le plan mystique. Enfin, la tonalité surréaliste, sensible chez Jean Price-Mars, inspire particulièrement Magloire Saint-Aude, Maurice Casséus (*Viajo*, 1935), Félix Morisseau-Leroy (*Récolte*, 1946), Edriss Saint-Amant (*Bon Dieu rit* [392]). Peut-être aussi René Belance, né à Corail en 1915, inspecteur de l'enseignement puis de l'économie nationale, auquel on doit de nombreux recueils, tels *Luminaires* (1941), *Survivances* (1944), *Pour célébrer l'absence* (1944), *Épaule d'ombre* (1945). Belance est doué d'un esprit explorateur et d'une grande chaleur émotionnelle (voir, à ce propos, notre introduction).

Volontairement, nous avons omis de citer jusqu'ici Jacques Roumain. Principal cofondateur, avec Price-Mars, de la *Revue indigène*, actif collaborateur de toutes les revues qui suivent, par exemple *Les Griots* et *La Relève* (1932-1938), Roumain mérite une place à part. Mort prématurément en 1941, il est né le 4 juin 1907 à Port-au-Prince, dans une famille métis de bonne bourgeoisie. Ses études secondaires terminées, il voyage et fait des stages en Suisse, en France, en Allemagne, en Angleterre et en Espagne. Militant politique, il se passionne pour l'ethnologie, et enfin écrit. Alors les œuvres poétiques se succèdent : *La proie de l'ombre*, *La montagne ensorcelée*, *Les fantômes*, *Le sacrifice du tambour Assoto*, et *Bois d'ébène* [393], en 1938, qui fait sensation en mettant, à la fois, l'accent sur la politique et le folklore : « Nègre colporteur de révolte / tu connais les chemins du monde / depuis que tu fus vendu en Guinée / une lumière chavirée t'appelle / une pirogue livide / échouée dans la suie d'un ciel de faubourg. » Senghor considère Roumain comme un poète important. On est frappé, chez lui, à travers le surréalisme ambiant et l'utilisation savante de quelques tournures créoles, par ses dons de transmutation et de chant qui forcent les portes de la nuit. Dans la suite logique de son inspiration et de son action, Roumain devait se faire romancier. *Gouverneurs de la rosée* [394] met en évidence la condition misérable du paysan noir en Haïti. La rosée, la pluie, est à juste titre la préoccupation constante de Bienaimé : « Au fond de l'horizon montait tout à coup une rumeur confuse et grossissante, un souffle énorme et rageur. Les habitants attardés aux champs pressaient le pas, la houe sur l'épaule; les arbres ployaient soudain; un rideau de pluie accourait, violemment agité dans l'aboiement ininterrompu de l'orage. La pluie était déjà là : d'abord quelques gouttes chaudes et précipitées, puis, percé d'éclairs, le ciel noir s'ouvrait pour l'averse, l'avalanche, l'avalasse torrentielle. Bienaimé, sur l'étroite galerie fermée par une balustrade ajourée et protégée par l'avancée du toit de chaume, contemplait sa terre, sa bonne terre, ses plantes ruisselantes, ses arbres balancés dans le chant de la pluie et du vent. La récolte serait bonne. Il avait peiné au soleil à longueur de journées. Cette pluie, c'était sa récompense. » Roumain, qui montre le mécontentement des pauvres, l'agitation, la révolution en marche, insiste sur la situation particulièrement dure de la paysanne. Voici Délira au foyer : « Délira, elle, lavait les plats. Et elle chantait, c'était une chanson semblable à la vie, je veux dire qu'elle était triste : elle n'en connaissait pas d'autre. Elle ne chantait pas fort et c'était une chanson sans mots, à bouche fermée et qui restait dans la gorge comme un gémissement, et pourtant son cœur était apaisé depuis qu'elle avait causé avec Manuel, mais il ne savait d'autre langage que cette plainte douloureuse, alors, que voulez-vous, elle chantait à la manière des négresses; c'est l'existence qui leur a appris, aux négresses, à chanter comme on étouffe un sanglot. » Et voici un autre aspect de la pénible existence des femmes : « Sur la route, les paysannes conduisaient leurs ânes fatigués. Elles les encourageaient de la voix et l'écho affaibli de leurs cris monotones parvenait jusqu'à Manuel. Il les perdait de vue au gré d'un rideau de bayahondes, mais elles reparaissaient plus loin : c'était jour de marché et elles s'en revenaient, ayant encore un long trajet devant elles avant le coucher du soleil. » A ce style de roman se rattache *Les horizons sans ciel* de Jean Brierre. Celui-ci est né en 1909 à Jérémie. D'abord instituteur, il a fait carrière au département culturel des Affaires extérieures. Très militant, Brierre cultive la veine folklorique et, plus encore que Jacques Roumain, utilise la langue populaire. Poète, les titres de ses recueils reflètent ses préoccupations : *Petit soldat* (1930), *Le Drapeau de demain* (1931), *Nous garderons Dieu* (1944), *Black Soul* (1947) et *Découvertes* [395]. Enfin, dans la même lignée de romanciers que Jacques Roumain, il faut encore citer Milo Rigaud [396], (né en 1904) Petion Savain [397] (né en 1906) et Jean-Baptiste Cinéas (1895-1958). Tous gardent, de la commune origine indigéniste, le goût du folklore.

Jacques Stephen Alexis, un médecin, fils de diplomate, né en 1922 à Gonaives et mort en 1961 après avoir été arrêté pour être rentré clandestinement dans son pays, fait prendre à la littérature d'expression française en Haïti un tournant décisif. Tout en conservant un vif attachement à la pensée de Jacques Roumain, Alexis met l'accent dans ses romans — parfois au détriment du folklore propre à l'indigénisme — sur le militantisme anti-occidental et pro-africain. Il s'en explique au premier Congrès des artistes et écrivains noirs, à Paris en 1956, par un manifeste en faveur du « réalisme merveilleux », et précise son point de vue par cette définition de sa personnalité culturelle : « Comme on le sait, nègre, latino-américain et Haïtien jusqu'à la moelle des os, je suis le produit de plusieurs races et de plusieurs civilisations. Avant tout et par-dessus tout fils de l'Afrique, je suis néanmoins héritier de la Caraïbe et de l'Indien américain à cause d'un secret cheminement du sang et de la longue survie des cultures après leur mort [398]. » Les « Conditions d'un roman national chez les peuples noirs [399] » sont authenticité, accent revendicatif, choix du public. Voilà comment il faut comprendre, entre autres, *Le Nègre masqué*, une œuvre de débutant, et *Compère général soleil* [400], véritable roman social où, d'ailleurs, un des personnages principaux, Roumel, n'est autre que Jacques Roumain. *Les arbres musiciens* [401] s'inspire de la situation en Haïti vers 1941-1942. Une grande compagnie américaine de caoutchouc vient de s'implanter, et la lutte de l'Église catholique contre le vaudou bat son plein. *L'Espace d'un cillement* [402] a également une signification sociale et politique, que cache seulement en partie l'intrigue amoureuse d'Estrellita et Pancho. Jacques Stephen Alexis, avant de disparaître si tôt, a encore donné un recueil de contes, *Romancero aux étoiles* [403] et une pièce de théâtre, *Les Dollars*. Il laisse deux romans inachevés : *Églantine* et *Étoile absinthe*. Dans la même lignée qu'Alexis, il faut enfin rendre hommage au romancier des *Chiens* [404], Francis Joachim Roy, né en 1922, à Port-au-Prince, et mort à Paris en octobre 1969. Lui aussi laisse de nombreux textes inachevés.

Abordons l'actualité littéraire par un retour à la poésie. La belle œuvre de René Depestre, duquel Aimé Césaire a dit qu'il est « le poète de la fraîcheur, de la sève qui monte, de la vie qui s'épanouit, du fleuve de l'espoir qui irrigue le terreau du présent et le travail de l'homme », en est l'occasion. Héritier à la fois de Jacques Roumain et de Jacques Stephen Alexis, Depestre donne d'abord, de 1945 à 1956, quelques recueils tels *Étin-*

celles, Gerbes de sang, Végétation de clarté [405], *Traduit du large* [406], *Minerai noir* [407]. Le *Journal d'un animal marin* [408] fonde la notoriété du poète. Quarante-cinq textes, tous titrés et ayant la plupart pour thème la mer, sont là réunis en un merveilleux bouquet. En particulier, « Sur la mer », « Port de mer », et le magnifique poème « La petite lampe sur la mer » : « Haïtien attelé au soc / Du lait tendre au petit matin / Né pour caresser le printemps / Son destin descend à la mer / Où il trouve une jeune lueur / De toute beauté une lampe. » Le poète dédie aussi beaucoup à la femme. Vers elle il lance un « Cri de paix » : « Tu ouvres ce soir des yeux merveilleux / Tu regardes les hommes, la terre, la vie / Tu as des yeux sur tout le corps / Ta bouche regarde, tes poumons aussi / Tes mains ouvrent cinq paires d'yeux / Ton ventre ton sexe tes pieds / Par la vue prennent possession / De l'écorce somptueuse du monde. » Une fée rappelle que « Tous les hommes sont de couleur » : « On me parla d'une petite fée / Qui vit dans une étoile lointaine. / Une nuit elle me donna à aimer / Sa jeune peau sans couleur. / J'aimai ses seins, son enfance, / Ses cuisses, ses secrets, ses cris / Ses nuages, son ventre, ses vagues / Et les papillons sans couleur / Qui volaient dans son silence. /Au moment de nous séparer / Là-haut dans son étoile / En guise d'adieu son corps de fée / Dessina au beau milieu du lit / Un arc-en-ciel. » Et, la « Merveille d'être au monde » est encore symbolisé par une femme : « Laissez-moi crier ma joie de vivre / Laissez ma joie frapper à vos portes / Laissez-moi peindre ma joie sur tous les murs : / O joie de la terre au matin / O joie de la mer à midi / O joie de la femme qui ouvre / ses îles vertes / O joie de l'amour au goût / de jeune femme ! » Avec *Un Arc-en-ciel pour l'Occident chrétien* [409], René Depestre adopte un style plus complexe et change de thème. Ce recueil, fait de vers et de prose poétique alternés évoque les mystères vaudou. Dans « Prélude » se dresse le poète vengeur : « Oui je suis un nègre-tempête / Un nègre racine-d'arc-en ciel / Mon cœur se serre comme un poing / Pour frapper au visage les faux dieux / Au bout de ma tristesse / Il y a des griffes qui poussent / Je fais sauter mes ténèbres / En mille matins de lions. » Puis le long poème « Épiphanie des dieux du vaudou » égrène leurs noms et magnifie leurs étranges vertus : « Je suis Ti-Jean Sandor / Je suis le Prince Sandor / Je suis un coq-pied-fin / Je suis Ti-Jean-pied-sec / Je perche mon cœur / Au sommet d'un palmier / Je sers des deux mains / Je marche à reculons / Bras croisés dans le dos / Je fais éclater devant moi / Des charges de poudre. » La « Cantate à sept voix » ouvre ensuite un dialogue, que prolonge « Les sept pilliers de l'innocence ». Parmi les innocents, Makandal. Voici son ode : « Par pouvoir d'Ayizan Poumgoué négresse-Fréda-Dahomey / Négresse-cisa-fleur-vaudou par pouvoir de mes lauriers / Je ramène Makandal du fond de la mer / Je le fais monter tout droit dans ma tête / Le voici avec nous le premier dans sa lignée végétale / Le premier poison le premier raz de marée. » Suivent, en prose, des « Aphorismes et paraboles du nouveau monde », et « Pour un nouvel âge du cœur humain », où René Depestre livre, précisément, son cœur et sa philosophie.

Tandis que celui-ci continue activement son œuvre, des poètes plus jeunes confirment leur autorité. La vie d'Anthony Phelps mérite d'être rapportée. Né en Haïti le 25 août 1928, dès ses études secondaires terminées il visite les États-Unis et s'installe au Canada. Phelps y étudie successivement la chimie, la céramique et la photographie. De retour dans son pays, il se consacre cependant entièrement à la littérature. Trois recueils d'influence surréaliste sont publiés : *Été*, *Présence* et *Éclats de silence*. Phelps collabore à la radio et à divers revues et journaux.

Il fonde avec les poètes Davertiges [410], Lagagneur, Morisseau [411] et Philoctète le groupe « Haïti littéraire », dont le moyen d'expression sera bientôt la revue *Semences* (d'où, en 1949, *Les Semences de la colère*). S'intéressant de plus au théâtre, il crée la troupe de comédiens « Prismes ». Arrêté, expulsé, Anthony Phelps vit maintenant à Montréal. Il vient d'y faire paraître *Points cardinaux* puis *Mon pays que voici...* [412], composé de brefs poèmes — « Pour ceux que j'aime », écrit en prison, « Fleur Soleil », « Les anges de la pleine lune » — qui précèdent un très beau texte, important, au souffle puissant, voué à la femme : « A l'orée des chaleurs nous vivions à l'extrême / sous la poussée de forte sève / dans un éclatement de grenades / mûries à la tombée du soir / Nos voies royales se paraient du balancement des femmes / Les filles aux seins nus mimaient devant le temple / sur le parvis de granit rose et vert / la lente danse des vestales / Et les jupes de soie aux savantes mouchetures / suivaient à contretemps le mouvement des hanches. » Plus loin, Phelps se tourne fièrement vers son pays : « Étranger qui marches dans ma ville / souviens-toi que la terre que tu foules / est terre du poète et la plus noble / et la plus belle / puisque avant tout c'est ma terre natale / Nos mains calleuses sont d'airain / et notre chair est douloureuse / d'avoir manié la pioche / sous la trique du commandeur / Mais nous avons acquis ce port altier / ces gestes lents / à force de lever la tête / vers nos palmiers et nos montagnes / et la chaleur de nos regards est un don du ciel bleu. » Ce pays, il le rattache toujours à l'Afrique ancestrale : « Chevaliers de la forêt vierge hommes des vastes terres / et des grands espaces libres / peuplés de fauves et grandis de soleil / je remonte de vous / car nos angles faciaux sont de même degré / et j'ai mémoire en moi de brousses d'amulettes / de faces peintes de couleurs vives / et de gestes rituels / lorsque dans la nuit lourde et dense / monte la lune mélancolique et réservée / Chevaliers de la forêt vierge hommes des vastes terres / mes pas procèdent de vos pas / et mon pays est un éclat de votre continent / une tête de pont sur la mer Caraïbe. » *Les dits du fou aux cailloux* [413] reprend le sujet du pays natal, mais cette fois avec combien de nostalgie et de tendresse : « Vénération des lampes sous la gaucherie de l'hiver / Blanche la caresse et blanche la vitre / Entends les mots qui se brisent à la cadence des flocons / femme silencieuse épiant la venue du poème / prunelle ouverte et qui me couve / à cœur battant / femme tamisée / cette maison n'est pas silencieuse / un fantôme fait marcher le plancher / corps de mes mots que je pétris / cœur de mes mots passe partout / mon pays se refait un visage par-delà givre et glaçons / aux barreaux des points cardinaux / mon pays marche à mes côtés. » Enfin, avant de clore sur la jeune poésie à Haïti, encore un nom : Dieudonné Garçon, qui vient d'obtenir le prix « Zone des tempêtes » pour son recueil *Poèmes des trois continents* [414].

Autre talent récemment découvert : Gérard Chenet. Après une vie aventureuse — il a participé aux révoltes à Port-au-Prince en 1946 — Chenet s'adonne à la littérature. Il fait des adaptations théâtrales, notamment pour Djibril Tamsir Niane, et a écrit lui-même une fort belle pièce, *El Hadj Omar* [415], que Jean Brierre a préfacée. Cette « chronique de la guerre sainte » — comme dit l'auteur — conte l'histoire, vers 1850, d'un réformateur de l'islam, d'origine toucouleurs. Venu des rives du Sénégal, il va faire à La Mecque son pèlerinage, et au retour fonde une *zaouia*, un couvent, en Haute-Guinée. Autour de lui se groupent des *talibés*, des adeptes, et dès qu'il se sent suffisamment fort El Hadj Omar pénètre dans le royaume animiste des Diallonkés, où le roi Yimba Sakho est forcé de lui faire accueil. El Hadj Omar veut rétablir la puissance ancienne des Diallonkés en les faisant accéder à un islam amendé, adapté à leurs mœurs. Ils pourront alors contrebalancer efficacement l'islam officiel de l'empire du Macina, qui est à l'époque fort hostile aux peuples malinké et toucouleurs. Mais l'invasion colonialiste, sur les pas du général Faidherbe, vient contrecarrer ces projets. De multiples personnages bien campés animent cette passionnante aventure géographique, psychologique et morale. Il y a le griot, le chef fétichiste, la princesse Aïssata, épouse d'El Hadj Omar et fille du sultan de Bornou, une princesse massassi, Aïcha, qui représente le rêve, des marchands, des guerriers, des envoyés divers, et au centre de tout cela, El Hadj Omar lui-même, qui prêche la croisade : « Ah! oui, la vérité trouvera toujours un écho dans les âmes ferventes. Ah! Mes enfants, j'ai parcouru du pays, j'ai battu la savane, j'ai frayé mon passage à travers la forêt, le sable du désert s'est longtemps creusé de l'empreinte de mes pas. En vain, sur les chemins du Soudan, j'ai cherché la marque des hommes. J'ai vu des villages, mais pas des villages d'hommes : j'entends d'hommes libres. Ah! Malheureuse Afrique où chaque chef de tribu pense à enclore son pâturage, sa réserve d'êtres humains. Ce temps est révolu, mes enfants. Je viens établir un règne de justice. Joignez vos forces pour le soutenir. Unissez-vous contre l'orgueil des grands; leur système n'est pas de chez nous. »

Gérard Chenet prépare une autre pièce, *Les Trois sœurs guelowar*, et un roman, *Zombis goûter sel*. Avec lui la boucle est bouclée et le rapprochement définitivement accompli entre la littérature d'expression française en Haïti et la terre d'Afrique.

2) La Guadeloupe

Passons des Grandes aux Petites Antilles, et débarquons à la Guadeloupe, dont les deux îles accouplées, Grande

Terre et Basse Terre — sans parler des dépendances alentour — ont une superficie totale d'un millier de kilomètres carrés, avec quatre cent mille habitants. Beaucoup de ce qui a été dit de l'histoire et du peuplement d'Haïti reste valable. Les Noirs ont été amenés ici au début du XVIe siècle, la lutte pour la suprématie étant vive entre l'Angleterre et la France pendant tout le XVIIe siècle, et cette dernière puissance l'emportant en 1815.

Telles sont les origines de la population noire et de l'expression française à la Guadeloupe, où n'existe pas la contrepartie d'une véritable langue vernaculaire. Dans ce contexte, un des mérites de l'excellent poète Paul Niger — né à Basse Terre, la ville principale, en 1917, et mort en 1962 — est d'avoir su prendre le relais du mouvement indigéniste lancé à Haïti. Niger est un beau poète, violent et tendre, qui, sans adopter ouvertement les thèses de la négritude, restitue pourtant aux Noirs de la Guadeloupe leur inspiration spécifique. Son œuvre est courte, et on retient, parmi les poèmes et les textes de prose poétique, ce passage de *Lune* [416] : « Sur la paume des papayers, à l'aisselle nue des bancouliers, pèse la fluence de la lune, et les grands arbres noirs ordonnancent l'ombre au flanc des routes d'avenir. » En 1954, Paul Niger a donné *L'Initiation* [417], qui marque ses progrès selon la même veine.

L'autre poète de notoriété à la Guadeloupe est Guy Tirolien. Né à Pointe-à-Pitre en 1917, comme Paul Niger il a poursuivi une œuvre intéressante depuis *Balles d'or* [418], *Prière d'un petit enfant nègre*, jusqu'à *L'Ame du pays noir* [419], recueil qui remonte à 1943. Il renonce déjà en partie au folklore antillais des indigénistes pour se tourner vers l'Afrique, et particulièrement vers les hommes et les femmes de Guinée, pays d'origine d'une large majorité des Guadeloupéens : « Tes seins de satin noir rebondis et luisants / tes bras souples et longs dont le lissé ondule / ce blanc sourire / des yeux / dans l'ombre du visage / éveillent en moi ce soir / les rythmes sourds. » L'inspiration des derniers venus en Haïti est assez proche de celle de Tirolien.

3) La Guyane française

La halte sera courte en Guyane française, territoire de l'Amérique du Sud de quatre-vingt-dix mille kilomètres carrés, situé en bordure de l'Atlantique, et rattaché à la France avec ses cent mille habitants. Un seul écrivain d'expression française peut être cité ici. Mais il est important, Léon Damas étant un des principaux initiateurs de la négritude, et très estimé par Léopold Sédar Senghor.

Né à Cayenne en 1912, Damas a fait ses études secondaires à la Martinique, puis du droit à Paris. Au long de son œuvre — *Névralgies* [420], *Pigments* [421] en 1934, *Graffiti* [422] en 1952, *Black label* [423] en 1956 — s'accentuent de recueil en recueil les traits caractéristiques du poète populaire, qui utilise volontiers les tournures créoles, et chez lequel le rythme l'emporte sur la mélodie. Quant au fond, Léon Damas est avant tout un poète de la négritude, qui se laisse ensorceler par les prestiges africains. Il faut lire du recueil *Pigments* les poèmes intitulés « Hoquet », « Bientôt », « Obsession ». Parfois Léon Damas — ainsi dans « Nuit blanche » — pratique l'humour et use de la dérision : « Mes amis j'ai valsé / valsé comme jamais mes ancêtres / les Gaulois / au point que j'ai le sang / qui tourne encore / à la viennoise. »

4) La Martinique

Pour notre dernière escale à travers le monde noir, nous revenons aux Petites Antilles et abordons à la Martinique, île d'un millier de kilomètres carrés, peuplée de plus de quatre cent mille habitants. La ville principale est Fort-de-France, fondée peu après 1635, quand les Français s'installèrent et qu'affluèrent les Noirs d'Afrique.

Un passé, somme toute, parallèle à celui de Haïti ou de la Guadeloupe. Voilà pourquoi l'évolution de la littérature d'expression française à la Martinique est, elle aussi, du même ordre. René Maran, en quelque sorte le fondateur, né à Fort-de-France en 1887, est cependant de parents guyanais. Professeur, romancier et poète, conteur, critique, son roman *Batouala* [424], qui obtient en 1921 le prix Goncourt, prend le tournant qui mène de l'indigénisme à l'africanité. L'action se déroule en Oubangui-Chari. Batouala a neuf femmes, et nous assistons à la vie quotidienne là-bas, que rythment les cérémonies, les chasses, et qu'animent les passions. La première femme est fort attachée à son mari, mais il la néglige quelque peu, et elle se laisse tenter par un jeune chasseur : « C'était un beau gars, tout de même, que ce Bissibi'ngui ! Et merveille que de le contempler, les soirs où il dansait la danse du désir qui s'offre et ne se refuse que pour mieux s'offrir ! Et voilà qu'elle se rappelait le rendez-vous que ce chenapan avait trouvé moyen de lui fixer la veille, avant de s'en aller on ne sait où ! Étonnée de son audace, elle n'avait rien trouvé à lui répondre. Or, ce rendez-vous... Bissibi'ngui devait déjà l'attendre à l'endroit convenu. Irait-elle ou n'irait-elle pas l'y rejoindre ? » Ainsi est décrite — pour la première fois avec un retentissement international — la misère morale des Noirs sous l'autorité des colons. Et pourtant, quel décor de paradis se dresse alentour : « Routes de brousses, si mouillées au matin et si fraîches ; parfums moites, molles senteurs, frissons d'herbes, murmures et, entre les feuilles, friselis pressé de la brise ; fumées, bruits vivants, tam-tams, appels, cris, éveil, éveil ! Ah ! trop haut, sur les arbres, chantent les oiseaux : trop haut tournoie et tournoie le vol des charognards! Trop haut est le ciel dont semble l'azur incolore à force de lumière! La belle journée! »

Si le reste de l'œuvre a moins de retentissement, son mérite est pourtant grand. René Maran est l'excellent conteur de *Youmba, la mangouste* [425], tout à fait selon la tradition africaine que nous connaissons bien. Youmba regarde et écoute les autres animaux : « La brousse de Djouma tendait cependant à devenir le refuge de toutes sortes d'animaux. Bœufs sauvages et antilopes y paissaient à demeure, tandis que sangliers et phacochères y vagabondaient flanc à flanc. Quant aux oiseaux, c'était merveille de les entendre. Souïmangas et tourterelles, mange-mil et mange-miel, foliot-tocols, hochequeues, perdrix et pintades entrecroisaient les mailles de leurs piaillis, de leurs babils, de leurs roucoulements, de leurs chants, de leurs cris, montaient, à tire d'aile, si haut qu'ils pouvaient monter, et cherchaient à saisir, dès qu'ils avaient atteint le point culminant de leur vol, aux pâles confins de l'horizon, les signes avant-coureurs de la saison sèche. Youmba ne s'était jamais vue à pareille fête. » Il faut citer encore, du même genre, *Djouma, chien de brousse* [426], *Bêtes de brousse* [427], *M'Bala l'éléphant* [428], *Djogoni* [429], *Bacouya, le cynocéphale* [430]. Avec *Le Livre de la brousse* [431], l'auteur élargit l'horizon, hommes et bêtes mêlés : « C'est l'aube. Sur la route de Kémo, dans la direction des M'Boulous, un tam-tam s'est éveillé avec elle. Il appelle l'espace, lui donne les dernières nouvelles du cru, en réclame d'autres, en échange... Alors la brousse s'anime, en proie à une joie panique. Les tam-tams exultent. Plus rien n'existe qu'eux. La frénésie de leurs rythmes, gagnant de proche en proche, gorge enfin les plus lointaines étendues d'une trépidation à laquelle participent : bourdonnements, crissements, coassements, croassements, gloussements, bêlements, raquements, aboiements, friselis, gazouillis, clapotis, appels, cris, chants, stridulations, rires, froufrous des termites, martèlements de pilon, les mille bruits humains, animaux, végétaux ou vermineux de la nature en fête et de la terre en travail. » Le dernier ouvrage de René Maran — d'ailleurs posthume, puisqu'il paraît en 1962, alors que l'auteur a disparu depuis deux ans — est un roman. *Un Homme pareil aux autres* [432] adopte la forme d'un journal intime où le Noir Jean Veneuse, petit fonctionnaire colonial, relate ses impressions quotidiennes. C'est l'occasion pour nous de parcourir encore une fois l'Afrique, dont René Maran fait une description pittoresque et vivante. Nous voici en vue de Brazzaville : « Le crépuscule enlise Brazzaville, puis la nuit. Tantôt douces, tantôt âcres, d'aériennes houles propagent en se fuyant l'odeur de la poussière et celle de la citronnelle et des mangues mûres. Rainettes et crapauds coassent. Des oiseaux de nuit bouboulent. Les cigales agacent l'ombre. Des grillons stridulent. Lourdes de rosée, de hautes herbes cloutées de vers luisants murmurent aux arbres, qui les chuchotent de branche à branche et de feuille en feuille, les confidences des brises confuses, tandis qu'afin de rendre la nuit plus claire, d'innombrables lucioles nouent, dans tous les points où l'ombre est particulièrement épaisse, de minuscules farandoles vertes, que les chauves-souris dispersent du zigzag de leur vol brusque et velu. Au loin vagissent les chutes de Stanley Pool. »

Les œuvres poétiques de Gilbert Gratiant [433] (né à Fort-de-France en 1901, agrégé d'anglais) et d'Étienne Lero (né en 1909, mort à Paris en 1939) constituent, au cours de l'histoire littéraire de la Martinique, en même temps une diversion et un relais. Gratiant est une diversion parce qu'il revient pour partie à l'indigénisme, à l'originalité culturelle des Antilles, au folklore et à l'utilisation du créole (on connaît de lui peu de poèmes en français). Mais il est un relais parce qu'il est à l'origine de l'important mouvement littéraire de 1927, dont l'efficace organe d'expression fut *Lucioles*. Lero est une diversion parce qu'il introduit à la Martinique — en dépit que le poète se targue volontiers de ses ancêtres Bambaras — Rimbaud, Lautréamont, André Breton, généralement le surréalisme et aussi Marx et Freud. Tous maîtres fort éloignés des Antilles et de l'Afrique. *Sur la prairie* [434] permet de faire, à ce propos, le point : « Sur la prairie trois arbres prennent le thé / Tes mains sont cachées / Mes mains sont cachées / Une seule bouche et l'heure d'été / Laisse-moi jouer au jeu de l'habitude / Beau paquebot aux lignes de mes mains. » Mais Lero est un relais parce qu'avec d'autres étudiants martiniquais, tels René Menil et Jules Monnerot, il contribue à la parution de la revue *Légitime défense* et au lancement du mouvement auquel va bientôt s'associer Aimé Césaire.

Ainsi débouchons-nous sur cette importante figure du monde littéraire noir d'expression française. Aimé Césaire est né en 1913 à La Basse Pointe. Son père — petit fonctionnaire —, sa mère et six frères et sœurs y habitent une maisonnette au bord de la mer. Une bourse permet au jeune Aimé de poursuivre ses études au lycée Schœlcher de Fort-de-France, puis à Paris au lycée Louis-le-Grand. Ensuite, c'est l'École normale supérieure, d'où Aimé Césaire sort agrégé des lettres. Entre-temps, encore jeune cagneux, il s'est intéressé à *Légitime défense*. Il en deviendra bientôt, en compagnie notamment de Léopold Sédar Senghor (son aîné de sept ans), de Louis Damas — les deux autres futurs « grands » de la négritude — un des principaux dirigeants. La fondation en 1934 de *L'Étudiant noir* est d'ailleurs, nous le savons déjà, l'occasion deux ans plus tard de proclamer la négritude. Césaire épouse une jeune Martiniquaise, Suzanne Roussi, et il revient en 1939 à la Martinique, où il enseigne au lycée de Fort-de-France dont il a été un brillant élève. En 1940, Césaire anime, avec René Menil, Ariste Maugée et quelques jeunes littéraires martiniquais, une nouvelle revue locale : *Tropiques*, de tendance nettement surréaliste. Mobilisé, résistant, Aimé Césaire — qui a adhéré au parti communiste — est élu, après la Libération, maire de Fort-de-France et député à l'Assemblée nationale. Quatorze ans plus tard, il quittera le parti communiste et fondera le parti progressiste martiniquais. Il en est toujours le président.

Qu'est donc la négritude pour Aimé Césaire ? Pas plus que pour Senghor ou Damas une étiquette en soi suffisante, car avant tout compte la valeur de l'œuvre, la vraie poésie. Mais quelque chose d'assez différent des conceptions de Senghor ou Damas : plus qu'une disposition naturelle, un acte, un combat : « Le nègre de tous les jours, dont toute une littérature a pour mission de dénicher le grotesque, ou l'exotisme, (la négritude) en fait un héros, (elle) le peint avec sérieux, passion. » Et Césaire ajoute : « Créer un monde, est-ce peu de chose ? Là où s'étalait l'inhumanité exotique du magasin de bric-à-brac, faire surgir un monde. » Césaire a en effet donné — de manière différente de Senghor ou Damas — une forte impulsion à la prise de conscience culturelle du monde noir. Il n'est pas surprenant, alors, qu'un tel effort s'accompagne de toute une série d'autres engagements. L'un d'entre eux se manifeste dans le *Discours sur le colonialisme* [435], un autre dans la *Lettre à Maurice Thorez* [436]. *Toussaint Louverture* [437] décrit, enfin, les racines historiques locales, aux Antilles, de l'ensemble des options d'Aimé Césaire. C'est un livre important, qui étudie tour à tour à Saint-Domingue-Haïti la « fronde des grands Blancs » (pendant les États généraux de France), la « révolte mulâtre » et la « révolte nègre », celle de Louverture lui-même.

Si l'on compare l'œuvre proprement littéraire de Senghor et de Césaire, on trouve chez le premier plus de gravité, de recueillement, d'exubérance; chez le second plus de dépouillement, de recherche sémantique par la manipulation de la langue. Il n'y a rien de surprenant à ce que Césaire soit, au moins au début, fortement chargé de refus, de revendication, d'amertume. Rejet des premiers maîtres — Verhaeren, Leconte de Lisle, Mallarmé, Rimbaud — qui avaient impressionné le lycéen, l'étudiant, dont les ébauches sont d'ailleurs détruites au moment de l'entrée à l'École normale. La rédaction du *Cahier d'un retour au pays natal* [438] marque une seconde étape. Ce texte important, au titre par lui-même significatif, est d'un seul tenant de prose et vers mêlés. L'auteur, qui revient effectivement à cette époque de France, aperçoit les côtes martiniquaises : « Au bout d'un petit matin bourgeonnant d'anses frêles les Antilles qui ont faim, les Antilles grêlées de petite vérole, les Antilles dynamitées d'alcool échouées dans la boue de cette baie, dans la poussière de cette ville sinistrement échouées. » Enfin, troisième réaction, Aimé Césaire, poursuivant un effort concerté de désaliénation, fait à son tour mouvement vers l'Afrique. Simultanément il adhère au surréalisme, manière naturelle, selon Jean-Paul Sartre, de « dégorger sa blancheur ». C'est alors qu'André Breton découvre « la parole d'Aimé Césaire, belle comme l'oxygène naissant », dans la revue *Tropiques*, qui publie les premiers poèmes des *Armes miraculeuses* [439]. Il faudrait tout citer de ce fort beau recueil. En particulier « Avis de tir » et « Les purs sangs », dont nous extrayons ce passage en forme de déclaration : / Homme! / Et voici l'assourdissement violet / qu'officie ma mémoire terrestre, / mon désir frappe aux états simples / Je rêve d'un bec étourdi d'hibiscus / et de vierges sentences violettes / s'alourdissant aux lézards avaleurs / de soleil / l'heure bat comme un remords la neige d'un soleil / aux caroncules crève la patte levée / le monde... / Ça y est. Atteint. Comme frappe / la mort brutale. Elle ne fauche pas. / Elle n'éclate pas. / Elle frappe silencieusement / au ras du sang, au ras du cœur, / comme un ressentiment, / comme un retour de sang. / Floc. » Plus loin, on retient « Batéké », « Soleil serpent », et le court texte « Visitation » : « ô houle annonciatrice sans nombre, sans poussière de / toute parole vineuse / houle et ma poitrine salée des anses des anciens jours / et la jeune couleur / tendre aux seins du ciel et des femmes électriques / de quels diamants / forces éruptives traces vos orbes. » « Les armes miraculeuses », qui donnent leur titre à l'ensemble, sont, comme on voit, les armes de la violence poétique : « Le grand coup de machette du plaisir rouge en plein front il y avait du sang et cet arbre qui s'appelle flamboyant et qui ne mérite jamais mieux ce nom-là que les veilles de cyclone et de villes mises à sac le nouveau sang la raison rouge tous les mots de toutes les langues qui signifient mourir de soif et seul quand mourir avait le goût du pain et la terre et la mer un goût d'ancêtre et cet oiseau qui me crie de ne pas me rendre et la patience des hurlements à chaque détour de ma langue / la plus belle arche et qui est un jet de sang / la plus belle arche et qui est un cerne lilas / la plus belle arche et qui s'appelle la nuit / et la beauté anarchiste de tes bras mis en croix / et la beauté eucharistique et qui flambe de ton sexe / au nom duquel je saluais le barrage de mes lèvres / violentes. » Après « Femme d'eau », « Perdition » est déjà très africain : « nous frapperons l'air neuf de nos têtes cuirassées / nous frapperons le soleil de nos paumes grandes ouvertes / nous frapperons le sol du pied nu de nos voix / les fleurs mâles dormiront aux critiques des miroirs / et l'armure même des trilobites / s'abaissera dans le demi-jour de toujours / sur des gorges tendres gonflées de mines de lait. » « Tam-tam de nuit », qui suit, est d'une façon voilée tout aussi africain : « Train d'okapis facile aux pleurs la rivière aux doigts / charnus / fouille dans le cheveu des pierres mille lunes miroirs / tournants / mille morsures de diamants mille langues sans oraison / fièvre entrelacs d'archet caché à la remorque des mains / de pierre / chatouillant l'ombre des songes plongés aux simulacres / de la mer. » Deux longs textes apportent une espèce de conclusion. Le premier, « La forêt vierge », est en prose poétique : « Où allez-vous ma femme marron ma restituée ma cimarronne il vit à pierre fendre et la limaille et la grenaille tremblent leur don de sabotage dans les eaux et les saisons. Où allez-vous ma femme marron ma restituée ma cimarronne le cœur rouge des pierres les plus sombres s'arrête de battre quand passent les cavaliers du sperme et du tonnerre De tribord à bâbord ne déchiffre pas les paroles du vent de bâbord à tribord les îles du vent et sous le vent la démence qui est la figure du printemps c'est midi je te sais gré de tes fantômes heure seule et la première pour la Virgen de la Caridad et son frais minois d'exaction coloniale. » Le second texte de clôture, « Le grand midi », est un édifice purement poétique : « Mon beau pays aux hautes rives de sésame / où fume de noirceurs adolescentes la flèche de mon / sang de bons sentiments ! / Je bourlingue / gorge tendue à travers les mystérieux rouissements, les atolls enroulés, / les têtards à face de molosse, les levures réticentes et / les délires de tonnerre bas / et la tempête sacrée des chromosomes, / gorge tendue, tête levée et l'épouvante première et les / délires secrets / incendiant dans mon crâne des frénésies d'or, gorge / tendue, tête levée, / à travers les patiences, les attentes, les montées, les / girations, / les métamorphoses les coalescentes, l'écaillement ictérique des futurs paysages, / gorge lourde, tête levée, tel un nageur têtu / à travers les pluvieuses mitraillades de l'ombre / à travers le trémail virevoltant du ciel / à travers le ressac et l'embrun pépiant neuf / à travers le pertuis désemparé des peurs / tête levée / sous les pavois / dans le friselis des naissances et des aubes! » Avec le même esprit et les mêmes techniques surréalistes que pour *Les Armes miraculeuses*, Aimé Césaire continue à écrire des poèmes de 1945 à 1948, et il les fera paraître, cette dernière année, sous le titre provoquant de *Soleil cou coupé* [440]. Ouvertement, il s'adresse ici à « L'Afrique » : « Paysan frappe le sol de ta daba / dans le sol il y a une hâte que la syllabe de l'événement ne dénoue pas. »

Cependant, les méthodes, les approches poétiques d'Aimé Césaire tendent à se modifier. *A corps perdu* [441], recueil publié en 1949, et illustré par Picasso, en est un premier signe. Le surréalisme est dépassé, et cette évolution se précise, en une sorte d'épanouissement, quand est connu *Ferrements* [442], allusion, à la fois, aux fers des anciens esclaves et aux ferments qui agitent le monde noir aujourd'hui. Une cinquantaine de poèmes — où la pensée de Paul Éluard est souvent présente — témoignent de ce renouveau. Parmi ceux-ci « Grand sang sans merci », « Clair passage de ma journée profonde », « Bucolique ». Il ne faut pas oublier, du plus tendu au plus dressé, « Pour Ina » : « et le matin de musc tiédissait dans la mangle une main de soleil / et midi juchait haut un aigle insoutenable / la nuit tombait à pic. » Et puis, dans un ordre plus militant, ce « Salut à la Guinée » : « Dalaba Pita Labé Mali Timbé / puissantes falaises / Tinkisso Tinkisso / eaux belles / et que le futur déjà y déploie toute la possible chevelure / Guinée oh / te garde ton allure. » Enfin cette adresse, dédiée à Léopold Sédar Senghor, pour tous ceux de l'Afrique : « Ah! mon demi-sommeil d'île si trouble sur la mer! / Et voici de tous les points du péril / l'histoire qui me fait le signe que j'attendais, / Je vois pousser des nations. / Vertes et rouges, je vous salue, / bannières, gorges du vent ancien, / Mali, Guinée, Ghana. »

De tous les genres littéraires, le théâtre est probablement le plus favorable, en milieu noir, au militantisme, à la pédagogie. Il n'est donc pas surprenant qu'Aimé Césaire, de plus en plus préoccupé par la lutte contre le colonialisme, ait tiré en 1956 une version pour le théâtre de *Et les chiens se taisaient* [443], long poème qui remonte à 1946. Poésie et spectacle, ici associés, atteignent directement le public et participent efficacement au façonnement des mentalités, car les personnages et les événements deviennent des symboles, tels le chœur, une folle, une amante, et le rebelle. Les Blancs débarquent, et le rebelle, prédit l'écho, risque la mort : « Bien sûr qu'il va mourir le rebelle. Oh! il n'y aura pas de drapeau même noir pas de coup de canon pas de cérémonial. Ça sera très simple quelque chose qui de l'ordre évident ne déplacera rien mais qui fait que les coraux au fond de la mer les oiseaux au fond du ciel les étoiles au fond des yeux des femmes tressailliront le temps d'une larme ou d'un battement de paupière. » Plus tard, le rebelle s'adresse lui-même à la foule des opprimés : « La nuit et la misère camarades, la misère et l'acceptation animale, la nuit bruissante de souffles d'esclaves dilatant sous les pas christophores la grande mer de misère, la grande mer de sang noir, la grande houle de cannes à sucre et de dividendes, le grand océan d'horreur et de désolation. A la fin, il y a à la fin ... » Mais le peuple — comme à la Passion — réclame la mort du rebelle, qui lance ses ultimes invectives : « Accoudé à la rampe de feu / les cris des nuages ne me suffisaient pas / Aboyez tam-tams / Aboyez chiens gardiens du haut portail / chiens du néant / Aboyez de guerre lasse / Aboyez cœur de serpent / Aboyez scandale d'étuve et de gris-gris / aboyez furie des lymphes / concile des peurs vieilles / aboyez / épaves démâtées / jusqu'à la démission des siècles et des étoiles. » Alors, le paradis des braves s'ouvre : « Iles heureuses; / jardins de la reine / je me laisse dériver dans la nuit d'épices de tornades et de saintes images / et le varech agrippe de ses petits doigts d'enfants mon barrissement futur d'épave. »

Telle est la première des pièces de la trilogie anticolonialiste. La seconde, *La Tragédie du roi Christophe* [444], est la plus connue. C'est la prolongation — d'un ton, d'ailleurs, plus modéré — du thème de *Toussaint Louverture.* Lieutenant de Louverture, Henri Christophe — ancien « esclave à talent », c'est-à-dire ouvrier spécialisé, en l'occurrence cuisinier — a été nommé général après la révolution, commandant l'ouest de l'île d'Haïti. Il se révolte — lui Noir — contre le pouvoir républicain représenté par un mulâtre, Petion, et se proclame roi à l'ouest tandis que la République se maintient à l'est. Le roi Christophe s'entoure d'une cour : Vastey, son secrétaire, devenu baron; Hugonin, un parasite, bouffon et agent politique; Magny, fait duc de Plaisance; Corneille Brelle, duc d'Anse; Chaulatte, poète officiel; Prézeau, confident et homme à tout faire; sans compter Madame Christophe, la reine, ancienne servante d'auberge. Aimé Césaire manie, certes, la dérision, et on le voit dès le lever du rideau quand un combat de coqs symbolise la lutte entre Petion — le républicain — et le roi Christophe. Mais bientôt cette œuvre barbare, lyrique, où « la politique est la forme moderne du destin », s'élève à décrire — à travers la cocasse aventure haïtienne — l'avenir du peuple africain noir. Le personnage de Christophe — d'une richesse d'invention poétique exceptionnelle — dresse sa haute stature. Quand Petion lui offre la présidence de la République, il la refuse car il a déjà vidé la fonction de toute sa substance. Alors les deux conceptions de la nation et de l'État s'affrontent. Petion réclame la liberté, à quoi le roi Christophe réplique : « La liberté, sans doute, mais pas la liberté facile ! Et c'est donc d'avoir un État. Oui,

Monsieur le philosophe, quelque chose grâce à quoi ce peuple de transplantés s'enracine, boutonne, s'épanouit, lançant à la face du monde les parfums, les fruits de la floraison; pourquoi ne pas le dire? quelque chose qui, au besoin par la force, l'oblige à naître à lui-même et à se dépasser lui-même. Voilà le message, un peu trop long sans doute, que je charge mon officieux ami de transmettre à nos nobles amis de Port-au-Prince. » D'ailleurs, le roi Christophe — face à la démocratie formelle des républicains — détient de par sa connaissance et son amour du peuple une espèce de légitimité directe : « Tenez! Écoutez! Quelque part dans la nuit, le tam-tam bat... Quelque part dans la nuit mon peuple danse... et c'est tous les jours comme ça... Tous les soirs... L'ocelot est dans le buisson, le rôdeur à nos portes, le chasseur d'hommes à l'affût, avec son fusil, son filet, sa muselière; le piège est prêt, le crime de nos persécuteurs nous cerne les talons, et mon peuple danse! *(suppliant)* Mais qui / qui donc / m'offrira / plus qu'une litanie de prêtre, plus qu'un éloge versifié, plus qu'un boniment de parasite / plus que les prudences d'une femme, / je dis quelque chose que ce peuple au travail / mette / quelque chose qui éduque / non qui édifie ce peuple? » Des scandales? Le roi les connaît, et comme il les dénonce : « Il est temps de mettre à la raison ces nègres qui croient que la révolution ça consiste à prendre la place des Blancs et à continuer, en lieu et place, je veux dire sur le dos des nègres, à faire le Blanc. » Quant la nuit de la folie s'assombrit, le roi Christophe fait bâtir par le peuple un palais immense. Alors que les républicains l'investissent, Christophe dans son délire voit le but à atteindre, l'Afrique noire : « Mais la toujours jeune forêt lance sa sève, toujours, dépêchant à la plus fine liane, à la mousse, à la mouche bleue, à l'incertaine luciole, leur dû irréprochable. Et oh! que cet ouragan qui, à m'étouffer, bouillonne dans mon cœur, ne puisse désormais dépasser la lisière dérisoire de ma poitrine! Roi que voilà! et qui lui obéira si ses membres lui refusent service? Congo, tu as vu le long des routes, parfois, des arbres, grands, forts, redoutables, leur tronc se hérisse d'une cuirasse d'épines, mais le pied ruiné d'une brèche écorcée, oh! rien que le pied! ce sont, guettés du paysan sournois, de solennels mâts appareillés vers la chute. Oh! Oh! Ils me guettent, Congo, comme ce sablier au pied écorcé! » *Une Saison au Congo* [445], troisième pièce anticolonialiste d'Aimé Césaire, se déroule, comme le titre l'indique, en Afrique même. Elle met en scène à Kinshasa (ancienne Léopoldville) la force vitale et le verbe de Patrice Lumumba. L'œuvre théâtrale du grand poète se poursuit, en 1969, par une adaptation de *The Tempest* [446], de Shakespeare. Ainsi Aimé Césaire aura-t-il encore une fois signifié l'engagement, au moins pédagogique, de son grand talent.

A ce titre, un théoricien comme Frantz Fanon (1925-1961), lui aussi engagé dans la lutte anticolonialiste, suivait la même ligne que Césaire. *Peau noire, masque blanc* [447], *Les Damnés de la terre* [448], *Sociologie d'une révolution* [449], *Pour la révolution africaine* [450] reprennent, d'ailleurs, quelques-unes des thèses sous-jacentes chez le poète, tel le passage nécessaire par l'assimilation pour arriver au rejet de la civilisation occidentale. De même, le jeune dramaturge Daniel Boukman se rattache-t-il à l'auteur de *Et les chiens se taisaient*. Né en 1936 à la Martinique, Boukman, après avoir fait ses études supérieures à Paris et déserté l'armée française en 1961, vit maintenant en Algérie, où il donne un enseignement. *Chants pour hâter la mort du temps des Orphée*, ou *Madinina île esclave* [451] regroupe trois poèmes dramatiques à mi-chemin entre poésie et théâtre. « Les voix des sirènes », texte daté de 1959 et dont des extraits avaient déjà paru en diverses revues, met en scène un tribunal où le Juge, le Greffier, la Marquise affrontent tour à tour les revendications de la Mort et de l'Orateur. Le Passé appelle à abandonner la Martinique pour gagner une Afrique de rêve : « Partons partons! / Fuyons au beau pays d'Afrique. / Là-bas / les hommes les dieux / face à face se contemplent / sans baisser les yeux. /Viens. / Que te réservent ces îles piteuses? / Allons viens. / Les esprits les secrets que dévoile la sagesse / la voix des anciens le chant des griots / une terre vaste comme désir de vengeance / une terre porteuse de promesses infinies / une terre point de mire du monde / voilà le pays d'où je viens / voilà la terre refuge. » « Orphée nègre », second poème dramatique du recueil, est dédié à Frantz Fanon. Des personnages symboliques — un commandant, un employé des pompes funèbres, un banquier, un ancien combattant, un académicien — se disputent les dépouilles d'un mort, tandis que la Négritude proteste : « Vous! Arrière la chienne occidentale! / Cours rejoindre ton paradis / peuplé / de peupliers métalliques / d'oiseaux-lyres pétrifiés / où le rêve n'est qu'une rectiligne traînée d'asphalte. / Grimpe au plus haut de ta citadelle / Fais le décompte des étoiles / Dessine sur les tableaux du ciel / des lignes des angles des cercles stupides. / Plante dans tes clairières / cubes / cylindres / tubes de verre / cônes de cuivre et d'acier. / Parmi ta forêt muette / comme la foudre / passe / Ma négritude. » « Des voix dans une prison » se réfère particulièrement aux événements à la Guadeloupe en 1967. Le procédé est le même que dans les deux textes précédents. Celui-ci se termine sur cette belle définition de la liberté : « La liberté / n'est pas la pièce au creux d'une main, jetée / ni le salaire d'un long temps de sourires et de génuflexions. / La liberté vraie, / c'est une perle étincelante tombée au fond de l'océan / où foisonnent, confraternellement ligués, des pieuvres, des requins, des congres et des méduses engloutisseurs de millions de plongeurs intrépides. » Auguste Macouba est l'auteur (dissimulé sous un pseudonyme) d'une pièce de théâtre d'inspiration, elle aussi, fort proche de Césaire. *Eïa! Man-maille là*[452]! retrace l'émeute populaire de 1959 à Fort-de-France. Les images sont belles, et l'on pense souvent à Jacques Roumain quand l'action, commentée par un chœur à la manière grecque, se développe. Les personnages sont nombreux : Alcide, Félix, et « membres du parti ». Dès le lever de rideau, une voix évoque la Martinique : « Imaginez une terre étroite et mal découpée. Une terre déchiquetée et rongée sur un versant par les flots, mordue à belles dents de l'autre. Un pays jeté entre deux mers au beau milieu de l'archipel des " isles du vent ", émergeant en fuseau entre la Dominique et Sainte-Lucie. Telle une fève oblongue flottant dans l'immensité des eaux du bassin Caraïbe... Que dis-je ?... une poussière entre l'Europe et l'Amérique. Une scolopendre, tapie sur la mer, accolée à la même place. Un repère fixé, rivé inexorablement, semble-t-il ? Un point stratégique, difficile à se laisser emporter par la tempête. Une miette sur la carte. Elle tarde à dire son mot au vent de l'Occident. Un pays où le soleil se succède au soleil par une nuit infinie. L'aube d'un petit matin qui ne grandit jamais. Cela fait plus de trois siècles : imaginez-vous ! » Le troisième jour, au cours de la seconde partie, juste avant l'épilogue, la même voix commente : « Le tonnerre gronde sur la ville / le grand matin s'est levé tôt / un air de renouveau / Le soleil plus que jamais brille / dehors de son œil clair / Rivé sur la ville chaude comme en carême / La ville gambade ses artères de révolte / elle éclate ses pétales de flamboyant / au vent d'orage. »

Le principal héritier de la tradition littéraire à la Martinique — qui va de René Maran à Césaire en passant par Gratiant et Lero — est aujourd'hui Édouard Glissant. Romancier de *La Lézarde*[453] et de *Quatrième siècle*[454], il est le poète puissant et apaisé — dont nous connaissons les motivations par ses essais *Le Soleil de la conscience* [455] et *L'Intention poétique* [456] — de *Sel noir* [457] et de *Sang rivé* [458]. Ce beau recueil regroupe des vers et des textes de prose poétique écrits entre 1947 et 1961. Divisé en cinq parties, il donne notamment à lire « Terre à terre », « Les yeux la voix » et « L'arbre grand arbre », où se voient encore les reflets du surréalisme : « Tes feuilles le relent des désirs des fenaisons aveugles des bras de mer / tes feuilles de plaie du Moyen Age dans le souvenir de mes splendeurs / tes branches d'épaules de femmes labourées dans la soif des herbes coupantes / arbre recommencé ton tronc ton corps j'ai détaché de ton corps la carapace de mes clartés. » « Miroirs » (1954), « Givres » (1956), « Solitude » (1956) marquent une évolution assez parallèle, une fois de plus, à celle d'Aimé Césaire : « Mât que la neige a noué de silences, / A la plage où soudain il n'est plus de sel / Il reconnaît la mer il rompt la face du rivage / Et s'évade du vent où s'éprennent des lunes. » La parution de *Poèmes* [459] confirme cette tendance. Il faudrait tout citer de ce dernier recueil de poèmes et de prose poétique, en trois grandes parties. « Un champ d'île » plonge dans le climat maritime : « Tourmentes, feu marin, étendues sans pitié : ce sont les hautes marges des houilles, parfois le vent qui tout doux avive tout doux surprend le cœur et l'empanache ; ce sont meutes du vent qui dévoilent des mains, vers la coulpe et l'accomplissement du gravier. » « La terre inquiète », au sein du vaste cadre de « Maison de sable », situe cet horizon marin aux rivages d'une île : « Navires vous errez dans l'immobilité / Seuls vous retenez l'eau fruste sur vos reins, / Lieu sur le rivage où le regard se fortifie. / Craignez-vous l'aube qui glanait les champs d'orage / Noyé las au linceul de la première voix, / De boire l'eau qui broute à l'aurore les plages / Et la terre trop tard en vous ensevelie ? / Mort beauté gloire éternité : labours / Du semeur en l'espace étincelant, pour qui / Le sel vient à douleur et s'efface toujours. » Enfin, Édouard Glissant, en un ultime texte, se laisse aller au rêve de tous les Martiniquais, qui associent leur île et un retour aux sources : « Voyage, sourd voyage, quand les tempêtes avaient leur part, et la folie... / L'étoile considère; elle est silence, elle ne peut qu'elle préfère / La frégate dans les airs qui la salue d'un rond d'écumes, et bleuit, / Ou la frégate sur la mer, sommet de son sillage qu'aucune écume ne trahit! / Voyage! un monde de biscuits, / de paris, de misère. Où c'est toujours minuit, / Car les heures ne peuvent fuir... »

Ne peut-on percevoir dans ce poème d'un Martiniquais un écho des hymnes à la mer d'Édouard Maunick, le chantre de l'île Maurice? Un courant reflue de l'extrême-ouest à l'extrême-est du monde noir.

9.
En conclusion, problèmes généraux et solutions

1) Particularismes, États et unité

Sans doute était-il impossible d'effectuer cette vaste recension de la littérature noire d'expression française autrement que d'une manière plus instructive que critique. Il s'agit d'un débroussaillage. Les questions de fond n'ont pas été, pour autant, négligées, aussi bien au début, dans la présentation du sujet, qu'au long du parcours, à l'occasion des points marquants de la littérature de tel ou tel pays ou groupe de pays. L'utilisation des textes théoriques a permis de cerner les principaux concepts, par exemple de la négrité (qui n'est pas toujours négritude) et des divers genres littéraires. Ainsi s'est précisée — au moins selon les auteurs noirs et leurs amis — une théorie de l'unité de ce monde noir. Or, nous avons vu que celui-ci, dans les faits, n'a pas continûment tenu ses promesses. La vérité est que la volonté d'émancipation — cherchant sa justification spécifique, et ne la trouvant, par rapport aux autres éléments du tiers monde, que dans une similitude de contributions à l'humanité — a incité les penseurs noirs à mettre l'accent sur ce qui unit et à effacer, quelque peu, les divergences. Celles-ci subsistent cependant. Il n'est d'ailleurs pas surprenant — fût-ce seulement pour des raisons géographiques — que l'île de Madagascar, l'île Maurice et les Antilles présentent des particularismes. La géopolitique le veut ainsi, mais de surcroît la démographie et l'histoire. Les Noirs de la périphérie ont été, de tout temps, confrontés à autre chose qu'eux-mêmes. A ce titre, les Mauritaniens, les Maliens, les Somales sont aussi des Noirs périphériques, marginaux, contestés depuis des siècles par le monde arabo-berbère. Rien d'étonnant, alors, à ce que la littérature en Mauritanie soit fort dissemblable de celle du Sénégal et, en revanche, assez comparable à la somale. Mais le noyau noir, lui-même, n'est pas égal en toutes ses parties. L'étude de la littérature en Côte-d'Ivoire a fait ressortir une légèreté poétique combien différente de la profondeur camerounaise. Ici et là ont joué, de façon déterminante, l'histoire et les origines ethniques.

A ce stade, le monde noir — travaillé encore par les nationalismes territoriaux que ne manque pas de susciter le tracé récent de frontières à l'européenne (tracé souvent malhabile, ce qui n'arrange rien) — apparaît comme reflété dans un miroir brisé. Il est pourtant des nations africaines dont la vocation est plus de rapprocher que de diviser. Boubou Hama, l'excellent historien et sociologue nigérien que nous connaissons, en fait la remarque à propos de son pays dans *Kotia-Nima* III [460] : « Au carrefour des races et des peuples, nous étions placés au centre même des diversités africaines. Trait d'union et charnière entre elles, notre rôle était de nous offrir en arbitres pour rapprocher tous les points de vue. Ainsi, pour aller dans le sens de " l'unité africaine ", le voisinage ne doit pas diviser mais unir par l'interpénétration des ethnies dans laquelle le problème des minorités ne doit pas être une réalité brûlante pouvant remettre en cause les tracés actuels des frontières de nos États, en Afrique. » Au niveau proprement littéraire, nous savons aussi que d'un bout à l'autre du monde noir le rythme compte plus que le sens dramatique des œuvres, et que les poètes puisent la même inspiration auprès des immenses fleuves, des prodigieuses masses d'eau qui animent le continent noir tout entier. S'agissant du roman, il se fait volontiers messianique, et cette tendance est naturelle au sein d'une culture foncièrement pratique, pédagogique, où rien n'est gratuit. Comme l'explique très bien Valentin Mudimbe, du Congo Kinshasa, les circonstances incitent d'ailleurs les romanciers à s'engager de plus en plus : « Nous vivons actuellement en Afrique dans un monde en mutation où coexistent des techniques de service et des techniques d'expansion et, suite à ce déséquilibre, nous possédons un très faible coefficient de création. De là cette nécessité de conjuguer, comme nos aînés l'ont souvent dit, le culturel et le politique. La culture se rapprocherait alors fortement de l'idéologie qui se définirait comme un complexe d'idées-forces, de thèmes clairs et simples suffisamment fonctionnels pour être efficaces au point d'inspirer de manière cohérente la pensée et le comportement des membres de la collectivité. Ce sera une culture fonctionnelle, subordonnée au politique. Une culture de masse, dont l'un des buts devrait être de rendre possible le rapprochement des démunis de toutes les nations; on dépasserait ainsi la thèse formelle et abstraite de l'égalité dans la diversité, thèse qui n'est en fait qu'un reflet des rapports créés par la production pour le négoce et que la négritude a utilisée comme une arme contre l'abolition des classes. A partir de ce travail, de l'accumulation des expériences, une culture explicite dans son expression, nationale quant à la forme et universelle quant au fond naîtra et ruinera le mot d'ordre bourgeois d'une culture nègre [461]. » Mais cet engagement, pour des motifs encore valables dans toute la négrité, ne saurait être compris à la manière européenne. Les romans qui exposent, par exemple, la condition de la femme, situent obligatoirement le problème d'après un environnement aux préoccupations métaphysiques. Sunday Ogbonna Anozie fait de cette observation une des thèses de sa remarquable *Sociologie du roman africain* [462] : « La conscience collective dans une communauté traditionnelle a tendance à recourir facilement à une métaphysique absolue chaque fois qu'elle est confrontée à un phénomène nouveau, inattendu, non conventionnel. » Il faudrait tout lire de cet ouvrage, dont l'auteur insiste sur le fait qu'une littérature engagée de cette façon ne peut être que particulièrement sensible à l'évolution de la société. Or, cette évolution est à peu près parallèle au point de vue politique, religieux, économique, technique parmi les différentes communautés noires d'Afrique, de l'océan Indien ou de l'Amérique. Un autre auteur, Daniel Cissé, de la Côte-d'Ivoire, pense du reste que l'économie africaine ira en se concentrant [463]. Ainsi agissent toute une série de facteurs d'unité, et Anozie ne s'étonne pas des très nombreux points communs entre le roman de la francophonie et de l'anglophonie noires. Nous constatons, en effet, avec lui, qu'ils vont, l'un et l'autre, vers une forme de plus en plus accentuée de réalisme.

2) Expression française et authenticité

Les modèles nouveaux créés de la sorte viennent contrecarrer les forces centrifuges, et avivent les séductions de l'Afrique noire aux yeux de tous les périphériques, des Mauritaniens aux Antillais. Disons tout de suite que l'expression française a joué en la matière un rôle déterminant. En contribuant à attiser le foyer culturel africain, elle a augmenté son rayonnement. Au fur et à mesure que la francophonie (et d'ailleurs l'anglophonie, qui a agi de même) se développait sur le continent, on a vu les écrivains de l'océan Indien à la mer des Caraïbes s'infléchir vers l'Afrique. Le problème qui se pose alors est celui de l'authenticité de la littérature suscitée comme nous venons de voir. A ce sujet, deux thèses extrêmes s'opposent. Pour les uns, le seul passage de l'oral à l'écrit est déjà une trahison. C'est l'opinion de quelques spécialistes européens (Jahnheinz Jahn, Jean Rouch) et de Thomas Melone, le sociologue camerounais de qui nous avons déjà parlé. Voici ce qu'il écrit au cours de son étude « La critique littéraire et les problèmes du langage [464] » : « Tous les grammatologues sont d'accord : il existe une écriture naturelle, hiératique comme la voix intérieure, de nature pneumatologique et nullement grammatologique. Le passage de ce donné primordial au système d'organisation de la pensée telle qu'elle est signifiée par les mots constituant le massif de l'œuvre, ce passage n'a pu s'effectuer qu'au moyen d'une aliénation, d'une violation de la nature. Et c'est cette aliénation du naturel, qui apparaît dans la généalogie générale du texte, c'est-à-dire dans son système syntaxique, lexical, respiratoire, métaphorique, etc. A tel point qu'avant d'être communication d'un signifié, le langage est d'abord asservissement du naturel. » Tout à l'inverse, certains prétendent assumer leur enracinement en dépit du recours aux disciplines les plus éloignées de la tradition. Par exemple la peinture, et, selon Paulin Soumanou Vieyra (Sénégal), le cinéma. S'agissant de la musique, le Camerounais Francis Bebey va très loin dans l'ouverture : « Le problème qui se pose au compositeur africain d'aujourd'hui est moins de savoir s'il reste dans le cadre réduit de la musique de ses ancêtres, que de faire sienne une gamme universelle qui n'est, du reste, je le répète, nullement étrangère à l'Afrique. Plusieurs musiciens africains l'ont compris depuis longtemps, et ont donné des œuvres dignes d'intérêt, aussi bien dans le domaine de la musique populaire que dans celui de la musique sacrée [465]. »

Alors, entre les deux extrêmes, comment choisir ? Léopold Sédar Senghor, qui ne recule pas devant un certain « métissage culturel », propose d'assortir celui-ci d'une exigence d'autant plus rigoureuse au niveau de la civilisation. C'est la négritude, à laquelle se rallie l'écrivain sénégalais Cheik Hamidou Kane. Il accepte le métissage culturel, tout en précisant les précautions à prendre et la protection à assurer à l'égard de l'essentiel : « Je noterai tout d'abord l'insuffisante portée formelle de notre apport culturel. Une culture de l'oralité ne peut être prise au sérieux dans un monde où ni le temps ni la distance ne constituent plus d'obstacles à la communication. L'oralité de nos cultures limite leur portée de diffusion, donc leur puissance de compétition, et par conséquent nous met en situation d'infériorité dans nos relations avec les autres. Elle constitue aussi un handicap grave dans notre mouvement d'appréhension du monde moderne. L'évidence du sentiment interne que nous avons de nos cultures ne résistera pas à notre entrée dans le cycle du progrès technique; il faudra, avant de revêtir le bleu de chauffe du mécanicien, que nous mettions notre âme en lieu sûr. Tout n'est pas à conserver non plus, de ce patrimoine diffus, non structuré, non stabilisé. Il doit faire l'objet d'un travail d'inventaire, de sélection et de criblage, de manière à déterminer le fond irréductible, son degré de réalité, son coefficient de nécessité, son aire d'extension [466]. » Reste à savoir si les modèles nouveaux, dont nous parlions tout à l'heure, répondent à ces définitions moyennes de l'authenticité selon le possible et le souhaitable. Sunday Anozie fait nettement le point des conceptions en présence : « Selon l'Occidental, la nature doit être maîtrisée pour mieux servir aux exigences et aux besoins de l'homme; tandis que l'Africain affirme que l'homme doit plutôt se plier à la grandeur de la nature, c'est-à-dire chercher la signification profonde du monde en contemplant le moindre mouvement de la nature. A première vue, l'opposition est nette, mais cela n'est qu'une fausse opposition puisqu'il s'agit simplement et compte tenu des données du récit, de deux formes de tyrannie ou d'aliénation dont l'homme est la victime, à savoir la tyrannie métaphysique, ou de l'absolu, et la tyrannie technocratique. Nous ne sommes, en dernière analyse, qu'en face de deux visions du monde qui ne sont pas tout à fait opposées l'une à l'autre mais plutôt complémentaires l'une de l'autre [467]. » Anozie double ce jugement théorique d'une sérieuse analyse de la situation réelle : « Le contact de cultures en Afrique occidentale a eu beaucoup d'effets désastreux sur l'ensemble des structures traditionnelles, qu'il s'agisse de la chefferie, la féodalité, la tribu, l'ethnie ou l'animisme. Toutes les forces constitutives de la stabilité des sociétés traditionnelles africaines, et les éléments relativement cohérents qui constituent pour l'individu traditionnel ses points vitaux de référence, sont également affectés. L'irruption du modernisme, phénomène lié à la colonisation, a provoqué un véritable éclatement à l'intérieur du système et des hiérarchies traditionnelles. C'est ainsi que le temps mythique sur lequel se sont fondées les sociétés dites " a-historiques " est plié aux exigences de la durée concrète des sociétés industrielles, alors que l'économie traditionnelle subit les chocs dus à l'intervention du système monétaire. A cet égard on peut parler du modernisme dans les termes d'une grande offensive déclenchée par l'Europe industrielle contre l'Afrique traditionnelle. Le résultat, d'une part, est que la société traditionnelle devient une société dégradée et, d'autre part, que l'individu, désormais condamné à se replier sur les valeurs traditionnelles dégradées, devient un homme problématique qui a perdu son équilibre et sa cohérence. Toute recherche d'une nouvelle cohérence est aussi une recherche des valeurs plus authentiques, d'une nouvelle dimension de l'existence humaine. » Passons maintenant aux littéraires. Leur appréciation est évidemment déterminante à nos yeux. A entendre Jacques Stephen Alexis (Haïti) les modèles nouveaux sont acceptables, car le pas à sauter se situe entre l'oral et l'écrit — sur ce, il rejoint Thomas Melone, mais en tire des conclusions différentes — et qu'après le plus normal, le plus sûr est de se laisser porter selon les recettes de Senghor et d'Hamidou Kane : « La maturité romanesque d'un peuple ne s'exprime par des romans répondant à la définition actuelle que dans la mesure où la culture de ce peuple franchit le stade d'une littérature parlée, verbale, orale, pour atteindre celui d'une littérature écrite... C'est un vin nouveau que nous autres, romanciers de jeune culture, avons à offrir au monde. C'est toute la vie âpre, drue, colorée, païenne, piaffante, musicienne, poétique, tragique, combattante,... que nous devons mettre en scène [468]. » L'excellent écrivain Édouard Glissant (la Martinique) s'abandonne, lui aussi, de bon cœur, aux mêmes options : « Nous avons bien vu que la dénonciation du sort réservé aux peuples nègres est partout évidente. Nous avons pu remarquer aussi que pour le romancier nègre, il n'y a pas de problème de technique. C'est-à-dire qu'il ne forme pas des écoles (psychologique, réaliste, ni "objective ") mais que partout il se laisse conduire par la nécessité d'une situation, et qu'il consent, naturellement, à des formes d'expression qui lui sont données par l'entour [469]. »

Supposant le problème résolu sur ces bases, ne pouvons-nous imaginer des moyens de confirmer cette authenticité et de la garantir ? Les techniques en apparence les plus à l'écart de la négrité peuvent se révéler utiles. Jean-Paul Sartre affirme, nous le savons, que le surréalisme a aidé Aimé Césaire à « dégorger sa blancheur ». Le jeune sociologue Jean-Pierre N'Diaye pense, quant à lui, que la langue française incite l'étudiant (plus tard, peut-être, l'écrivain) à réévaluer la culture noire. Suite à son *Enquête sur les étudiants noirs en France* [470], voici ce que N'Diaye écrit dans son ouvrage *Élites africaines et culture occidentale* [471] : « Que la nature des changements qui interviennent à l'occasion des contacts culturels soit additive, comme nous l'avons vu pour l'idée de nation, ou au contraire restrictive, comme nous l'avons vu pour la notion de religion, dans les deux cas le processus de changement passe par une ré-évaluation de la culture originelle et par une évaluation critique de la culture rencontrée. Sur ce plan, l'usage que les étudiants ont acquis de la langue française est à considérer comme l'instrument principal de cette double évaluation. Si nous sommes amenés à mettre en évidence la portée de la langue française comme instrument, c'est qu'elle nous est apparue comme un apport digne d'intérêt dans le matériel verbal que nous avons recueilli et analysé... La portée de la langue française en tant qu'instrument de contact culturel et de changement se prolonge donc logiquement par l'extension des concepts qu'elle exprime aux réalités culturelles africaines. » Nous avons, d'autre part, mis en évidence tout au long de ce livre les nombreux cas où l'écrivain — particulièrement le poète — manipule la langue française pour l'adapter au génie propre à la civilisation noire. Des exemples ont été donnés, notamment, de suppression du verbe dans la phrase, à la mode de telle ou telle langue vernaculaire. Sans aller jusqu'au créole, ne faudrait-il pas, loin de condamner ces pratiques, comprendre leur signification et se réjouir des succès qu'elles permettent ? A la vérité, l'épanouissement des francophones selon leur authenticité est tout aussi important que l'extension de la francophonie.

D'ailleurs, si on va au fond des choses, finalement l'un suppose l'autre. Et, puisqu'il en est ainsi, il serait souhaitable que trois conditions soient réalisées. La première est l'existence d'une école sociologique propre au monde noir. Ses analyses, ses définitions constitueraient une garantie. Or — nous l'avons signalé plusieurs fois et Ferdinand N'Sougan Agblemagnon (Togo) en est d'accord — les fondements de cette école sociologique sont dès maintenant posés : « Nous assistons là à un phénomène nouveau et fondamental. De même que nous ne pouvons caractériser la situation des chercheurs de la période héroïque et celle des chercheurs actuels par une opposition volontairement dichotomique d'époque d'ethnologie de contact et de sociologie de planification, nous pouvons dire que l'apparition des chercheurs, cette fois africains eux-mêmes, dans les sciences sociales, s'intéressant à l'Afrique, est une dimension essentielle de la recherche africaniste aujourd'hui. Bien que les travaux de ces Africains soient encore, par rapport à la masse des travaux produits par des non-Africains, inférieurs et que la notoriété des ethnologues et sociologues africains, par rapport à leurs collègues non africains, soit peut-être moindre ou que les sociologues et ethnologues africains soient encore insuffisamment connus du grand public, nous devons déjà souligner l'apport très intéressant, très positif, très important de cette première jeune équipe de chercheurs proprement et typiquement africains [472] ». Le second point est proche du premier, et c'est Thomas Melone qui nous y amène. Il montre, de façon saisissante, combien le passage de l'oral à l'écrit prive le public noir de contrôle sur la production culturelle : « Le peuple de l'Afrique traditionnelle a toujours exercé sur les productions artistiques et littéraires un contrôle étroit et une influence féconde. Entre le conteur en pleine évolution et la foule rassemblée autour de lui, s'est toujours créé un réseau de communications et de connivences souvent soulignées par les soupirs et les cris des uns, les gestes et les interruptions des autres. Ceux qui écoutent une histoire déjà entendue surveillent, avec une attention pourtant jamais prise en défaut, la fidélité ou la défaillance de la mémoire du conteur; ils admirent aussi les circonvolutions amplificatrices de son imagination inventive, ses apports en intonation et en mimiques, sa maîtrise de la séance où l'oralité se marie aux chants et les chants aux rythmes des battements de mains et tout ceci dans un contexte de captivant enchevêtrement. Les ressources ludiques, les performances personnelles de l'artiste, les enseignements religieux, éthiques, politiques, c'est tout le monde qui y participe avec la même passion, comme pour symboliser l'insondable solidarité du groupe... L'introduction des littératures écrites a immédiatement transformé les rapports entre l'écrivain et le peuple en dépossédant le peuple de tous les privilèges qu'il détenait dans le système ancien : privilège de participer, privilège de jouir esthétiquement, privilège de confronter l'œuvre avec la vie, et par-dessus tout, privilège d'assurer la continuité entre l'œuvre présente et le patrimoine artistique et littéraire déjà accumulé par l'ensemble de la communauté. Tout un secteur de la création de l'esprit s'est ainsi développé en dehors du peuple, dans les langues vernaculaires comme dans les langues européennes, sans que le peuple, analphabète dans son état, ne puisse y accéder [473]. » Alors, afin de restituer au public son autorité, il est un palliatif : le développement d'une critique littéraire africaine ou américaine noire, qui se substituerait peu à peu à la critique extérieure. A ce propos, nous avons relevé quelques initiatives heureuses, comme le lancement au Congo-Kinshasa de la revue *Dombi*. Enfin, Alioune Diop met le doigt sur la troisième condition, en soulignant un fait capital : « L'auteur est connu, parce qu'il plaît au public occidental dont il utilise la langue. Lorsqu'il plaît beaucoup, il est diffusé, commenté, loué. Son amour-propre est flatté (en principe sans arrière-pensée : cela fait partie de la tradition occidentale), les fibres profondes en sont mises en branle. Les dimensions secrètes de sa personnalité sont sollicitées. Celle-ci est révélée à elle-même à une certaine profondeur. Et tout naturellement, comme les esprits et les cœurs sont attirés vers ceux qui savent les aimer, l'écrivain consacré transforme peu à peu sa personnalité de manière à plaire davantage à ceux qui ont su l'aimer. Dans cette mesure, il s'éloigne davantage du milieu de civilisation propre à son peuple. Il est de moins en moins disposé à créer pour un public africain [474]. »

Ce cercle vicieux ne peut être brisé que grâce à l'expansion. Autrement dit : plus il y aura de francophones noirs, plus ils auront — toutes choses égales — chance de recevoir une littérature authentique.

N'est-on pas, dans une large mesure, arrivé à ce niveau ? Nous en verrions volontiers la preuve — au milieu de la pléïade d'écrivains d'expression française recensés à travers l'Afrique, à Madagascar et à l'île Maurice, en Guyane et aux Antilles — à contempler les éclatantes personnalités de Léopold Sédar Senghor, Jacques Rabemananjara et Aimé Césaire. Bien qu'ils soient fort différents les uns des autres, qu'ils soient nés et vivent à de grandes distances, personne, ici ou là, ne conteste l'authenticité de leur œuvre et sa valeur universelle. Ils ont un immense public et ont manifestement concouru — chacun à sa manière — à faire émerger la civilisation noire. C'est un argument de fait, non de théorie. Mais il est de poids. Qui contestera, par ailleurs, que l'œuvre littéraire de ces trois maîtres — abstraction faite de leur action politique — n'ait puissamment contribué à l'indépendance nationale ou au moins à l'élargissement de l'autonomie de leur pays ou région? L'utilisation de la langue française n'a pas été une entrave. Elle a été un porte-voix. Au stade actuel, la francophonie du monde noir ne concerne donc pas les seuls Français, qui seraient soucieux de défendre par orgueil ou intérêt le rayonnement de leur langue. Il concerne tous les francophones, et d'abord, parmi eux, les Noirs.

Notes

CHAPITRE PREMIER

1. « Comme si nous nous étions donné rendez-vous », *Esprit*, octobre 1961.
2. « Luminaires », dans *Anthologie de la nouvelle poésie nègre et malgache*, P.U.F., 1947.
3. « L'Orphée noir », dans *Anthologie de la nouvelle poésie nègre et malgache*, P.U.F., 1947.
4. *Éditorial africain*, Impr. Dernières nouvelles de Strasbourg, 1967.
5. *La ville où nul ne meurt*, éd. Présence africaine, 1969.
6. *Discours sur le colonialisme*, éd. Présence africaine, 1955; rééd., 1970.
7. P.U.F., 1947.
8. « La vision du beau dans la culture négro-africaine », dans *Colloque sur l'art nègre*, éd. Présence africaine, 1967.
9. *La ville où nul ne meurt*, éd. Présence africaine, 1969.
10. « Les valeurs culturelles négro-africaines », dans *Mélanges-Présence africaine 1947-1967*, éd. Présence africaine, 1969.
11. Dans *Mélanges-Présence africaine 1947-1967*, éd. Présence africaine, 1969.
12. *L'Art d'Afrique noire*, Mame, 1964.
13. « Signification africaine de l'art », dans *Colloque sur l'art nègre*, éd. Présence africaine, 1967.
14. « Signification et fonctions du théâtre négro-africain traditionnel », dans *Colloque sur l'art nègre*, éd. Présence africaine, 1967.
15. « A la recherche de l'architecture négro-africaine moderne », dans *Colloque sur l'art nègre*, éd. Présence africaine, 1967.
16. Dans *Mélanges-Présence africaine*, éd. Présence africaine, 1969.
17. « Éloge de la francophonie », *Synthèses*, septembre-octobre 1969 (nos 279-280).
18. Voir *Nations nègres et culture*, éd. Présence africaine, 1954; *Unité culturelle de l'Afrique noire*, éd. Présence africaine, 1959; *Antériorité des civilisations nègres*, éd. Présence africaine, 1967.

19. « Vingt ans après », dans *Mélanges-Présence africaine 1947-1967*, éd. Présence africaine, 1969.

20 « Aux sources de Présence africaine », dans *Mélanges-Présence africaine 1947-1967*, éd. Présence africaine, 1969.

21. Bakary Traoré (Sénégal) : « Signification et fonctions du théâtre négro-africain traditionnel », dans *Colloque sur l'art nègre*, éd. Présence africaine, 1967.

22. M. Sankalé (Sénégal) : *Médecins et action sanitaire en Afrique noire*, éd. Présence africaine, 1969.

23. « De la littérature orale négro-africaine », dans *Colloque sur l'art nègre*, éd. Présence africaine, 1967.

24. « La musique africaine moderne », dans *Colloque sur l'art nègre*, éd. Présence africaine, 1967.

25. Saint-Louis, Centre IFAN, 1952.

26. Nouakchott, ministère de l'Éducation et de la Jeunesse, 1964.

CHAPITRE 2

27. *La Confrérie sénégalaise des Mourides*, éd. Présence africaine, 1969.

28. Éd. Présence africaine, 1965.

29. *La Campagne du Sénégal*, éd. Présence africaine, 1959; *Un navire de commerce sur la côte sénégambienne en 1685*, Saint-Louis, Centre IFAN, 1964.

30. *Les Masses africaines et l'actuelle condition humaine*, éd. Présence africaine, 1956; *Sur le nationalisme dans l'Ouest africain*, Impr. Diop, 1959.

31. *Économie de l'Ouest africain*, éd. Présence africaine, 1964.

32. *L'Économie africaine*, P.U.F., 1957.

33. *Saint-Louis du Sénégal.* Dakar, Institut fondamental d'Afrique noire, coll. d'Initiation et d'Études africaines, 1968.

34. *Contribution à l'étude des problèmes politiques*, éd. Présence africaine, 1959; *Classes et idéologies*, éd. Com. Cent., 1964.

35. *L'Éducation civique au Sénégal*, Nathan, 1964.

36. *Aspects sociaux africains*, Nef de Paris, 1960.

37. *Dakar en devenir*, éd. Présence africaine, 1968.

38. P. Bertrand.

39. Nouvelles éditions latines, 1935.

40. Nouvelles éditions latines, 1937.

41. Nouvelles éditions latines, 1937.

42. Bibliothèque mondiale, 1955.

43. *Les Fondements de l'africanité ou négritude et arabité*, éd. Présence africaine, 1967.

44. « Négritude et humanisme », Seuil, 1964.

45. La Colombe, 1947.

46. « Lettre à Lilyan Kesteloot », 1960.

47. *Les Fondements de l'africanité ou négritude et arabité*, éd. Présence africaine, 1967.
48. *Liberté I*, Seuil, 1964.
49. Éd. Alsatia, 1945.
50. La Colombe, 1947.
51. Études sociales nord-africaines, 1956.
52. Éd. Présence africaine, 1967.
53. *L'Afrique vers l'unité*, Saint-Paul, 1961; *L'évolution des rapports économiques*, Atit, 1962.
54. *Nations africaines et solidarité mondiale*, P.U.F., 1960.
55. *Les Étudiants noirs parlent*, éd. Présence africaine, 1953.
56. *Contribution à l'étude des problèmes politiques en Afrique noire*, éd. Présence africaine, 1959.
57. *Les Masses africaines et l'actuelle condition humaine*, éd. Présence africaine, 1956.
58. *Le Sénégal à l'heure de l'indépendance*, Impr. Dessaints, 1961.
59. *Enquête sur les étudiants noirs en France*, Réalités africaines, 1962.
60. Cet essai vient d'obtenir le prix « Zone des tempêtes », et sera publié prochainement dans le journal *Africasia*.
61. Seuil, 1945; rééd. 1956.
62. Seuil, 1948; rééd. 1956.
63. Seuil, 1956.
64. Seuil, 1961.
65. Seghers, 1949.
66. Éd. Présence africaine, 1968.
67. « La culture et la poésie négro-africaine, Éléments de survie de notre civilisation », rapport présenté au Premier festival culturel panafricain d'Alger, juillet 1969.
68. Éd. Présence africaine, 1956; rééd. 1961.
69. *Anthologie de la nouvelle poésie nègre et malgache*, P.U.F., 1947.
70. Impr. de publications, 1954.
71. Éd. Présence africaine, 1967.
72. Éd. Présence africaine, 1963.
73. Debresse, 1968.
74. Debresse, 1969.
75. Éd. Présence africaine, 1964.
76. Albin Michel, 1967.
77. Éd. Présence africaine, 1960.
78. Fasquelle, 1947.
79. Éd. Présence africaine, 1958.
80. Éd. Présence africaine, 1963.
81. Éd. Présence africaine, rééd. 1970.
82. P.-J. Oswald, 1969. Ces deux dernières pièces sous la même couverture, avec préface de Bakary Traoré.
83. Hachette, 1953.

84. Impr. Diop, 1960.
85. Éd. Présence africaine, rééd. 1965.
86. Éd. Présence africaine, 1958.
87. Éd. Présence africaine, 1965.
88. Debresse, 1957.
89. Le livre contemporain, 1957.
90. Le livre contemporain, 1960.
91. Éd. Présence africaine, 1962.
92. Éd. Présence africaine, 1964.
93. Éd. Présence africaine, 1965.
94. Éd. Présence africaine, 1969.
95. Gallimard, 1964.
96. Éd. du Burin, 1968.
97. Impr. moderne, 1957.
98. Impr. moderne, 1957.
99. Impr. moderne, 1958.
100. Regain, 1952.
101. Ligel, 1965.
102. Seuil, 1968.
103. Institut français d'Afrique noire, 1955.
104. Julliard, 1968.
105. Larose, 1928.
106. La tour du guet, 1955.
107. Presses universelles, 1962.
108. Debresse, 1963.
109. C'est aussi le cas de Massa Diabaté avec *Janjon et autres chants populaires du Mali*, où se mêlent récits, épopées et poèmes, Éd. Présence africaine, 1970.
110. *Les Noirs et la culture*, chez l'auteur, 1950.
111. Impr. Union, 1953.
112. Éd. Présence africaine, 1962.
113. Éd. Présence africaine, 1963.
114. Éd. Présence africaine, 1963.
115. *Présence africaine 1947-1967*, éd. Présence africaine, 1969.
116. Éd. Présence africaine, 1961.
117. Éd. Présence africaine, 1960.
118. Chez l'auteur, 1955.
119. Éd. Présence africaine, 1969.
120. Éd. Présence africaine, 1959.
121. Éd. Présence africaine, 1959.
122. 1961.
123. Éd. Présence africaine, 1962.
124. Seghers, 1950.
125. Seghers, 1952. Remarquons qu'en 1965 Seghers reprend

sous le titre général de *Aubes africaines*, l'ensemble des *Poèmes africains* et *Le Maître d'école*.

126. *Les Hommes et la danse*, Clairefontaine, 1954.

127. *Presses-Impr.* commerciale de Rennes, 1958.

128. Préface de Mario de Andrade, P.-J. Oswald, coll. « Théâtre africain », 1970.

129. Plon, 1953.

130. Plon, 1954.

131. « Les yeux de la statue », dans *L'Orphée noir*, 1959.

132. *Plon*, 1966.

133. *La division du temps et le calendrier rituel des peuples lagunaires de Côte-d'Ivoire*, Institut d'ethnologie, 1964.

134. Éd. Larose, 1951. On lira utilement, par ailleurs, du même auteur : *Croyances religieuses et coutumes juridiques des Agnis de la Côte-d'Ivoire*, Larose, 1960.

135. Les paragraphes littéraires de Paris, 1956.

136. Les paragraphes littéraires de Paris, 1958.

137. *Textes*, Nathan, 1964. Il sera tiré de cette pièce un film : *Mamadou, maître d'école*.

138. L'avant-scène, 1965. Sous la même couverture est alors réédité *Assiemen Déhylé*.

139. Éd. Présence africaine, 1970.

140. Yaoundé, éd. Clé, 1970.

141. Éd. Présence africaine, 1971.

142. Éd. Présence africaine. Certains contes seront repris par Seghers, en 1966, sous le titre général de *Légendes et poèmes*.

143. Éd. Présence africaine. Certains de ces contes seront repris sous le titre de *Les Belles histoires de Kakou Ananzé l'araignée*, Nathan, 1962. Rééd. du *Pagne noir*, éd. Présence africaine, 1970.

144. Seghers, 1956.

145. *Un Nègre à Paris*, éd., Présence africaine, 1956.

146. *Patron de New York*, éd. Présence africaine, 1964.

147. Seghers, 1950.

148. Seghers, coll. « Poésie », 1956.

149. Éd. Présence africaine, 1967.

150. Éd. du Miroir, 1951.

151. Scorpion, coll. « Alternance », 1964.

152. P.-J. Oswald, 1968. Cette pièce a été écrite en 1962.

153. Préfaces de Jacques Howlett et de Mikel Dufrenne, P.-J. Oswald, coll. « Théâtre africain », 1970.

154. Éd. Présence africaine, 1962.

155. Éd. Présence africaine, 1966.

156. Grassin, 1961.

157. Subervie, 1965.

158. Grassin, 1963.

159. En 1969, revenant à la poésie, Koné donne encore *Poèmes verlainiens*, Impr. Meury.
160. Seuil, 1969.
161. Debresse, 1961.
162. Publiée par les soins de l'O.R.T.F.-Daec, 1969. La pièce a été primée au concours théâtral interafricain 1967-1968. A ce propos, il faut relever aussi *La Colère de Baba*, première pièce de Mamadou Berté. Publiée et récompensée la même année, dans les mêmes circonstances, son action se déroule en milieu rural ivoirien.
163. Flammarion, 1960.

CHAPITRE 3

164. Hatier, 1964.
165. Chez l'auteur, 1964.
166. Ouagadougou, Chez l'auteur, 1964.
167. O.R.T.F.-Daec, 1969.
168. Éd. Présence africaine, 1962.
169. Ligel, 1965.
170. Éd. Présence africaine, 1967.
171. Maisonneuve, 1954.
172. Éd. Présence africaine, 1967.
173. Éd. Présence africaine, 1967.
174. Revue *Présence africaine*, nos 14-15 (juin-septembre 1957).
175. Éd. Présence africaine, 1966.
176. Del Duca, 1968.
177. Maspero, 1964.
178. Trois tomes, sous-titrés *Rencontre avec l'Europe*, éd. Présence africaine, 1969. Kotia-Nima a obtenu le grand prix de l'Afrique noire en 1970.
179. G.L.M., 1950.
180. Scorpion, 1959.

CHAPITRE 4

181. Hautefeuille, 1957.
182. Éd. de la Revue moderne, 1969.
183. Impr. Almeida, 1950.
184. Lomé, Impr. Editogo, 1963.
185. Éd. Présence africaine, 1958. On lira aussi avec attention du même auteur *Contribution à une synthèse*, Deloutremer, 1965.
186. Institut d'ethnologie, 1937.
187. Larose, 1938.
188. *Naissance d'un État noir*, Librairie générale de droit et de jurisprudence, 1969.

189. Presses universelles, 1959.

190. I.F.A.N., 1953. Il faudrait lire aussi de ces auteurs *Le Dahomey*, éd. maritimes, 1955.

191. Larose, 1938.

192. Nathan, 1958.

193. Impr. Dalex, 1957.

194. Éd. Présence africaine, 1965.

195. Stock, 1960.

196. Aubanel, 1941 ; rééd. 1953.

197. Regain, 1950.

198. Les presses nouvelles, 1965.

199. Du point de vue théâtral, on peut encore retenir au Dahomey *Kondo le requin*, de Jean Pliya, éd. O.R.T.F.-Daec, 1969. Cette pièce historique retrace la résistance du royaume des Fons, avec à sa tête Gbêhanzin, à la pénétration coloniale. Pour tout le théâtre africain, on lirait d'ailleurs avec intérêt *Théâtre en Afrique noire et à Madagascar*, par Robert Cornevin. Le livre africain, 1970.

200. Livres nouveaux, 1941.

201. I.F.A.N., 1962.

202. *Voix d'Afrique*, librairie Istra, 1963.

203. Un recueil de ses articles a paru sous le titre d'*Éditorial africain*, Impr. des *Dernières nouvelles de Strasbourg*, 1967.

204. Éd. Présence africaine, 1967.

CHAPITRE 5

205. Mémoires de l'Institut français d'Afrique noire, Centre du Cameroun, 1952.

206. Yaoundé, éd. Abbia, 1965.

207. Éd. Présence africaine, 1963.

208. Communication encore inédite au premier festival culturel panafricain (Alger, 21 juillet-1er août 1969).

209. Mame, 1963.

210. Mame, 1962.

211. Durand-Auzias, 1960.

212. 1957. On lira aussi sa préface aux *Écoles de mission*, de Thomas Mongo.

213. Yaoundé, Impr. Saint-Paul, 1961.

214. 1959.

215. *Les Écoles des missions*, Impr. Saint-Paul, 1965.

216. Service de l'information de l'État camerounais, 1957.

217. Éd. Présence africaine, 1963.

218. Éd. Présence africaine, 1964.

219. *Nation et développement dans l'unité et la justice*, éd. Présence africaine, 1969.

220. Hachette, 1962.
221. Éd. Présence africaine, 1962.
222. Impr. Aegitna, Club du livre camerounais, 1961.
223. Yaoundé, éd. Poètes de notre temps, 1967.
224. La voix des poètes camerounais, A.P.E.C., 1966.
225. La voix des poètes camerounais, A.P.E.C., 1966.
226. La voix des poètes camerounais, A.P.E.C., 1966.
227. La voix des poètes camerounais, A.P.E.C., 1966.
228. La voix des poètes camerounais, A.P.E.C., 1966.
229. La voix des poètes camerounais, A.P.E.C., 1966.
230. La voix des poètes camerounais, A.P.E.C., 1966.
231. La voix des poètes camerounais, A.P.E.C., 1966.
232. Monte Carlo, Regain, 1954.
233. Éd. Présence africaine, 1970.
234. Debresse, 1961.
235. Debresse, 1963.
236. Club du livre camerounais, 1961.
237. A.P.E.C., 1966.
238. Chez l'auteur.
239. Chez l'auteur, 1950.
240. Chez l'auteur, 1954.
241. Impr. du gouvernement, 1957.
242. Chez l'auteur, 1960.
243. Club du livre camerounais, 1961. Le texte cité est extrait du poème « Soleil marin ».
244. Chez l'auteur.
245. Association des poètes et écrivains camerounais, service de vulgarisation.
246. Yaoundé, A.P.E.C., 1966.
247. La Nef de Paris, 1960.
248. Abbia et Clé, 1965.
249. Ngongsamba, Impr. protestante, 1964.
250. A.P.E.C., 1966.
251. Yaoundé, Clé, 1968.
252. Yaoundé, Clé, 1968.
253. Texte de 1930. Signalé par Basile-Juléat Fouda : *Littérature camerounaise*, club du livre camerounais, 1961.
254. Éd. Présence africaine, 1963. On lira aussi avec profit de cet auteur *Heurts et malheurs des rapports Europe-Afrique noire dans l'histoire moderne (du XVe au XVIIIe siècle)*. Nef de Paris, 1959. On y trouvera le détail, au XVIIe siècle, des cent vingt royaumes au nord de l'Afrique noire et des soixante au centre.
255. A paraître dans le journal *Africasia*.
256. Yaoundé, Clé, 1968.
257. O.R.T.F.-Daec, 1971.

258. O.R.T.F.-Daec, 1971.
259. *La voix des poètes camerounais*, éd. de l'Association des écrivains et poètes camerounais, 1966.
260. Club du livre camerounais, 1961.
261. Yaoundé, Service de vulgarisation de l'Apec, 1965.
262. Abbia et Clé, 1965.
263. Abbia et Clé, 1966.
264. Chez l'auteur, 1952.
265. Revue *Présence africaine*.
266. Éd. africaines, 1954.
267. Robert Laffont, 1956.
268. Buchet Chastel, 1957.
269. Corrêa, 1957.
270. Julliard, 1956.
271. Julliard, 1956.
272. Revue *Présence africaine*.
273. Julliard.
274. Éd. Présence africaine.
275. Sagerep, 1968.
276. Éd. de la Salamandre, 1965.
277. Coll. dirigée par P.-J. Oswald. Tunis, Société nationale d'édition et de diffusion.
278. Éd. de la Farandole, 1966.
279. Éd. Présence africaine, 1970.
280. Éd. Présence africaine, 1962.
281. Institut d'études centrafricaines, 1960.
282. Éd. Présence africaine, 1968.
283. Imprimerie officielle de Brazzaville, 1947.

CHAPITRE 6

284. Yaoundé, Clé, 1968.
285. P.-J. Oswald.
286. P.-J. Oswald, 1970.
287. Éd. Caractères.
288. Éd. Caractères, 1957.
289. P.-J. Oswald, rééd. 1970.
290. P.-J. Oswald, 1962, rééd. 1970.
291. Éd. Présence africaine, 1964.
292. Seghers, 1968.
293. P.-J. Oswald.
294. Éd. Présence africaine, 1955.
295. Éd. Présence africaine, 1954.
296. Éd. Présence africaine, 1955.
297. Yaoundé, Clé, 1968.

298. O.R.T.F.-Daec, 1969.
299. O.R.T.F.-Daec, 1969.
300. O.R.T.F.-Daec, 1971.
301. O.R.T.F.-Daec, 1971.
302. P.-J. Oswald, 1970.
303. « Jean Malonga, écrivain congolais », revue *Présence africaine*, nº 73, 1970.
304. Tervuren, Archives d'ethnographie; Musée royal d'Afrique centrale, 1961.
305. Voir à ce propos les *Cahiers de littérature et linguistique appliquée*, nº 1 (juin 1970), Kinshasa, publications de la Faculté de philosophie et lettres de Lovanium.
306. Kinshasa, éd. Congolaises, O.N.R.D.
307. Chez l'auteur, 1969.
308. Kinshasa, éd. Mandore, 1969.
309. Kinshasa, éd. Mandore, 1969.
310. Éd. Présence africaine, 1955.
311. Seghers, coll. « Poésie », 1955.
312. Seghers, 1969.
313. Revue *Présence africaine*, nº 73, 1970.
314. *Somme première*, Lettres congolaises, O.N.R.D., 1970.
315. Cette citation et les trois suivantes sont extraites de *Dombi* (publiée sous le patronage de l'O.N.R.D.), nº 1 (juin 1970) et nº 2 (septembre-octobre 1970).
316. Ancien soldat, ancien journaliste, fonctionnaire au ministère des Affaires étrangères, auteur de *Mélodie africaine*, éd. l'Érave, 1970.
317. Faculté des lettres de Fribourg. A paraître aux éditions du Seuil sous le titre de *La Révolte dans le roman négro-africain*. On lira encore de Georges Ngal : « Aimé Césaire. Un théâtre de décolonisation », *Revue des Sciences humaines*, Lille, octobre-décembre 1970.
318. Bruxelles, éd. Remarques congolaises. Et éd. Présence africaine, 1966.
319. Londres, éd. Scotland. Et éd. Présence africaine, 1965.
320. Bruxelles, Académie royale des Sciences d'Outre-Mer, 1959.
321. Bruxelles, Académie royale des Sciences d'Outre-Mer, 1966.
322. Bruxelles, Académie royale des Sciences coloniales, 1959.
323. Bruxelles, Institut royal colonial belge, 1952.
324. Bruxelles, Académie royale des Sciences d'Outre-Mer, 1963.
325. Bruxelles, Académie royale des Sciences d'Outre-Mer, 1961.
326. Bruxelles, Institut royal colonial belge, 1951.
327. Musée royal du Congo, 1957.
328. Éd. Présence africaine, 1959.
329. Impr. Volamahitsy, 1957.
330. « L'art malgache », dans *Colloque sur l'art nègre*, éd. Présence africaine, 1969.

331. Impr. Ambaniandro, 1949.
332. Impr. Tananarivienne, 1947.
333. Impr. Volamahitsy, 1952.
334. Éd. Présence africaine, 1959.
335. Éd. Présence africaine, 1957.
336. Impr. Antananarivo, 1957.
337. Impr. Antananarivo, 1945.

CHAPITRE 7

338. Adec, 1965. Ajoutons que sur les problèmes de la nation, on lirait encore utilement *Contribution à l'étude du problème démographique de Madagascar*, par Félix Andriamanona (Les presses modernes, 1939), *Premières notions de Science économique*, par Martin Ramanoelina (éd. Présence africaine, 1963), et du même auteur *L'Argent et ses secrets* (Cercle du livre économique, 1968).
339. Gallimard, 1913.
340. Tananarive, impr. G. Pitot.
341. Tananarive, Impr. de l'Imerina, 1927.
342. Tananarive, Impr. de l'Imerina, 1928.
343. The general printing, 1931.
344. Tananarive, chez Henri Vidalie, 1934.
345. Tunis, éd. Mirages, 1935.
346. Tananarive, Impr. de l'Imerina, 1936.
347. Tananarive, Impr. officielle, 1939.
348. Hachette, rééd., 1968.
349. Tananarive, Impr. officielle, 1947.
350. Chez l'auteur.
351. Chez l'auteur.
352. Impr. Randiramarozaka, 1947.
353. Impr. tananarivienne, 1948.
354. Impr. Rason, 1957.
355. Impr. Pitot, 1958.
356. Impr. Vidalie, 1948.
357. Impr. Amparibe, 1958.
358. Éd. de l'A.P.L.P., 1955.
359. *Cahiers du nouvel humanisme*, 1952.
360. Éd. Grassin, 1960.
361. Impr. du Progrès, 1956.
362. Éd. Lecvire.
363. Éd. Ophrys, 1942.
364. Seghers, 1955.
365. Éd. Présence africaine, 1956.
366. Éd. Présence africaine, 1956.
367. Éd. Présence africaine, 1961.

368. Éd. Ophrys, 1947.

369. Éd. Présence africaine, 1957.

370. Éd. Présence africaine, 1962.

371. Éd. Présence africaine, 1959.

372. Maunick possède d'ailleurs parfaitement l'anglais, dont il a traduit avec talent en 1968 *L'Or de l'Oregon*, roman de Barbara Benezra.

373. 1963.

374. 1964.

375. Regent Press, 1954.

376. 1964.

377. Éd. Présence africaine, 1964.

378. Éd. Présence africaine, 1966.

379. Éd. Présence africaine, 1970.

CHAPITRE 8

380. « Les débuts de la négritude en Haïti. » Dans *Mélanges*, éd. Présence africaine, 1969.

381. « Les métamorphoses de la négritude en Amérique », revue *Présence africaine*, n° 75, 3e trimestre 1970.

382. Éd. Parville, 1926.

383. *Le Rayon des jupes ou treize poèmes pour Tristan Derême*, Saint-Calais, Impr. E. Lefleuvre, 1928.

384. Librairie de France, 1929.

385. Éd. du Divan, 1937.

386. Paris, Impr. de Kugelman, 1881.

387. Paris, éd. Ollendorf, 1902. On lira aussi avec intérêt, de Frédéric Marcelin, *Au gré du souvenir*, Paris, éd. A. Challarmel, 1913 et *Propos d'un Haïtien*, Paris, Impr. de Kugelman, 1915.

388. Impr. de Compiègne, 1928. Lire aussi *De Saint-Domingue à Haïti*, éd. Présence africaine, 1957 et *Silhouettes de nègres et de négrophiles*, éd. Présence africaine, 1960.

389. *Pages de jeunesse et de foi*, Port-au-Prince, Impr. du Sacré-Cœur, 1919 et *L'Enterrement de la Merlasse-contes*, Paris, éd. de la Vallée d'Aoste, 1924.

390. Paris, éd. de la Revue mondiale, 1925.

391. Lire encore *Contes et légendes d'Haïti*, Nathan, 1967.

392. Éd. Domat, 1952. Saint-Amant a notamment traduit du créole *L'Antigone créole* de Félix Morisseau-Leroy, éd. Présence africaine.

393. Repris dans l'*Anthologie de la nouvelle poésie nègre et malgache*, P.U.F., 1948.

394. Éditeurs français réunis, 1946. Rééd. 1950.

395. Éd. Présence africaine, 1966. Lire aussi dans *L'Arc-en-ciel*, Paris, nº 16, 1938, le beau poème « L'île aux grenats ».

396. *La Tradition voudoo et le voudoo haïtien*, Paris, éd. Miclaus, 1953.

397. *La Case de Damballali*, New-York, éd. de la Maison française, 1943.

398. Extrait de « La belle amour humaine », revue *Présence africaine*, janvier 1971.

399. Revue *Présence africaine*, nº 13, avril-mai 1957.

400. Gallimard, 1955.

401. Gallimard, 1957.

402. Gallimard, 1959.

403. Gallimard, 1960.

404. Robert Laffont, 1961. F.-J. Roy a aussi traduit plusieurs romans de l'anglais.

405. Seghers, 1951.

406. Seghers, 1952.

407. Éd. Présence africaine, 1956.

408. Seghers, 1964.

409. Éd. Présence africaine, 1967.

410. *Idem.*, Seghers, 1964.

411. *Sur le lac Moero*, Bruxelles, éd. C. Bullens, 1910.

412. P.-J. Oswald, 1968.

413. Sous la même couverture que *Mon pays que voici...*

414. A paraître dans le journal *Africasia*.

415. P.-J. Oswald, coll. « Théâtre africain », 1968.

416. *Anthologie de la nouvelle poésie nègre et malgache*, P.U.F., 1948.

417. Seghers.

418. Éd. Présence africaine, 1960.

419. *Anthologie de la nouvelle poésie nègre et malgache*, P.U.F., 1948.

420. Éd. Présence africaine.

421. Guy Levis Mano.

422. Seghers.

423. Gallimard.

424. Albin Michel. Rééd. Cercle du Bibliophile, 1938.

425. Albin Michel. Rééd. Cercle du Bibliophile, 1938.

426. Albin Michel, 1927.

427. Albin Michel, 1941.

428. Paris, éd. de l'Arc-en-ciel, 1943.

429. Éd. Présence africaine.

430. Albin Michel, 1953.

431. La Colombe, 1947.

432. Albin Michel, 1962.

433. *Sel et sargasse*, Le livre ouvert; *Martinique, conditionnel Eden*, Paris, Impr. de Hénon, 1946; *Credo des sang-mêlé*, Fort-de-France, Impr. Courrier des Antilles, 1948.

434. *Anthologie de la nouvelle poésie nègre et malgache*, P.U.F., 1948.
435. Éd. Présence africaine, 1955.
436. Éd. Présence africaine, 1956.
437. Club français du Livre, 1960. Rééd. Présence africaine, 1962.
438. Des fragments en paraissent dès 1939 dans la revue *Volontés*. L'ensemble du texte est publié en 1945 par les éditions Bordas, avec une préface d'André Breton. Réédition, en 1956, par Présence africaine.
439. Gallimard, 1946. Une réédition de 1970 comprend, en plus, sous le même titre, la pièce *Et les chiens se taisaient*.
440. Éd. K, 1948. Une réédition de ces poèmes — sauf les plus violents, mais avec en plus *Corps perdu* — paraît aux éd. du Seuil en 1961 sous le titre de *Cadastre*. Le poème « Soleil cou coupé » y est d'ailleurs donné selon une nouvelle version.
441. Éd. Fragrance, 1949.
442. Seuil, 1960.
443. Éd. Présence africaine, 1956.
444. Éd. Présence africaine, 1963. Nous utilisons une nouvelle version. Éd. Présence africaine, 1970.
445. Seuil, 1967.
446. *Une Tempête*, Seuil, 1969.
447. Seuil, 1952.
448. Maspero, « Petite collection Maspero », 1961.
449. Maspero, « Petite collection Maspero », 1968.
450. Maspero, « Petite collection Maspero », 1969.
451. P.-J. Oswald, coll. « Théâtre africain », 1967.
452. P.-J. Oswald, coll. « Théâtre africain », 1968. Avec une présentation de René Depestre.
453. Seuil, 1958. Prix Renaudot 1958.
454. Seuil, 1964. Prix Charles Veillon, 1965.
455. Seuil, 1955.
456. Seuil, 1969.
457. Seuil, 1960. Beaucoup de textes de *Sel noir* seront repris sous le titre de *Poèmes* (voir note 459).
458. Éd. Présence africaine, 1961.
459. Seuil, 1965.

CHAPITRE 9

460. Voir note 178.
461. « Négritude et politique », dans *Mélanges*, éd. Présence africaine, 1969.
462. Aubier, 1970. Sunday Ogbonna Anozie, né au Biafra en 1942, docteur en sociologie de l'université de Paris, donne maintenant un

enseignement à l'université du Texas, à Austin. Entièrement bilingue franco-anglais, il connaît autant la littérature romanesque de l'Afrique noire francophone qu'anglophone.

463. *Problèmes de la formation de l'épargne interne en Afrique occidentale*, éd. Présence africaine, 1969.

464. Revue *Présence africaine*, nº 73, 1970. Et voir note 221.

465. « La musique africaine moderne », dans *Colloque sur l'art nègre*, éd. Présence africaine, 1967. Voir notes 251 et 252.

466. « Comme si nous nous étions donné rendez-vous », revue *Esprit*, octobre 1961. Et voir note 96.

467. Voir note 462.

468. Revue *Présence africaine*, nº 13 (avril-mai 1957). Et voir note 399.

469. « Le romancier noir et son peuple », revue *Présence africaine*, octobre-novembre, 1957.

470. Voir note 59.

471. Éd. Présence africaine, 1969. Voir aussi *Négriers*, éd. Présence africaine, 1970.

472. Dans *Mélanges-Présence africaine 1947-1967*, éd. Présence africaine, 1969.

473. Voir note 464.

474. Revue *Présence africaine*, nº 73, 1970.

Index

N

O

P

Q

R

S

T

U

V

W

Y

Z

Table des matières

Achevé d'imprimer le 24 février 1972
dans les ateliers de l'Imprimerie Floch
à Mayenne,
pour le compte des Éditions Fayard
6, rue Casimir-Delavigne à Paris.